高速铁路红层软岩深路堑路基时效变形特性研究

钟志彬　邓荣贵　李安洪　吴沛沛　著

U0262898

科学出版社

北　京

内 容 简 介

红层软岩地区的高速铁路深路堑路基持续上拱变形是近年来我国高速铁路建设和运营维护遇到的新问题。本书以成渝客运专线内江北站为依托,通过大量的红层砂泥岩物理力学性能试验、理论分析和数值模拟,在总结红层软岩时效性膨胀和蠕变特征的基础上,结合深路堑开挖过程,揭示路基长期持续上拱变形的内在机理,并初步建立路基时效性上拱变形理论模型,提出一种新型弧形桩板结构以有效控制路基上拱变形。系统介绍了红层软岩区深路堑路基长期上拱变形问题的研究思路、研究方法、研究内容和研究成果,以及论证提出的处治新理念与新方法。

本书可供从事铁路工程、公路工程、建筑工程及地下工程等工程领域的技术人员和高等院校岩土工程、路基工程及地质工程等专业的师生参考。

图书在版编目(CIP)数据

高速铁路红层软岩深路堑路基时效变形特性研究 / 钟志彬等著. —北京:科学出版社,2023.2
　　ISBN 978-7-03-071288-2

Ⅰ. ①高…　Ⅱ. ①钟…　Ⅲ. ①高速铁路–铁路路基–变形
Ⅳ. ①U216.41

中国版本图书馆 CIP 数据核字(2021)第 274527 号

责任编辑:朱小刚 / 责任校对:崔向琳
责任印制:罗　科 / 封面设计:陈　敬

科学出版社 出版
北京东黄城根北街 16 号
邮政编码:100717
http://www.sciencep.com
四川煤田地质制图印务有限责任公司 印刷
科学出版社发行　各地新华书店经销
*
2023 年 2 月第　一　版　开本:720×1000　B5
2023 年 2 月第一次印刷　印张:20 1/4
字数:367 000
定价:198.00 元
(如有印装质量问题,我社负责调换)

前 言

　　四川盆地广泛发育分布的红层软岩具有独特性：地层宏观上简单而局部因相变复杂，岩性以泥质软岩为主而又夹杂薄层至厚层状的砂岩、泥质砂岩和砂质泥岩；构造相对简单，但砂质岩夹层中切层张性结构面、泥岩中的龟裂裂隙及层面极为发育，成岩性较好而极易风化，天然含水率低而吸水特性极强；虽然是软质岩，单轴抗压强度低，但常呈崩解式脆性破坏特征；岩石强度及变形的围压效应明显，失水干缩开裂和吸水膨胀特性较强，低荷载时效变形特征显著等。人们从传统尺度和视角对四川盆地红层软岩的地质特性和工程特征开展了大量的研究，获得了众多的学术成果和技术成果，为该区域的工程建设奠定了坚实的理论基础，提供了可靠的技术支持。

　　对四川盆地红层软岩工程特性的研究，以往更多地关注红层软岩开挖土石料填筑体场地、地基和路堤的工后沉降问题，填筑体边坡和开挖边坡变形、稳定性和支挡加固问题。然而，在高速铁路所要求的毫米级变形控制精度下，开挖泥质软岩深路堑路基和隧道底部围岩工后持续性的变形完全不能满足高速铁路建设的需要，如成渝客运专线和西成高速铁路开挖路基就出现持续上拱变形，数年内的累积变形已超出设计所要求数十年的安全极限；在建和规划的渝昆高速铁路、成自高速铁路、成达万高速铁路和成渝中线高速铁路等工程仍然面临类似问题。

　　采用传统的"以桥代路"方式暂时处置了运营高速铁路深路堑超限上拱变形的工程难题，而其中的科学问题尚未研究清楚。根据多个持续上拱变形深路堑工点的监测资料和初步分析，开挖深路堑路基的持续上拱变形与红层泥质软岩传统研究认为的卸荷回弹和吸水膨胀变形特征有所不同，表现为与开挖高度、季节性和地下水情况没有明显的相关性。针对泥质软岩深路堑路基上述特殊变形现象的原因和机理，根据有限的勘察、试验和监测资料，本书提出了卸荷回弹与屈服塑性流动变形、泥质岩吸水膨胀变形、泥质软岩蠕变性时效变形和路基近水平地层组合梁结构弯曲变形效应等观点。经过更进一步的监测和研究，上述观点仍不能完全解释所有的现象和问题。

　　为此，在国家自然科学基金项目(42293353、51808458)、四川省自然科学基金(2022NSFSC0403)、中国博士后科学基金面上项目(2018M640934)、中铁二院工程集团有限责任公司院控课题(KYY2018109(18-19))和西南交通大学"第二轮研究生教材(专著)"项目的联合资助下，依托西南交通大学陆地交通地质灾害防治技术国家工程实验室和成都理工大学地质灾害防治与地质环境保护国家重点实验室平台，在中铁二院工程集团有限责任公司提供的大量基本资料基础上，依托首次出现深路堑路基持续上拱变形现象的成渝客运专线内江北站深路堑路基和在建的成自高速铁路球溪站深挖路堑工程，开展了系统的现场调研、室内试验、理论分析和数值模拟研究，在揭示深路堑路基长期持续上拱变形内在机理的基础上，研究并提出了相应的变形控制新型结构。本书即为该新科学问题研究成果的总结，欲为类似工程防灾减灾研究和处置提供参考。

课题研究过程中，在现场调研、室内工作以及依托工程和相关工程技术资料上都得到了中铁二院工程集团有限责任公司的大力支持和帮助。本书的出版也得到了西南交通大学研究生院的资助和大力支持。在此诚向两个单位和基本资料的作者表示衷心感谢。

全书共 10 章，第 1 章由钟志彬、李安洪撰写，第 2 章由钟志彬、邓荣贵、吴沛沛、陈明浩撰写，第 3 章由钟志彬、周其健、李凯甜、吕蕾撰写，第 4 章由钟志彬、李安洪、顾磊撰写，第 5 章和第 6 章由钟志彬撰写，第 7 章由吴沛沛、钟志彬撰写，第 8 章由邓荣贵、秦光裕撰写，第 9 章由钟志彬、秦光裕撰写，第 10 章由钟志彬、李安洪、邓荣贵撰写。全书由钟志彬进行统编和定稿，课题研究过程中得到了中铁二院工程集团有限责任公司王科、赵平、周成、叶世斌、徐骏、高柏松、曾永红、陈裕刚等相关人员的帮助，同时得到了西南交通大学杨涛副教授、崔凯教授和成都理工大学许强教授、李天斌教授、范宣梅教授的帮助和支持。西南交通大学孙怡博士、张耑博士、王园园博士和刘宇罡、杨明硕士研究生等参与了相关研究工作。

限于作者的水平及研究深度，书中难免存在不足之处，敬请读者批评指正。

目　　录

第1章 绪 论

1.1 红层软岩及其工程问题

红层是一种外观以红色为主色调的陆相高温及氧化环境中沉积的碎屑岩地层，我国陆相红层主要形成于三叠纪、侏罗纪和白垩纪，分布总面积约占我国陆地总面积的 9.5%，其中约 60%分布于我国南方地区，尤其在四川盆地、盆地边缘与攀西地区分布极为广泛，是我国红层分布最多的地区[1-3]。岩性主要为泥岩、页岩、粉砂质泥岩、砂岩等[4]，具有透水性弱、亲水性强、遇水易软化(或膨胀)、失水易崩解(或收缩)的特点。软硬相间的砂泥岩互层是红层中最为普遍和典型的岩性组合形式，其中砂岩类构造节理发育，常成为地表水和地下水渗透的通道，而泥岩类为相对不透水层，且具有吸水软化特点[5]。由于其特殊的物理力学特性及构造特征，红层软岩地区公路、铁路、水利水电等工程建设过程中遇到大量滑坡、边坡变形失稳、路基不均匀变形等工程病害，尤其在四川盆地，早期的达万铁路、达成铁路、兰渝铁路等重大项目建设中，红层软岩路堑边坡病害较多，开始引起重视，边坡的稳定性研究也成为红层研究的重点。近年来，红层软岩开挖土石开始用于高速铁路路基填料，由此一些学者开始针对红层路基的沉降变形、路基稳定性等路用填料特性进行研究，其中红层填料路基沉降变形、动力特性等成为研究重点[6-9]。《岩土工程勘察规范(2009 年版)》(GB 50021—2001)规定，对于软岩，应注意是否具有可软化性、膨胀性、崩解性等特殊性质，开挖后是否有进一步风化的特性。可见，红层软岩特殊的物理力学性质是影响工程结构稳定性的重要因素，无论早期的普速铁路还是当前快速发展的高速铁路，都将其作为一个重要课题开展深入研究，大量岩石力学科研及工程技术人员结合重大工程项目，在水和应力环境下红层软岩物理力学性能及其工程灾变机理方面开展了大量的研究[5,10-16]，我国在红层软岩工程领域积累了大量的研究成果和丰富的工程经验，红层软岩特殊的物理力学性能在工程中也早已不再那么"特殊"。

红层地区高速铁路开挖路堑边坡的稳定性、红层边坡风化剥落、红层路基填料沉降变形是红层工程中的"老问题"，深路堑路基服役期持续上拱变形是近年来高速铁路建设和运营过程中出现的"新问题"。2015 年，成渝客运专线内江北站两段(约 400m)无砟轨道开通前就出现超限上拱变形，为此进行了返工处理，线路开通运营后，该区段路基依然持续上拱变形，截至 2020 年 1 月，累积最大上拱量已超过 40mm,导致列车不断降速,最后不得不斥资近 2 亿元再次返工处理;2018 年 2 月,开通运营仅 2 个月的西成客运专线江油段约 100m 路基同样发现最大上拱量达到 11.8mm;同年 4 月,在建成贵高速铁路宜宾段约 130m 路基在 CPⅢ 高程测量中发现路基最大上拱量已达到 9mm。这些上拱路基都发生在西南地区广泛分布的红层软岩地层的深挖路堑工程中。西北地区的兰新高速铁路部分泥岩路基区段出现类似的严重持续上拱变形,且没有收敛迹象,京沈线、郑西线等也都出现过类似的病害。与普速铁路相比,高速铁路由于列车运行速度快,对线路平顺性要求更加严苛,而无砟轨道对路基上拱变形调节能力仅有 4mm 的空间[17],超限的上拱变形将严重威胁列车的安全运行。然而,深挖路堑持续上拱变形的原因和机理尚不清楚,相关研究还不够系统、深入,也尚未建立有效的理论模型和计算方法以指导实际工程灾害预防和控制。同时,运营高速铁路线路返工整治代价非常大,在缺乏有效理论支撑的情况下,目前大多只能通过加强监测、降速运行来保证列车安全,极大地提高了线路运营维护成本,造成不良的社会影响和巨大的经济损失。路基上拱也成为如今高速铁路建设过程中面临的又一个关键问题。

与此同时,我国高速铁路发展迅速,截至 2021 年年底,高速铁路运营里程达到 4 万 km,已然成为我国对外的一张亮丽名片,这也意味着将有大量的潜在红层深路堑上拱变形病害路基工点。据初步统计,运营中的成渝客运专线超过 30m 的深路堑就有 18 处(总计 1782m),成贵高速铁路仅四川段就有超过 72 处(总计 4738m)挖方超过 20m 的深路堑,在建成自高速铁路也有 47 处深路堑,目前我国在建时速最快的成渝中线(400km/h)高速铁路更有多达 99 处路堑最大挖深超过 20m,若再考虑西南地区重庆、云南、广西和华中、华南等红层地区高速铁路工程,如此大规模的红层软岩深路堑工程足以让建设者谈"拱"色变!

我国高速铁路工程中存在大量的红层深挖路堑,为什么目前仅部分工点出现长期持续的上拱变形? 其余运营路基是否会产生类似上拱变形? 路基的上拱变形受哪些因素控制以及影响规律和后期变形发展趋势如何? 如何有效整治服役期上拱变形路基? 如何在前期设计、施工过程中采取有效的手段避免线路服役期出现持续的上拱变形病害? 这些都是今后我国高速铁路建设和运营维护必须面对的问题。针对这些实际问题,本书以运营成渝客运专线内江北站两处上拱路基工点为依托,从红层软岩的物理力学性能、岩体结构(组合)特征、赋存工程环境等角度出发,通过系统的现场调查、室内外试验、理论分析和数值模拟手段,揭示引起红层软岩深路堑地基时效性上拱变形的内在机理及关键影响因素和影响规律。同时,考虑路基实际赋存环境特征,建立深挖路堑地基上拱变形理论计算模型及方法,并针对性地提出一种技术可靠、经济合理的工程控制措施,为建设中的成自高速铁路、成达万高速铁路、成渝中线高速铁路以及今后红层地区大量高速铁路路基工程长期上拱变形灾害预防和控制提供理论支撑,服务于相关工程设计和施工, 对提高我国高速铁路建设和运营维护水平具有显著的实际应用价值。

1.2 国内外研究现状

1.2.1 红层软岩地层结构特征研究

红层的最大特点是岩性岩相复杂多变, 经历的地壳运动不剧烈, 形成的地质年代较短[18], 通常是由泥岩、砂质泥岩与粉砂岩或粉砂岩互层、泥质岩夹少量泥灰岩组成的复合结构, 同时, 软弱夹层也是红层软岩岩体结构的一个重要特征。不同岩层的组合结构特征在一定程度上决定了工程岩体的变形和失稳模式。为此, 一些学者从红层泥质岩地区地层结构特征分析入手, 研究边坡失稳、路基变形等机理。

许强等[18]调查发现, 四川盆地红层大多区域地层倾角小于 20°, 甚至小于 10°, 岩层和斜坡都很平缓, 但在降雨作用下依然诱发成千上万处滑坡。吴国雄等[19]对西部地区红层软岩的岩体结构和工程特性进行了总结, 认为四川盆地红层软岩以侏罗系、白垩系地层为主, 主要分布于四川省和重庆市的四川盆地及盆地边缘地区; 李蕊等[20]对川东红层地区天台乡滑坡的研究发现, 滑坡体以棕红色、紫红色砂质泥岩、泥质粉砂岩为主夹数层紫灰色、紫红色细粒石英砂岩, 滑坡区泥岩层受构造作用风化裂隙极发育, 岩石切割为块状或碎裂状, 加之孔隙水和裂隙水作用, 形成软塑状滑带, 降低了滑坡的稳定性; 同样在川东缓倾红层地区, 青宁乡滑坡的发生也与滑带粉质黏土夹碎石遇水软化有关, 造成原本稳定的缓倾岩层发生滑坡[21]; 安(宁)—楚(雄)高速公路全线 129.93km, 就有 2/3 以上路段通过红层地区, 且多为软岩和硬岩相间互层, 层间形成碎裂岩脉, 成为岩体的薄弱带[22]。

总体来看, 受沉积环境和微弱的地壳运动影响, 红层地区岩体多为软硬相间的近水平或者缓倾层状构造, 且通常含有泥质软弱夹层, 不同岩层的物理力学性能不同, 水的作用使得软弱夹层抗剪强度进一步降低, 岩体易沿着软弱夹层发生滑动破坏。另外, 由于红层软岩中膨胀性黏土矿物含量较大, 遇水发生膨胀作用, 引起岩体内的不均匀膨胀力及变形, 长期作用下导致岩体破碎、岩体结构松散、强度降低等弱化现象, 这些都是引发红层软岩工程灾变的主要原因。

1.2.2 红层软岩矿物成分及其特性研究

泥岩本身含有较多黏土矿物, 其物理性状除与应力环境相关外, 受所处环境的湿度变化影响很大, 这是泥岩与其他结晶岩石、岩体和不含黏土矿物的碎屑岩物理性状最根本的差异。黏土矿物对水分具有很强的吸附能力, 从而红层软岩也表现出较强的亲水性,同时,黏土矿物吸水后体积膨胀,进而崩解。因此,研究红层泥质岩的矿物组成,特别是黏土矿物成分,是判断其力学性能、风化进程、膨胀变形特性的重要依据。

孙乔宝等[22]对滇中红层软岩矿物成分的分析发现,泥岩主要成分为粒径小于0.004mm的铁泥质,有少量重结晶为绢云母、绿泥石,泥质结构,同时泥质粉砂岩和泥岩的黏土矿物主要为伊利石、绢云母,有少量高岭石、绿泥石,伊利石是较强的亲水矿物,也是泥岩、粉砂岩遇水易软化、塑性变形、强度低、吸水易膨胀、失水易崩解等特性的内在因素。该工程区红层软岩的崩解性强,岩芯在晴天3~5h就出现裂纹,2~3d就会崩解成碎块或岩屑,块石经3~5d就会出现崩解现象。许强等[18]对四川盆地大量红层泥质类岩石矿物成分进行了统计分析,认为红层泥质类岩石的矿物成分以黏土矿物(伊利石、蒙脱石、高岭石、绿泥石等)和碎屑物质(石英、长石、云母、方解石、石膏等)为主。

总体来看,根据化学分析、X射线衍射、电镜观测等试验,红层软岩主要矿物成分为泥质、石英、长石、方解石、高岭石、蒙脱石、伊利石等,其中泥质粉砂岩和泥岩的黏土矿物主要为伊利石,有少量高岭石、绿泥石、蒙脱石,黏土矿物含量较大是泥质岩抗压强度小于砂岩的主要原因。化学成分则主要有 SiO_2、Al_2O_3、Fe_2O_3、CaO 等,其中 SiO_2 和 Al_2O_3 相对大量富集,K、Na 等组分含量相对少,SiO_2、Al_2O_3、Fe_2O_3 之和达73%,反映了红层沉积形成前经历了强烈的风化作用,硅质、铁质和钙质作为胶结物,其含量在一定程度上反映了红层的强度特征,Fe_2O_3 及其水合物的积聚使得岩体呈现红色。矿物成分及其含量、结构、胶结物质决定了红层泥质岩不同的膨胀性和崩解性[8, 18, 23, 24]。

红层软岩的膨胀性主要由黏土矿物的膨胀和矿物重结晶的膨胀组成。黏土矿物膨胀主要是蒙脱石的"粒间膨胀"、高岭石和伊利石的"粒内膨胀"、伊/蒙混层膨胀作用,而矿物重结晶膨胀是硬石膏变成石膏的体积增大现象[24]。例如,四川西岭雪山泥岩的蒙脱石含量最高,自由膨胀率达到 155%,远大于遂宁和合川石英含量较高的泥质岩试样[8]。因此,对红层泥质岩黏土矿物成分和含量及其引起膨胀特性的研究对判断工程岩体宏观变形至关重要。

1.2.3 红层软岩膨胀变形特性研究

通常岩石的膨胀性是指在水的物理化学作用下随时间的发展产生体积增加、破碎和分解的现象[25]。岩石的膨胀性能、膨胀机制受岩石本身矿物组成、结构特征、外部环境、荷载等影响。除此之外,红层泥质岩因含有大量的黏土矿物,遇水膨胀变形较明显,其膨胀性能与其风化、崩解、软化等特性相关[26]。

魏永幸[9]采用红层泥岩散体开展了有荷载与无荷载膨胀率试验和自由膨胀率试验,发现红层泥岩的膨胀率较小,并且随着压力的增大而减小。胡文静等[26]

通过试验研究了重庆红层泥岩在侧限有竖向荷载、无竖向荷载、不同加水条件下的膨胀特性，发现随着竖向荷载的增大，膨胀率急剧降低，并且随着加水时间的持续，水量大小对红层泥岩稳定膨胀、膨胀变形过程及其特征起着控制作用。朱珍德等[27]对南京红砂岩侧限膨胀变形试验发现，在高荷载作用下，红砂岩膨胀应变随吸水率的增加呈对数增长；在低荷载作用下，膨胀应变随吸水率的增加呈线性增长，并且膨胀变形具有时间效应。Doostmohammadi 等[28]研究了干湿循环和上覆压力作用下泥岩的膨胀变形和膨胀压力变化规律，结果表明，膨胀变形和膨胀压力随干湿循环次数的增大而增大，但存在极限值。马丽娜[29]对兰新客运专线泥岩路基的膨胀变形开展了不同上覆压力和浸水深度下的试验，认为路基上拱是由泥岩吸水膨胀造成的。王智猛[30]对遂渝线工点红层泥岩有(无)荷载下的膨胀率试验发现，红层泥岩浸水膨胀率随荷载的增大而减小，且膨胀率都较小，当荷载为 100kPa 时，膨胀率接近 0，荷载超过 100kPa 后，红层泥岩不会发生膨胀反而发生压缩变形。这些研究均落脚于泥质岩等软岩吸水膨胀现象，也是通常膨胀性岩石所定义的物理化学作用膨胀现象，由岩石本身矿物组成及含量决定，受外部环境影响，通过室内饱和膨胀性试验综合判定膨胀等级。实际上，以上只能称为岩石的静态膨胀。1983 年，陈宗基等[31]提出软岩扩容膨胀效应，把膨胀分为三类：碎胀(扩容引起的体积膨胀)、物理化学作用产生的自由膨胀、弹性变形恢复引起的流变膨胀。在力的作用下，一方面软岩扩容造成体积增大，即产生碎胀；另一方面，扩容还会加剧其物理化学膨胀作用，即产生联合作用，使其扩容后的自由膨胀率远远大于静态条件下的膨胀率[32]。

荷载作用下岩石先表现出弹性压缩变形，当荷载达到一定值后开始转变为体积增大，即扩容。岩体扩容膨胀变形是由于岩石内部微观裂纹的发展而引起的体积非弹性增加现象[33]。岩体开挖过程实际上就是天然岩体沿某一方向或者多个方向卸荷以及应力重分布过程，与加载过程类似，岩石的卸载过程同样会产生扩容膨胀现象。陈学章等[33]对大理岩围压卸荷变形试验发现，随着围压的增大，大理岩卸荷扩容特征减弱。硬岩的卸载扩容研究成果较多。黄伟等[34]在绿泥岩的卸载试验中也注意到岩石的显著扩容现象，并建立了考虑扩容变形的岩石全过程本构模型；杨永康等[35]在巷道开挖泥岩中发现，开挖引起原岩应力状态的改变，使岩体微细裂隙产生、扩展和贯通，以致发展成宏观裂隙，并形成与外界水分交换的通道，泥岩风化崩解、碎裂扩容与应力调整过程中高应力拉伸与剪切共同促使泥岩顶板破裂、离层和破碎的发生。软岩的扩容膨胀是由内部裂隙的张开和扩展引起的，除了水，卸载是引起软岩扩容的一个重要因素。

自然界中的泥质岩在长期上覆压力作用下，内部裂隙等结构面闭合，开挖卸载后外部环境发生改变(应力调整、地下水入渗、化学腐蚀等)引起岩体结构变化，造成岩体在体积上的膨胀变形。吴国雄等[19]认为红层泥质岩地层开挖路堑、隧洞、桥基等工程时，岩体经过两方面的变形，一方面是二次应力引起的岩石松弛或回弹，这与非泥质岩相同；另一方面是由于开挖暴露，泥质岩吸收潮湿空气以及地表水的作用，岩石膨胀松弛，这是泥质岩独有的特征。并且红层泥质岩裂隙发育，空气中水分及地下水渗入裂隙，加速了岩石的风化，进一步引起岩石的扩容膨胀。

与硬质岩不同的是，软岩的变形破坏具有强烈的时效性，引起地下巷道围岩持续变形的主要因素是围岩的破坏扩容，围岩破坏扩容导致的围岩体积变化比弹性体积应变大得多[36]。对于膨胀岩及相关工程，其膨胀变形也是时变过程或者渐变过程，因此对软岩膨胀变形随时间变化规律的研究，对有关工程的安全监测和灾害预测预报极为重要。

1.2.4　红层软岩流变特性研究

岩石流变是指岩石矿物组构(骨架)随时间增长不断调整重组，导致其应力、应变状态亦随时间持续增长变化。岩石的流变学研究包括：①蠕变，指在常值应力持续作用下，岩体变形随时间持续增长发展的过程；②应力松弛，指在常值应力条件下，岩体应力随时间不断地有一定程度衰减变化的过程；③长期强度，指岩体强度随时间持续有限降低，并逐渐趋于一个稳定收敛的低限定值；④弹性后效和滞后效应(黏滞效应)，指加荷时继瞬时发生的弹性变形之后，仍有部分后续的黏性变形随时间增长，加荷过程中变形随时间逐渐增长称为滞后效应，卸荷之后，变形随时间逐渐恢复称为弹性后效，两者统称为黏滞效应[37]。

流变研究对于评价岩石工程长期稳定性必不可少。我国从 20 世纪 50 年代开始重视岩石流变特性研究，陈宗基最早引入流变理论，提出了岩石流变的思想。只要岩土介质受力后的应力水平达到或者超过该岩土材料的流变下限，就会产生随时间增长的流变变形，流变不仅发生在软弱岩石以及含有泥质充填物和夹层破碎带的松散岩体中，坚硬岩体受多组节理或发育裂隙切割，其剪切蠕变也会达到相当的量值[37]。因此，长期以来，岩石力学工作者对不同岩性、不同应力水平和应力路径作用、不同含水率等条件下岩石的流变特性开展了大量的试验、理论和数值模拟研究，获得了大量的研究成果。其中，软岩的卸荷流变最能够反映实际工程开挖引起的大变形、持续变形引起的破坏等现象。

李良权等[38]在粉砂质泥岩三轴压缩蠕变试验中发现，长期荷载作用下，粉砂质泥岩强度、变形模量、黏聚力和内摩擦角等力学性质指标都有不同程度的降低，并采用改进西原模型对试验曲线进行了模拟；同样针对粉砂质泥岩，马冲等[39]通过三轴蠕变试验研究了渗透压力及围压对岩体蠕变变形的影响，渗透压力的存在有利于岩石裂隙的扩展和贯通，从而降低岩石蠕变的长期强度，并且孔隙水压力在蠕变后期由于有利于裂纹扩展而增大岩石的轴向应变。

黄兴等[40]开展了砂质泥岩恒轴压逐级卸围压三轴卸载蠕变试验，发现随围压逐级卸载，岩石的蠕变变形改变，并且岩石内部产生竖向张性微裂纹，微裂纹的萌生和扩展使卸围压瞬时产生较明显的侧向变形，且蠕变过程中微裂纹将发生与应力水平相应的失效扩展，产生黏塑性变形。原先凡等[41]同样对砂质泥岩开展了卸围压蠕变试验，结果表明，西原模型能够较好地描述应力水平低于破坏应力时的砂质泥岩的流变特性，而高应力下需要考虑非线性黏弹塑性流变特征。

流变本构模型是研究岩石长期强度和变形规律的主要手段。目前建立流变本构模型的主要方法有经验模型、屈服面模型、不可逆热力学模型、细观力学模型、元件组合模型，其中，元件组合模型直观灵活、格式简洁，能全面反映流变介质的各种流变特征，模型参数也可以通过室内流变试验直接获取，在工程中被广泛应用。基本元件包括弹性元件(胡克体)、塑性元件、黏性元件(牛顿体)，将这些基本元件按照一定的方法串联或者并联起来，就形成了 Maxwell 模型、Kelvin 模型、Poynting-Thomson 模型、Burgers 模型、西原模型、Bingham 模型等。一些学者根据岩石流变特性的不同，对以上模型进行适当修正或者开发，获得了适合实际情况的流变模型。例如，邓荣贵等[42]提出一种非牛顿流体黏滞阻尼元件，与三个基本元件组合，提出了一种新的蠕变模型用于水电站坝区断层岩的流变特性分析；陈沅江等[43]为弥补基本元件无法模拟软岩加速蠕变特性，引入蠕变体和裂隙塑性体两种非线性元件，建立了一种新的非线性流变模型，该模型可以反映岩石受载后裂隙压密闭合瞬时塑性阶段和蠕变加速阶段的特性。

红层泥质岩是一种典型的软岩，不仅强度低，而且具有极强的流变性，一些学者对红层泥质岩开展了不同条件下的蠕变试验研究。杨淑碧等[44]对红层泥质岩(泥质粉砂岩和粉砂质泥岩)开展了流变试验，结果表明，红层泥质岩的流变特性受风化程度控制，在压缩及剪切条件下的长期强度相对较低，强度的时间效应显著，特别是风化剧烈的泥岩更为明显，蠕变现象相对于松弛更为突出；朱定华等[45]基于南京地区强风化和中风化泥岩、泥质砂岩开展单轴压缩流变试验，采用Burgers 模型描述其流变特性，且长期强度为单轴抗压强度的 63%～70%；巨能攀等[46]改变红层泥岩的含水率，通过三轴蠕变试验证明了随含水率的增大，红层泥岩的初始、稳态和极限加速蠕变速率均增大，而长期强度降低，并且对 Burgers 模型进行了改进；谌文武等[47]对甘肃红层软岩进行了一系列单轴压缩蠕变试验，红层软岩的蠕变特性符合 Burgers 模型，并且含水率越高，蠕变量越大，蠕变率也越大，达到稳定的时间也越长。刘小伟等[48]和王志俭等[49]的研究也发现，红层软岩的单轴和三轴蠕变特性均符合 Burgers 模型，采用 Burgers 模型可以准确描述红层软岩变形的时效性。

实际工程中，受复杂地质构造、地下水渗流、人工扰动等影响，软岩在长期应力作用下，内部裂隙缓慢扩展，除变形随时间增长外，岩石本身力学性能也将随裂隙的扩展逐渐弱化，表现为力学性能指标随时间的非线性弱化特征。因此，采用非线性损伤流变模型能够更准确地预测实际岩体工程中软岩的时效非线性变形特征。Huang 等[50]通过三轴压缩蠕变试验发现，岩石的初始损伤程度对蠕变总时长、蠕变破坏偏应力阈值等蠕变特征参数均有显著的影响；Lu 等[51]、Yu 等[52]发现，泥岩和砂岩含水率和温度是影响蠕变变形和蠕变应变速率的重要因素。在实际工程中，无论岩石的损伤程度还是含水率、温度等条件，均会随着外部环境的改变而动态改变，从而岩石的蠕变变形过程也是一个动态非线性的过程。陈卫忠等[53]和王者超[54]以 Burgers 模型为基础，考虑三轴压缩蠕变对盐岩黏滞系数和损伤的影响，建立了非线性蠕变模型；高文华等[55]考虑应力水平和时间因素对弹性模量弱化的综合影响，建立了软岩的蠕变损伤本构模型；祁舒燕[56]和何晓樟[57]在变形模量和黏滞系数中引入与时间相关的参数建立了软岩的时效非线性损伤流变模型。

已有研究成果表明，软岩特别是泥质岩，无论在单轴、三轴加载还是卸围压试验下，采用 Burgers 模型可以较好地描述其流变特性，并且软岩的流变特性与其含水率、应力状态、风化程度等因素相关。

1.2.5 红层软岩时效性损伤机理研究

红层软岩之所以表现出一系列特殊的物理力学特性，很大程度上是由其矿物组成和微细观结构决定的，在水分和应力的驱动下，发生一系列的物理化学变化，从而在宏观上表现出吸水软化(膨胀)、失水收缩(崩解)、抗风化能力差、显著流变特征等。因此，一些学者对红层软岩的微细观结构演化机理做了大量的研究，并基于此揭示其宏观力学响应特征。中山大学周翠英教授团队[58-62]综合采用扫描电子显微镜、偏光显微镜、能谱分析、粉晶 X 射线衍射以及岩石的物理力学测试等手段，分析了红层软岩在水和应力作用下微细观结构演化过程、特征、机理及定量描述，认为红层软岩的崩解缘于软岩碎片间泥质填充区中水-岩界面上的黏土颗粒在水作用下发生水化、扩散和流失致使泥质胶结带缩减，从而引起碎片间凝聚力下降，而软化是黏土矿物吸水膨胀与崩解机制、离子交换吸附作用、易溶性矿物溶解与矿物生成、软岩与水作用的微观力学作用机制、软岩软化的非线性化学动力学机制的综合作用造成的，并且进一步通过研制的软岩水-力耦合细观力学三轴试验系统，研究了不同赋存水环境和应力条件下红层软岩遇水软化和变形行为。Zhang 等[11]分析了降雨入渗下红层泥岩微观结构演化特征及水-岩耦合效应，认为伊利石的分子内膨胀和胶结膨胀是导致雨水入渗条件下红层软岩结构损伤、衰减和强度劣化的基本机制。可以看出，水-岩相互作用产生化学腐蚀，引起红层软岩微观结构改变，微观损伤随时间不断积累直至岩石出现宏观损伤，表现为结构崩解、强度弱化、体积膨胀等现象。同时，微观损伤的时效性也决定了其宏观物理力学性能具有显著的时效性特征。但是，目前的研究大多集中于水-

岩耦合作用下岩石微细观物理化学机制及相应的宏观现象，却鲜有关于水-岩耦合损伤演化定量表征的成果报道。

对于红层软岩，由于亲水性黏土矿物的存在，特别是低黏土矿物含量的红层泥岩、粉砂质泥岩等，吸水后产生的短时膨胀变形远达不到传统膨胀岩变形的标准，而是表现出显著的时效性特征。戴张俊等[63]和朱俊杰[64]也发现红层泥岩的膨胀变形不是在短时间内完成的，具有明显的时效性，并且与岩石的吸水率和结构特征密切相关。这一方面是由于岩石本身黏土矿物含量较低，由黏土矿物吸水产生的体积膨胀量有限；另一方面，泥岩渗透性较低，渗透速率受裂隙发育特征影响，而裂隙的扩展又取决于黏土矿物吸水过程，从而使低黏土矿物含量的红层泥岩膨胀变形具有显著的时效性特征，类似于应力作用下岩石的流变特征，岩石流变是指岩石矿物组构(骨架)随时间增长不断调整重组，导致其应力、应变状态亦随时间持续增长变化，只是此时的外部驱动力是水而非应力。

综上所述，从微细观上来看，红层软岩的时效性损伤和变形是水-岩耦合作用下微观裂隙起裂、扩展、丛集的演化过程，岩石的初始结构特征、矿物组成等因素决定了演化速率、特征及最终状态；从宏观上来看，水-力耦合作用又使得本身具备显著流变性的红层软岩变形过程呈现非线性流变特征，其实质是一个复杂的水-岩-力耦合作用效应下的宏观时效性变形过程。

1.2.6　深路堑开挖岩体应力场分异及松弛区特征研究

天然岩体在开挖后，原有的力学平衡状态被打破，需要重新构建新的力学平衡体系，于是坡体内应力就会重新调整，这种调整实际上是在有限范围内进行的，在边坡一定深度范围产生变形破裂行为，表现为原有结构面进一步错动，或新的表生破裂体系的形成，形成二次应力场分布区，发展成类似于地下硐室围岩"松动圈"的卸荷带或者松弛区[65, 66]。开挖松动圈或者扰动区概念在地下硐室开挖工程中最早获得关注，是分析地下空间开挖后围岩稳定性和确定支护参数的重要依据[67, 68]，国内在三峡工程永久船闸高陡边坡工程中较早开始系统开展边坡卸荷带或松弛区的研究，基于卸荷岩体力学、弹塑性力学、损伤力学等角度探讨分析开挖后边坡岩体应力重分布、损伤区及长期变形特征，建立开挖扰动区分区模型及确定原则[69-72]。黄润秋等[65]提出了边坡二次应力的"驼峰应力分布"规律，在此基础上分析了岩质高边坡卸荷带的形成机理及分区；邓建辉等[73]、Deng 等[74]和王吉亮等[75]采用工程物探、试验监测等手段研究了开挖岩体卸荷变形特征、时间效应及工程性状。部分学者也开展了边坡开挖卸荷松弛区判定准则的研究，如Sheng 等[76]针对三峡永久船闸深路堑边坡，以岩体力学性能弱化程度为原则，将开挖扰动区划分为损伤区、影响区和轻微影响区；肖世国等[66, 77]基于弹塑性理论，考虑强度条件的安全储备推导了开挖过程中松弛区范围的解析解；王浩[78]提出以应力张量增量的最大主应力分量增减变化作为开挖卸荷松弛区的划分标准；冯学敏等[79]提出以岩石极限拉应变作为卸荷松弛的判别准则；冯君等[80]在顺层岩石边坡的室内模型试验中通过坡体位移来判断开挖松弛区范围。

　　对边坡开挖松弛区的研究主要服务于边坡稳定性评价，并为支护设计提供必要的参数。因此，无论边坡开挖卸荷带分区还是二次应力场的理论解析，大多关注坡体范围，仅有少部分河谷地区高陡边坡开挖工程[65]及坝基开挖工程[81-84]会对坡脚附近岩体(或者建基面岩体)的卸荷松弛特征、时效性演化规律、应力场变化进行研究(图 1-1)。无论河谷高陡边坡还是水电站坝基开挖，其共同点就是受地形及构造影响，建基面岩体是在高应力状态下的卸荷应力重分布，并且产生卸荷回弹、板裂甚至岩爆拱裂现象。与之相比，交通工程中的路堑开挖工程则鲜有如此复杂构造及高应力环境条件，坡脚附近岩体也大多不会产生强烈的卸荷破裂现象。因此，除短期的卸荷回弹变形外，研究人员较少关注深路堑地基岩体的开挖应力场分异及变形特征。

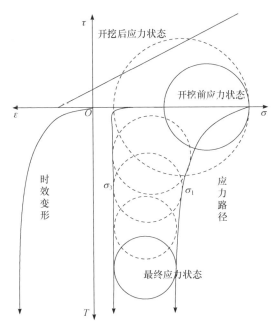

图 1-1　开挖卸荷引起的岩体应力状态变化过程示意图[83]

　　开挖岩体的应力场调整是引起边坡变形甚至失稳的关键因素，边坡开挖卸荷带或松弛区概念也已被学术及工程界广泛认可，并用于指导实际边坡稳定性评价及支挡结构设计。岩体在应力场调整至新的平衡状态过程中产生卸荷裂隙或使原有裂隙发展张开，从而弱化岩体结构及其力学参数，这个过程具有一定的时间效

应, 地下硐室开挖围岩松动圈在应力、水、水汽等环境下的时效性演化也已经得
到证实。同时, 西南地区红层多为丘陵地貌[85], 原始应力场单一, 路堑开挖后,
无论坡体还是坡脚的卸荷松弛和二次应力场调整也相对缓和。但是, 受红层软硬
相间的岩性组合带来的物理力学性能差异影响, 这种调整过程也将会更具时效
性, 这也是引起深路堑路基出现时效性变形的一个重要因素。

1.2.7 路基变形治理技术研究

无论公路还是铁路工程建设过程中, 路基沉降变形都是最为常见也是关注度
最高的工程病害。工程设计中针对软土路基会采取相应的加固措施, 以防止路基
发生超限或者不均匀沉降变形。可采用的方法较多, 如高速铁路建设中常用的软
土地基加固措施主要有换填垫层法、堆载预压法、强夯法、砂石桩法、真空联合
堆载预压法、CFG 桩法、高压喷射注浆法、现浇混凝土薄壁管桩法、预应力混凝
土管桩法、水泥搅拌桩法等。然而, 由于对场地工程地质情况认识不清或者工程
外部环境的改变, 路基在运营过程中出现超限或者不均匀工后沉降变形病害不可
避免, 工后沉降变形的治理较为棘手, 公路路基可采用路面加铺、路基侧向辐射
注浆等方法进行修复, 传统有砟铁路通常采用抬道补砟的方法进行调整, 而对于
沉降限制要求严苛的高速铁路无砟轨道, 一般路段工后沉降需控制在 15mm, 采
用的方法有局部换填加固法、水泥土挤密桩加固法、土工合成材料加固法、灌浆
加固法、高压喷射注浆加固法等[86]。

与路基的沉降变形处治相比, 路基上拱变形病害案例报道较少, 但是修复更
加复杂, 特别是高速铁路, 由于精度要求高、线路运营天窗时间短等, 无砟轨道
工后上拱变形的修复很难, 目前并没有成熟的方案可选, 只能根据产生上拱变形
的原因针对性地做调整或者重新施作。王冲等[87]分析了某高速铁路无砟轨道弱膨
胀性泥岩发生超限膨胀上拱变形案例, 发现极厚弱膨胀性泥岩在地下水作用下出
现 "积少成多" 的上拱变形, 严重影响线路的安全运营; 郑西高速铁路也出现路
基上拱病害, 张国胜等[88]提出病害区段无砟轨道结构局部重新施作、局部挖出及
重植轨枕、道床板落道整治等方案治理; 兰新线运营过程中出现多处路基基底泥
岩遇水膨胀造成无砟轨道上拱的现象, 为此采取设置截水沟、设置埋入式脚墙等
防排水措施[89, 90]。

但是, 由于引起路基持续上拱变形的内在机理尚不完全清楚, 相关工程措施
也大多只是为了尽量减小工程整治过程对运营线路的影响, 实现降低线路高程而
提出的工程方法, 无法从根源上解决深路堑路基服役期持续上拱变形问题。

1.2.8 研究现状总结

红层由于其特殊的物理力学性能, 长期以来备受关注, 我国在红层灾害机理、

红层工程等领域的科学研究和工程应用方面都积累了丰硕的成果和丰富的经验。然而,已有研究大多针对红层软岩的膨胀、崩解、风化、抗压和抗剪等常规物理力学性能,开展短期强度和变形特征研究。一些学者开展了大量的室内蠕变试验,研究红层软岩的蠕变特征及流变模型,并据此揭示红层滑坡成因机理或者红层工程边坡的稳定性。然而,目前尚无针对红层软岩路基在运营期产生毫米级变形机理的系统研究,相关室内外试验、理论计算模型和数值分析方法也鲜有报道,红层软岩地区开挖的高速铁路深路堑路基在运营期出现持续的上拱变形已经成为我国高速铁路建设的又一重大工程难题。

1.3　本书研究内容

根据前期对红层软岩路基变形工程实际及相关研究现状的调研,本书主要从膨胀性和流变性两个角度,通过现场调查、资料收集分析、室内外试验测试、理论分析和数值模拟等手段,开展如下研究:

(1) 高速铁路红层软岩路基上拱变形病害综合调研及分析。依托成渝客运专线内江北站上拱病害工点,开展详细的现场工程地质及水文地质调查,收集前期详细地质勘察资料及相关的基础物理力学性能试验结果资料,补充必要的钻探,结合典型岩样的矿物成分鉴定、细观结构分析等,综合分析病害点红层软岩地层的基本地质学特征;开展内江北站路基实时变形监测数据分析,总结路基长期变形特征。

(2) 红层软岩时效性膨胀变形特性研究。首先,对前期已完成的多期次红层软岩常规膨胀性试验数据进行综合分析;然后,采集典型红层软岩原状试样,开展系统的时效性膨胀变形试验,包括饱和浸水以及多级次干湿循环下岩样的胀缩变形试验,获得红层软岩时效性膨胀变形特征、影响因素及其影响规律,建立红层软岩时效性膨胀变形模型;最后,基于红层软岩时效性膨胀变形特性研究成果,从岩石的吸水膨胀变形角度分析可能引起的路基长期变形机理。

(3) 水-力耦合作用下红层软岩蠕变特征及流变模型。采用成渝客运专线内江北站典型红层软岩标准样开展不同水、力条件下的岩石蠕变试验,基于试验结果分析红层泥岩和砂岩的低应力蠕变变形特征及受加卸载、含水率及干湿循环作用的影响规律,建立红层软岩非线性损伤流变模型。结合红层软岩的时效性膨胀变形特征,进一步分析路基时效性上拱变形的机理及发展趋势。

(4) 红层软岩深路堑地基变形理论及其模型。基于对依托工点工程地质及水文地质环境、开挖应力场分布特征以及基底岩体时效性膨胀变形和流变性的研究,提出深路堑地基分层、分时变形机理模型,揭示路基运营期产生时效性上拱变形的内在机理及主要影响因素；基于流变理论建立地基变形理论计算模型，并以内江北站实测数据为基础，开展路基变形特征分析及后期发展趋势预测。

(5) 基于弹塑性和黏弹塑性的深挖路堑变形机理数值模拟研究。以成渝客运专线内江北站和在建成自高速铁路球溪站为背景，采用 FLAC3D 程序开展三维数值模拟研究，分析不同岩层组合及考虑岩体弹塑性和黏弹塑性特征的路堑边坡级地基应力场和变形场特征，进一步总结深路堑开挖后岩体应力调整规律及其对地基长期变形的影响机理。

(6) 高速铁路深路堑路基上拱变形控制技术研究。考虑基底岩体流变作用引起的路基上拱变形特征，改变传统桩板结构，采用弧形承载板有效传递基底岩体上拱变形作用压力，利用两侧抗力桩协调基底变形及路堑边坡稳定，建立弧形桩板结构力学模型，分析结构内力及变形特征；进一步采用数值模拟方法建立深路堑路基弧形桩板结构加固模型，并与未加固路基进行对比，分析弧形桩板结构对路基长期变形控制效果及其主要结构参数对控制效果的影响规律。

第2章 成渝客运专线内江北站路基上拱病害概况

2.1 问 题 概 述

新建成渝客运专线是沪蓉快速客运通道及沿江高速铁路的重要组成部分，从成都东站到重庆北站，全程设 12 个车站。采用双线无砟轨道，设计时速 350km，全长 308.2km，其中四川境内 185.5km，重庆境内 122.7km。成渝客运专线于 2010 年 3 月开工建设，2015 年 12 月 26 日开通运营。

图 2-1 为成渝客运专线内江北站平面图。2015 年 4 月，内江北站轨道精调过程中发现 DK151+980～DK152+212(上拱段-1，232m，图 2-2(a))与 DK152+885～DK153+060(上拱段-2，175m，图 2-2(b))段无砟轨道高程比设计高程最大"上拱"约 20mm。2015 年 7 月，由施工单位对成渝客运专线内江北站上下行 DK152+040～DK152+120 段上拱最严重区段进行破除轨道板重新浇筑返工(未进行路基处理)，中铁二院随即开展了 CPⅢ网的检测、核查工作，对 3 线(靠山侧，北侧)、Ⅰ线(正线左线)、Ⅱ线(正线右线)、4 线(靠站房侧，南侧)进行了沉降变形自动监测，并开展了部分地质补勘工作。

图 2-1 内江北站上拱段平面示意图

(a) 上拱段-1　　　　　　　　　　　　　　　　(b) 上拱段-2

图 2-2　内江北站上拱段路基

　　两处上拱路基均为挖方路段,其中 DK151+980～DK152+212 段从 2012 年 11 月开始开挖,2013 年 4 月开挖完成,开挖深度为 14～47m;2014 年 3 月基床换填施工,至 2014 年 4 月完成,同时完成接触网基础和 CPⅢ观测桩施工;2014 年 5 月无砟轨道施工,2014 年 7 月完成。DK152+885～DK153+060 段从 2012 年 11 月开始开挖,2013 年 6 月开挖完成,开挖深度为 15～39m;2014 年 1 月基床换填施工,至 2014 年 2 月完成,2014 年 3 月完成接触网基础和 CPⅢ观测桩施工;2014 年 5 月无砟轨道施工,2014 年 6 月完成。表 2-1 为相关路基设计和施工时间节点,成渝客运专线路基开挖后 2 年开始川南城际铁路引入扩挖边坡,川南城际铁路引入扩挖边坡后轨道精调发现成渝客运专线路基上拱,2015 年 4 月到 2018 年 10 月(3 年)处于稳定上拱变形阶段。

表 2-1　内江北站路基设计、施工时间节点

序号	阶段名称	实施时间
1	成渝客运专线施工图出图	2011 年 12 月
2	主要土石方施工	2012 年 11 月～2013 年 4 月
3	DK152+031～DK152+068 跨架桥、 DK152+120～DK152+200 右侧站后场坪施工	2013 年 6 月
4	基床换填施工	2014 年 3～4 月
5	接触网基础施工	2014 年 4 月
6	无砟轨道施工	2014 年 5～7 月
7	川南铁路引入施工图出图	2014 年 12 月
8	川南铁路引入施工	2015 年 1～5 月
9	无砟轨道精调	2015 年 4 月(上拱)
10	通车	2015 年 12 月 26 日

2.2　工程地质及水文地质

2.2.1　工程地质概况

1. 地形地貌

工程区位于四川盆地中部的内江市内，属四川盆地典型构造剥蚀方山丘陵地貌，丘槽相间，地形波状起伏，丘陵顶部为泥质岩、粉砂岩时，在风化作用下呈浑圆形态，顶部为厚层砂岩时，因其抗风化能力较强，形成方山丘陵。区内地面高程320～395m，相对高差约75m，自然横坡一般为16°～40°，局部可达70°。丘坡上覆土层较薄，基岩部分裸露，地表多被垦为旱地；沟槽等低洼地带覆土较厚，多被辟为水田。在 DK153+810～DK153+830 处跨 321 国道，交通方便。车站路基全长2530m，最大挖深约48m，最大填高约13m。

2. 地层岩性

工程区上覆第四系全新统人工填土(Q_4^{ml})粉质黏土、碎石土；坡洪积(Q_4^{dl+pl})软土、松软土、膨胀土，坡残积(Q_4^{dl+el})软土、松软土、膨胀土等；下伏基岩为侏罗系中统上沙溪庙组(J_2s)泥岩夹砂岩。地层岩性分述如下：

人工填土(粉质黏土)(Q_4^{ml})：褐黄、紫红色，硬塑状，含少量砂泥岩质碎石角砾。主要为房屋和道路填土，属Ⅱ级普通土。

人工填土(碎石土)(Q_4^{ml})：棕红、褐黄色，稍湿，松散～稍密，含约60%砂泥岩质碎石角砾。零星分布于测段乡村公路路基和水塘的塘坎上，属Ⅲ级硬土。

软土(软粉质黏土)(Q_4^{dl+pl})：暗紫色，软塑～流塑状，土质较纯，黏性较强。呈层状和透镜状分布于低洼沟槽内，厚0～15m，属Ⅱ级普通土，E 组填料。

松软土(软塑状粉质黏土)(Q_4^{dl+pl})：紫红色，软塑状，土质较纯，黏性较强。呈层状和透镜状分布于低洼沟槽内，厚0～10m，属Ⅱ级普通土，D 组填料。

膨胀土(Q_4^{dl+pl})：暗紫红色，硬塑状，土质较纯，黏性较强。分布于低洼沟槽内，厚2～8m，属Ⅱ级普通土，D 组填料。

膨胀土(Q_4^{dl+el})：暗紫色，硬塑状，含少量砂泥岩质碎石角砾，厚0～2m，属Ⅱ级普通土，D 组填料。

软土(软粉质黏土)(Q_4^{dl+el})：褐黄、暗紫色，软塑～流塑状，土质较纯，黏性较强。呈透镜状分布于 DK152+470～DK152+575 段斜坡上，厚0～2m，属Ⅱ级普通土，E 组填料。

松软土(软塑状粉质黏土)(Q_4^{dl+el})：紫红色，软塑状，土质较纯，黏性较强。

呈透镜状分布于 DK152+390~DK152+410、DK152+480~DK152+540 斜坡上,厚 2~4m,属 Ⅱ 级普通土,D 组填料。

泥岩夹砂岩(J_2s):泥岩为紫红色,泥质结构,泥质胶结,岩质较软,易风化剥落,具遇水软化崩解、失水收缩开裂等特性;砂岩多为长石石英砂岩,浅灰、紫红色,中~细粒结构,泥质胶结,中厚~厚层状,质稍硬。全风化带(W4)厚 0~10m,岩体风化呈土状及粉砂角粒状,手捏易碎,属 Ⅲ 级硬土,D 组填料;强风化带(W3)厚 2~20m,节理裂隙发育,质较软,属 Ⅳ 级软石,D 组填料;以下为弱风化带(W2),属 Ⅳ 级软石,C 组填料。

3. 地质构造及地震动参数

测区位于川中平缓低褶带,属单斜构造,测区倾角较缓,局部倾向有起伏,岩层产状为 N25°E/8°SE、N45°E/5°SE、N58°E/4°SE,泥岩风化节理裂隙普遍发育,主要见于地表及浅部,裂隙多而细小。砂岩中节理多为闭合或微张型,其延伸较远,区内主要发育六组节理:J1(N58°E/4°SE)、J2(N1°W/89°NE)、J3(N45°E/59°NW)、J4(N89°W/75°NE)、J5(N50°E/80°SE)、J6(N22°W/85°SW)。

根据《中国地震动参数区划图》(GB 18306—2015)与《四川、甘肃、陕西部分地区地震动峰值加速度区划图》(图 A2 和图 B2)及《成渝铁路区域性地震区划报告》(四川赛思特科技有限责任公司)(2009 年 9 月),测区地震动峰值加速度为 0.05g,地震动反应谱特征周期为 0.35s。

4. 水文地质特征

测区地表水主要为坡面暂时性流水及水塘水、田水,流量受季节影响明显,雨季水量较大,旱季水量相对较小。地下水为第四系土层孔隙潜水及基岩裂隙水,第四系土层主要集中分布于沟槽内,含一定量孔隙水,基岩中泥岩裂隙水含量甚微,砂岩中泥岩裂隙水含量相对较大。据本次实测钻孔静止水位,测区内地下水稳定水位深 0~12.5m,标高 320~350m。

据测区所取地表水试验,水质类型分别属 $HCO^{3-}\cdot SO_4^{2-}$-$Ca^{2+}\cdot Mg^{2+}$、$HCO^{3-}\cdot Cl^-\cdot SO_4^{2-}$-$Ca^{2+}\cdot Na^+$型水。根据《铁路混凝土结构耐久性设计暂行规定》(铁建设〔2005〕157 号及〔2007〕140 号),在环境作用类别为化学侵蚀环境及氯盐环境时,Mg^{2+}、pH、侵蚀性 CO_2 对混凝土结构无侵蚀性,水中 SO_4^{2-} 对混凝土结构侵蚀等级为 H1,水中 Cl^- 对混凝土结构侵蚀等级为 L1。

测区下伏侏罗系中统沙溪庙组(J_2s)地层为含石膏地层,据西南地区施工经验,根据《铁路混凝土结构耐久性设计暂行规定》,在环境作用类别为化学侵蚀环境及氯盐环境时,建议设计时考虑地下水具硫酸盐侵蚀,环境作用等级为 H1,相关工程需防护。

5. 不良地质及特殊岩土

测区不良地质为泥岩风化剥落、危岩落石、泥岩的膨胀性；特殊岩土为软土、松软土、膨胀土。

1) 泥岩风化剥落

在外营力作用下，测段岩质边坡泥岩呈碎屑状剥落，局部形成浅表层坍滑，严重影响路堑边坡和基坑的稳定。

2) 危岩落石

测区危岩落石主要分布于 DK152+035～DK152+065、DK152+145～DK152+165、DK153+140～DK153+155、DK153+250～DK153+550 线路中心及其两侧 70～120m 范围内。该段地形较陡峭，上部出露 J_2s 厚层砂岩，其下为泥岩。岩层产状平缓：N25°E/8°SE、N45°E/5°SE、N58°E/4°SE，节理多为闭合或微张型，其延伸较远，倾角较陡，局部垂直，主要发育 J1(N58°E/4°SE)、J2(N1°W/89°NE)、J3(N45°E/59°NW)、J4(N89°W/75°NE)、J5(N50°E/80°SE)、J6(N22°W/85°SW)节理，构成不利结构面。泥岩的抗风化能力较差，表层易逐渐崩解剥落，局部在砂岩层下部形成凹腔，其凹腔高 0.5～1m，深约 0.5m。上部砂岩在自重和卸荷张节理作用下易形成危岩。危岩体与线路呈大角度相交，纵向长 80～350m，崖高 10～30m。坡脚零星分布孤石，石质为砂岩，最大块径 3～5m，平面上沿陡崖呈带状延伸。危岩落石对工程有一定影响，应采取遮挡、拦截、支挡、刷坡、排水、嵌补等防治措施，以保证施工运营安全。

3) 软土

主要为软土(软粉质黏土)Q_4^{dl+pl} 和软土(软粉质黏土)Q_4^{dl+el}，褐黄、暗紫色，软塑～流塑状，土质较纯，黏性较强。软土具有高含水量、大孔隙比、高压缩性、低承载力等特点，对路基工程填方影响较大，对路堑工程影响相对较小。

根据静力触探试验结果，平均锤尖阻力为 39.82～699.62kPa，平均侧壁阻力为 1.49～74.88kPa，基本承载力为 9.46～83.36kPa，压缩模量为 1～3.3MPa。

根据附近土工试验资料，物理力学指标如下：天然密度 ρ=1.76g/cm³，天然含水率 w=42.51%，天然孔隙比 e=1.18，液限 W_L=42.01%，塑限 W_P=22.26%，塑性指数 I_P=19.76，液性指数 I_L=1.02，天然快剪黏聚力 c_q=7.16kPa，内摩擦角 φ_q=4.6°，固结快剪黏聚力 c_{cq}=17.1kPa，内摩擦角 φ_{cq}=7.1°，垂直压缩系数 $a_{v0.1～0.2}$=0.86MPa⁻¹，水平压缩系数 $a_{h0.1～0.2}$=0.82MPa⁻¹，垂直压缩模量 $E_{sv0.1～0.2}$=2.3MPa，水平压缩模量 $E_{sh0.1～0.2}$=2.45MPa，垂直固结系数 $C_{v0.1～0.2}$=0.73×10⁻³cm²/s，水平固结系数 $C_{h0.1～0.2}$= 0.5×10⁻³cm²/s，垂直渗透系数 $K_{v0.1～0.2}$=3.19×10⁻⁸cm/s，水平渗透系数 $K_{h0.1～0.2}$= 2.22×10⁻⁸cm/s。

4) 松软土

主要为松软土(软塑状粉质黏土)(Q_4^{dl+pl})和松软土(软塑状粉质黏土) (Q_4^{dl+el})，紫红色，软塑状，土质较纯，黏性较强。松软土具有较高含水率、较大孔隙比、较高压缩性、较低承载力等特点，对路基工程填方影响较大，对路堑工程影响相对较小。

根据静力触探试验结果，平均锥尖阻力为 700～2125kPa，平均侧壁阻力为 9.9～120.4kPa，基本承载力为 71～143.7kPa，压缩模量为 3.1～6.4MPa。

根据附近土工试验资料，物理力学指标如下：天然密度 ρ=1.91g/cm^3，天然含水率 w=31.13%，天然孔隙比 e=0.86，液限 W_L=36.29%，塑限 W_P=19.57%，塑性指数 I_P=16.72，液性指数 I_L=0.68，天然快剪黏聚力 c_q=15.58kPa，内摩擦角 φ_q=8.22°，垂直压缩系数 $a_{v0.1\sim0.2}$=0.56MPa^{-1}，垂直压缩模量 $E_{sv0.1\sim0.2}$=3.31MPa。

5) 膨胀土

主要为膨胀土 Q_4^{dl+pl} 和膨胀土 Q_4^{dl+el}。据土工试验资料，其阳离子交换量 CEC(NH^{4+})=12.8～26.65mmol/100g，蒙脱石含量 M=10.57%～22.95%，自由膨胀率 F_s=35%～62%，属弱～中等膨胀土，具遇水软化、膨胀、强度降低、失水收缩、开裂、干硬等特征，对工程有一定影响。

6) 泥岩的膨胀性

测区下伏基岩侏罗系中统上沙溪庙组(J$_2$s)地层中多为泥岩，紫红色，泥质结构，泥质胶结，含有较多亲水矿物，中厚层状，岩质较软，易风化剥落，具遇水软化崩解、失水收缩开裂等特性，含水率变化时发生较大体积变化，具一定膨胀性，路堑边坡应加强防护。据沿线公路、房屋建筑开挖剖面调查，泥岩夹砂岩临时边坡较陡，虽经日晒雨淋，但其稳定性一般较好，测区泥岩夹砂岩自然陡坎较多，不具明显的膨胀岩地貌特征。

6. 路基填料情况

DK151+900～DK152+220 及 DK152+890～DK153+190 段大部分为厚度 0.9m AB 组填料加厚度 0.4m 级配碎石掺水泥；施工时分两层填筑碾压，对每层进行检测并符合设计和规范要求，填筑使用的级配碎石采用集中厂拌。

填筑使用的 AB 组填料料源为沱江河砂卵石、砂砾石，经破碎筛分加工，按规范要求每批次检测 AB 组填料的粒径、颗粒级配、细粒含量、最大干密度和最优含水率等指标。经检查，AB 组填料最大粒径小于 60mm，填料中细粒含量小于 15%，填料的粒径、级配和材质物理性能指标均满足相关设计规范和验收标准的要求。

级配碎石为碎石石粉按比例掺配生产加工成型，按规范要求每批次检测级配碎石颗粒级配、黏土及杂质含量、液限、塑限、最大干密度和最优含水率等指标。经检测，级配碎石最大粒径小于 40mm，粒径级配、液限、塑限等材料性能指标均符合相关设计规范和验收标准的要求。

2.2.2　地层岩性及地质现象

四川红层区属于扬子地层区的上扬子地层分区，主要分布中生代侏罗系、白垩系湖相和河相沉积的红色碎屑岩系，分布面积超过 11 万 km²。研究区域内江主要出露侏罗系中统沙溪庙组，其次是侏罗系上统遂宁组和侏罗系下统自流井组，极少的侏罗系上统蓬莱镇组红层[91](图 2-3)。上拱区段所处的内江北站属丘陵地貌，丘槽相间，地形波状起伏。

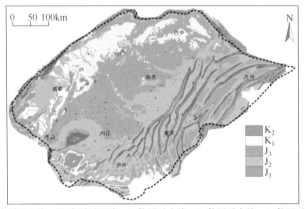

K₂-白垩系上统；K₁-白垩系下统；J₃-侏罗系上统；J₂-侏罗系中统；J₁-侏罗系下统

图 2-3　四川盆地红层地层分布[91]

地层岩性方面，上覆第四系全新统人工填土(Q_4^{ml})粉质黏土、碎石土；坡洪积(Q_4^{dl+pl})软土、松软土、膨胀土，坡残积(Q_4^{dl+el})软土、松软土、膨胀土等；下伏基岩为侏罗系中统上沙溪庙组(J_2s)泥岩夹砂岩，俗称"川中红层"。泥岩为紫红色，泥质结构，泥质胶结，岩质较软，易风化剥落，具遇水软化崩解、失水收缩开裂等特性；砂岩多为长石石英砂岩，浅灰、紫红色，中~细粒结构，泥质胶结，中厚~厚层状，质稍硬。

前期地质调查结果显示，岩层产状平缓，呈近水平层状，倾角 4°~8°，节理多为闭合或微张型，其延伸较远，倾角较陡，局部垂直，主要发育 NE 和 NW 向四组节理，构成不利结构面。进一步地，从内江北站西北侧 DK152+080 涵洞附近开挖揭露的边坡可以看出(图 2-4)，该区红层泥岩和砂岩呈近水平层状结构，略向线路内侧倾斜；厚层泥岩夹薄层砂岩，紫红色泥岩层厚度变化较大，为 1.0~3.0m，夹部分深灰绿色泥岩，砂岩层厚度较均匀，为 0.5~1.0m。调查期间，川南城际铁路内江北站边坡正在开挖抗滑桩孔(图 2-5)，从开挖后孔壁可以看出，该区基底以紫红色泥岩为主，夹薄层深灰绿色泥岩和浅灰绿色砂岩。泥岩开挖裸露后迅速风化崩解，砂岩风化速度慢得多，泥岩风化剥落后在坡脚堆积，砂岩层形成悬臂板，边坡总体稳定性较好。

(a) 小里程线路右侧道路边坡1

(b) 小里程线路右侧道路边坡2

(c) K152+790线路左侧川南线边坡

(d) 川南城际铁路边坡揭露岩层

图 2-4　开挖边坡揭露红层砂泥岩互层

图 2-5　抗滑桩挖孔揭露岩性

　　川中红层泥岩的抗风化能力较差，裸露后受外部环境作用极易崩解剥落，地表水流冲刷后在坡面可见明显的沟壑(图 2-6(a)和(b))，从坡脚冲刷沉积物质可以看出泥岩黏土含量较高(图 2-6(d))；相反，砂岩抗风化能力较强，风化速度慢得多，呈层状风化，自表面向岩石深部逐渐风化形成片状后剥落(图 2-6(c))，因此在开挖边坡出现显著的差异风化现象，局部在砂岩层下部形成凹腔，其凹腔高0.5～1m，深约 0.5m。上部砂岩在自重和卸荷张节理作用下易形成危岩(图 2-7)。为此，川中红层砂泥岩互层(或泥岩夹砂岩地层)边坡由差异风化引起的坡体表面剥落、局部失稳是红层地区边坡工程的主要工程地质灾害。

(a)　　　　　　　　　　　　　　　　　　(b)

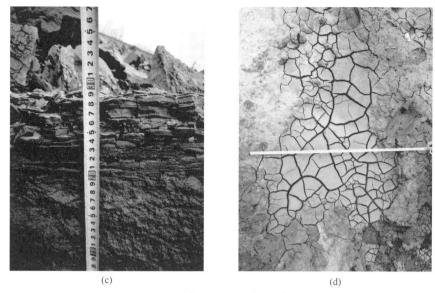

图 2-6　现场红层砂泥岩风化情况

图 2-7　内江北站红层边坡差异风化

2.2.3　钻孔地质情况分析

在发现内江北站两处路基出现疑似上拱后，2015 年 5 月中铁二院对内江北站两处上拱区段开展了地质补勘作业，分别在 K152+790、K152+832、K153+668、K153+730 补充 4 个钻孔断面，共计 14 个钻孔，钻孔深度 10.2～15.0m。根据补勘获得的地质剖面如图 2-8 和图 2-9 所示。

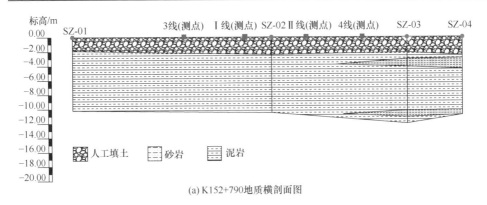

(a) K152+790地质横剖面图

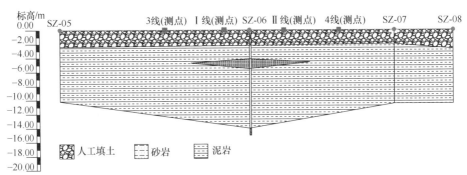

(b) K152+832地质横剖面图

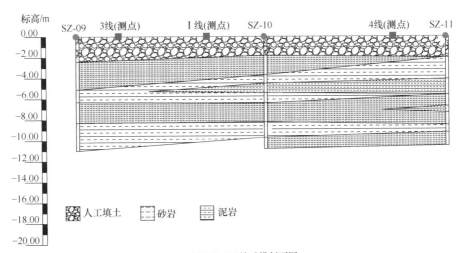

(c) K153+668地质横剖面图

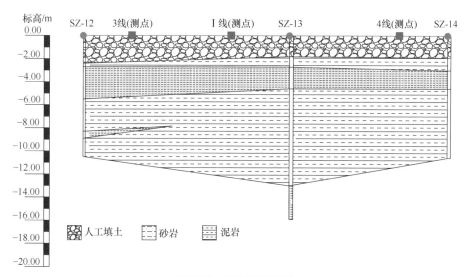

(d) K153+730地质横剖面图

图 2-8　地质横剖面图

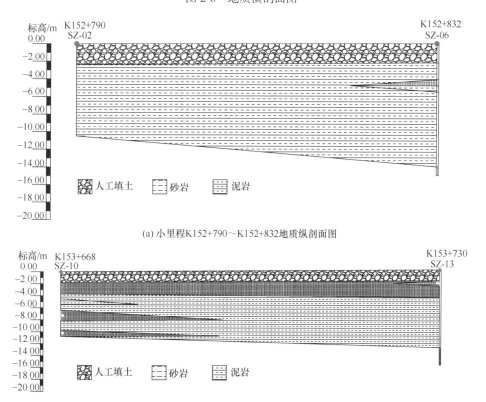

(a) 小里程K152+790～K152+832地质纵剖面图

(b) 大里程K153+668～K153+730地质纵剖面图

图 2-9　2015 年 5 月补勘地质纵剖面图

从图 2-8 可以看出，小里程(K152)段基底岩层较单一，局部夹薄层砂岩以透镜体出现，10m 深度范围内基本为厚层紫红色泥岩，泥质结构，泥质胶结，为弱风化带(W2)，取出岩芯呈短柱状、柱状，质稍硬，岩芯采集率高；少部分为强风化带(W4)，取出岩芯呈短柱状和碎块状，质稍软。相反，大里程(K153)段基底岩层呈砂泥岩互层状，K153+668 断面砂岩比泥岩稍厚，K153+730 基底浅层存在一层约 2m 厚的砂岩层，以下范围则以泥岩为主，夹薄层砂岩。从图 2-9 可以看出，小里程段基底 12m 范围内几乎为厚层泥岩，仅局部夹薄层砂岩；大里程段沿线路走向局部以砂泥岩互层出现，后也渐变为砂岩层底部厚层泥岩。

为进一步查清上拱路段基底地层岩性，2018 年 8 月中铁二院地勘院组织在内江北站左侧 50m 川南城际铁路场地再次进行钻探(图 2-10～图 2-12)，钻孔深度为 25.5～26.7m。发现：

(1) K152+790 处 11m 范围内钻探结果与 2015 年补勘结果相似，仅在 3～4.5m 处发现一厚度约 1.5m 的砂岩层，11～25.9m 范围内则出现多层厚度为 0.5～1.6m 的厚层砂岩，呈现砂泥岩互层状。

(2) K152+810 处表层及浅层均有不同厚度砂岩层出现。

(3) K152+830 处 0～4.4m 为灰绿色砂岩，4.4～16.1m 全部为泥岩，而 16.1～19m 处出现一层厚度约 2.9m 的厚层砂岩。

(4) 15m 以内钻孔岩芯取出后，泥岩快速风化、崩解成碎块，砂岩完整，无明显劣化现象；大于 15m 的深部泥岩岩芯相对完整，仅部分呈饼状。

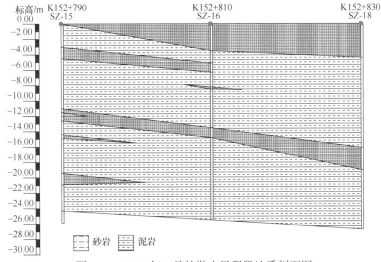

图 2-10　2018 年 8 月补勘小里程段地质剖面图

考虑到川南城际铁路场地约比成渝客运专线高 2m，同时，成渝客运专线浅层 2m 范围内为回填碎石。因此，本次钻孔 4m 范围内出现的砂岩相对于成渝客运

图 2-11　2018 年 8 月 K152+790 线路左侧川南城际铁路场地钻探岩芯

图 2-12　2018 年 8 月 K152+830 线路左侧川南城际铁路场地钻探岩芯

专线，在路基施工时已经被挖除。也就是说，本次钻探揭示了 10m 范围内基底岩层分布与 2015 年钻探结果相同，但是在大于 10m 的深层发现存在多层厚度不一的灰绿色砂岩层。总体来看，成渝客运专线小里程段基底以紫红色泥岩为主，夹部分薄层灰绿色砂岩。岩层呈缓倾角，角度为 4°～7°。浅层(15m 以内)泥岩风化较明显，岩芯较破碎，深部泥岩及砂岩均没有明显的风化现象，岩芯完整。考虑泥岩吸水膨胀作用下，15m 以下泥岩结构及力学性能受卸荷作用影响较小，产生的膨胀变形十分有限。

2.2.4　地表及地下水发育特征

水文地质方面，内江属于亚热带湿润季风气候，地表水主要为坡面暂时性流水及水塘水、田水，流量受季节影响明显，雨季降水量较大，旱季降水量相对较小，历年平均降水量为 949.1mm，多分布在夏季，约占全年降水量的 60%，年平均相对湿度为 82%。地下水为第四系土层孔隙潜水及基岩裂隙水，泥岩裂隙水含量甚微，砂岩中裂隙水含量相对较大。据 2018 年 8 月在成渝客运专线左侧 50m 川南城际铁路场地地质补勘，地下水位大多稳定在 2.0～3.5m，然而，由于川南城际铁路当前开挖底面高程约比成渝客运专线高 2m，也就是说，自开挖边坡到站房，地下水位迅速降低。

2017 年 6 月(雨季)到内江北站现场调研，发现 K152+790 处框架涵积水严重，涵洞侧壁泄水孔持续有水流出(图 2-13)，此后多次到现场调研，均发现该处涵洞

图 2-13　2017 年 6 月框架涵积水

有不同程度积水。2018 年 3 月(旱季)小里程段川南城际铁路边坡开挖后发现，边坡局部有渗水现象，造成坡体泥岩层软化严重，手可捏碎(图 2-14)，并在坡脚形成稳定的积水坑，通过砂岩节理裂隙排出的水清澈，而由于泥岩风化、崩解，地下水在泥岩节理裂隙迁移过程中带出大量黏粒，从而排出的水明显浑浊(图 2-15)。根据中国科学院武汉岩土力学研究所 2017 年 12 月现场钻孔抽水试验结果，小里程段地下水位在 4.3～5.1m，大里程段靠山侧地下水位在 2.9～3.6m，靠站房侧地下水位在 7.1～7.6m。可以看出，内江北站地下水丰富，但是由于路基外侧工程活动(基坑开挖、站房施工等)，靠山一侧地下水位高，靠站房一侧地下水位较低。

图 2-14　2018 年 3 月川南城际铁路边坡岩体裂隙渗水

(a) 坡脚局部积水

(b) 坡脚稳定清澈积水

(c) 坡脚稳定浑浊积水

图 2-15　K152+790 川南城际铁路一侧地表水出露状态

2.3　路基上拱变形的时空规律

成渝客运专线内江北站两处深挖路堑被发现存在上拱迹象后，于 2015 年 6 月开始对该段路基进行自动变形监测设备的安装与调试，并于 2015 年 8 月正式开始采集数据。本节将对现场监测数据进行分析，获得路基变形的时间和空间特征。

2.3.1　路堑开挖深度影响分析

空间分布特征主要考虑路基上拱与具体路堑开挖高度及不同断面的相关关

系。内江北站两处上拱区段均处于深挖路堑区域,K152 上拱区段最大挖深为 48m,位于 K152+790 处;K153 上拱区段最大挖深为 40m,位于 K153+750 处。根据沿线路纵向布置的变形监测点采集的数据,结合原始地形图可以获得线路上拱变形与挖方高度的关系。

图 2-16 和图 2-17 给出了 2015～2019 年 K152 和 K153 上拱路段上拱变形监测结果。总体上看,两处上拱区段上拱变形从 2015 年至 2019 年均处于增长阶段,

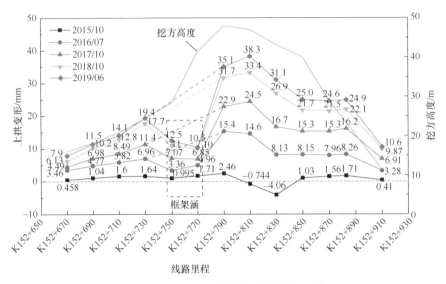

图 2-16　K152 段上拱变形监测结果(Ⅰ线)

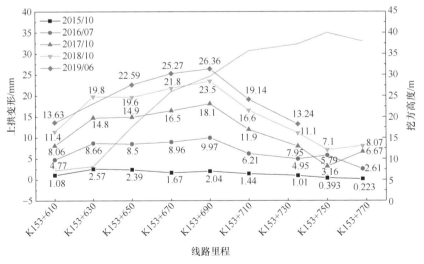

图 2-17　K153 段上拱变形监测结果(Ⅰ线)

K153 区段上拱变形总体上比 K152 区段小。并且，K152 区段上拱变形随线路里程的分布与路堑挖方高度总体趋势吻合，即挖方越高，上拱变形越大，K152+750 和 K152+770 两处由于位于框架涵上，上拱变形较小，其余点位上拱变形与挖方高度吻合。框架涵高度约 8.3m，将框架涵两侧监测点上拱变形通过直线连接，可以看出，基底 8.5m 范围内上拱变形大于总上拱变形的 50%，表明路基上拱变形主要发生在基底 10m 范围内；但是 K153 区段没有表现出类似的趋势，在挖方最高处(K153+750)上拱变形反而最小。

2.3.2　路基上拱变形发展规律

自 2015 年开始，选取两个上拱区段内典型监测断面的持续监测数据，分析 2015～2018 年路基上拱变形发展规律。

图 2-18 和图 2-19 为两段路基不同位置上拱变形随时间的变化规律。整体上看，两处路基均随时间推移表现出持续上拱的变形趋势。从图 2-18 可以看出，K152 区段路基在 2016 年 7 月至 2017 年 3 月(调整-1)和 2017 年 9 月至 2018 年 4 月(调整-2)出现上拱变形速率减缓的现象，在这两个时间段内，线路不同位置的上拱变形基本没有增加，而后又出现线性上拱趋势。这两个时间段都不是典型的雨季，而是大多处于旱季，说明内江北站路基上拱变形规律与大气降水量并无相关性。更进一步地，K153 区段(图 2-19)没有出现平缓上拱变形阶段，路基各位置随时间呈线性上拱，同样与大气降水量没有相关性。

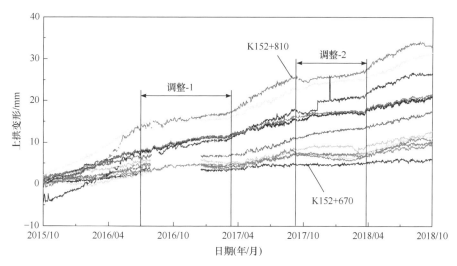

图 2-18　K152 区段路基上拱变形随时间变化规律

泥岩作为一种典型的低渗透性岩石，降雨作用仅对路基浅表层泥岩产生影响，使其出现快速的风化现象。但是，地表水通过致密泥岩层的渗透极小，而只

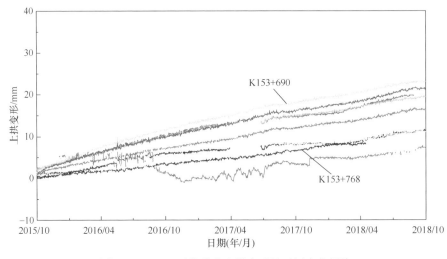

图 2-19　K153 区段路基上拱变形随时间变化规律

能通过泥岩内分布的网状或者贯通节理裂隙迁移。从而，内江北站路基上拱变形与降雨没有显著的相关性也说明造成内江北站路基持续上拱的岩层非浅表泥岩层，而应该考虑受大气影响不显著的更深层岩体变形的时效性。

图 2-20 和图 2-21 为 K152+790 和 K153+650 两个断面 4 条线路位置路基上拱变形随时间的变化规律，3 线为靠山一侧，4 线为靠站台一侧。可以看出，两处路基均在靠山一侧(3 线)上拱变形最大。从图 2-20 可以看出，K152+790 处距离路堑边坡越远，上拱变形越小；从图 2-21 可以看出，K153+650 处距离路堑边坡较远的Ⅰ线、Ⅱ线和 4 线上拱变形相差不大，都比靠山侧的 3 线变形小。

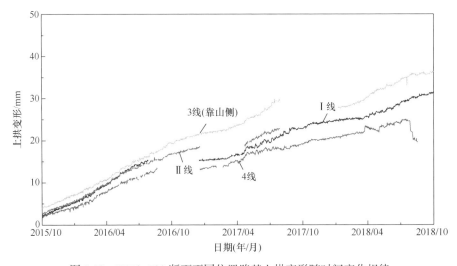

图 2-20　K152+790 断面不同位置路基上拱变形随时间变化规律

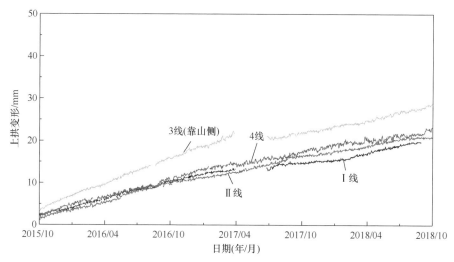

图 2-21　K153+650 断面不同位置路基上拱变形随时间变化规律

　　两个上拱区段均表现为靠近路堑边坡一侧上拱变形最大，①从基底空间应力状态分析，由于川南城际铁路的引入，在内江北站进行了较大范围的扩挖，内江北站两处上拱区段线路距离路堑边坡距离已经较远(约 70m)，监测横断面宽度(3线和 4 线监测点的距离)约为 26m，线路不处于高边坡开挖后坡脚应力集中区，而应该处于应力调整的过渡区，基底应力在横断面不同位置存在一定的差异。②从基底泥岩层厚度来分析，参照图 2-8(a)地质横剖面图和图 2-20 变形规律可以看出，K152+790 断面在基底 10m 范围内靠山侧泥岩厚度较大，靠站房侧基底有砂岩夹层；结合图 2-8(c)地质横剖面图和图 2-21 变形规律，K153+650 断面基底泥岩层厚度在横剖面上并没有明显的差异，但是依然表现出靠山侧上拱变形最大的规律。有理由认为，内江北站两处路基持续上拱变形的原因还应该考虑深路堑开挖后由卸荷引起的坡脚附近应力重分布的影响。

　　根据现场持续变形监测数据，内江北站两处明显上拱路段总体呈稳定持续上拱变形。空间上，在线路横向上，距离路堑边坡越近，上拱变形越大；在线路纵向上，K152 区段挖方越高，上拱变形越大，上拱变形主要发生在基底 10m 范围以内，K153 区段上拱变形与挖方高度没有显著的相关关系。时间上，总体呈单调增长趋势，K152 区段在 2016 年和 2017 年分别出现一次缓慢变形调整期，之后快速上拱，K153 区段呈线性上拱，无明显调整变形阶段。

2.4　本 章 小 结

　　本章主要对内江北站两处上拱区段的地形地貌、地层岩性、地表和地下水环境的特征做了详细的梳理，同时结合现场路基上拱变形监测数据，分析线路变形规律，得到以下结论：

(1) 内江北站属典型川中丘陵地貌，原始地形起伏，覆盖层较薄，下伏基岩为侏罗系中统上沙溪庙组(J2s)泥岩夹砂岩。泥岩为紫红色或者深灰绿色，泥质结构，泥质胶结，岩质较软，易风化剥落，具遇水软化崩解、失水收缩开裂等特性，砂岩为浅灰绿色长石石英砂岩，中~细粒结构，泥质胶结，质稍硬。

(2) 地层岩性及结构方面，内江北站岩层平缓，呈近水平层状厚层泥岩夹薄层砂岩，倾角为4°~8°，泥岩和砂岩物理力学性能差异明显，开挖揭露的高边坡可见显著的红层泥岩和砂岩差异风化现象，形成明显的凹腔，但边坡整体稳定，仅在局部存在剥落掉块。

(3) 内江市降雨充沛，雨季旱季分明，历年平均降水量为949.1mm，上拱区段地下水位分布不均，位于2.9~7.6m。地下水主要通过泥岩和砂岩内节理裂隙及岩层面迁移，地下水位受基底岩体结构特征影响显著，并且一般靠山一侧地下水位高于靠站房一侧。

(4) 根据现场持续变形监测数据，总体上，K152区段上拱变形大于K153区段，且随线路里程的分布与路堑挖方高度总体趋势吻合，即挖方越高，上拱变形越大，上拱主要发生在基底10m范围内，而K153区段路基上拱变形与挖方高度无明显的相关性。

(5) 内江北站路基上拱变形与大气降雨没有显著的相关性，表明造成内江北站路基持续上拱的岩层非浅表泥岩层，而应该考虑受大气影响不显著的更深层岩体变形的时效性。

(6) 两个上拱区段均表现为靠近路堑边坡一侧上拱变形最大，内江北站两处路基持续上拱变形的原因还应该考虑深路堑开挖后由卸荷引起的坡脚附近应力重分布的影响。

第3章　红层软岩膨胀特性研究

3.1　概　　述

泥岩的膨胀性是引起路基持续上拱的一个不可忽略的因素。红层泥岩主要由伊利石、蒙脱石、高岭石、绿泥石等黏土矿物和石英、长石、云母、方解石、黄铁矿等碎屑矿物成分组成[18, 93]，亲水性黏土矿物是软岩吸水膨胀的物质基础。为此，红层泥岩的吸水膨胀特性一直以来都备受关注。胡文静等[26]对重庆地区侏罗系中统沙溪庙组泥岩开展了侧限有荷膨胀和无荷膨胀试验，研究了侧限、荷载及加水条件对红层泥岩膨胀性的影响规律；胡安华等[94]对达成客运专线沿途广泛分布的红层泥岩开展了自由和有荷膨胀率试验；魏永幸[9]对四川盆地红层泥岩开展了较为系统的膨胀性试验研究；殷跃平等[95]结合黏土矿物含量分析了三峡库区巴东组红层泥岩的膨胀性。一方面，由于红层泥岩本身含有一定的黏土矿物成分，具备吸水膨胀的物质基础，研究人员特别关注其膨胀性及膨胀变形有可能对工程结构造成的影响；另一方面，从这些研究成果来看，无论从矿物成分及含量还是常规膨胀性试验指标分析，大部分红层泥岩达不到典型膨胀岩(土)的标准，或仅具有弱膨胀性。

泥岩的膨胀性其实是水和应力释放共同作用下的一种长期复杂物理化学变化过程[96]，膨胀潜势是与时间有关的复杂过程参数[28]。一些学者开展了部分软岩膨胀变形时间效应的研究工作。Zhang 等[97]通过对两种泥岩的吸水膨胀性试验发现，泥岩膨胀变形规律与吸水过程有关，浸水条件下膨胀应变首先快速增大，然后缓慢增大并趋于稳定；王贤能等[98]基于南昆线膨胀岩的膨胀性试验结果认为，膨胀岩的膨胀过程其实是一个流变过程；朱珍德等[27]对南京红山窑第三系红砂岩开展了不同荷载及吸水条件下的原状岩样膨胀性试验，结果显示，红砂岩吸水膨胀应变在较短的时间内基本完成，随着时间的延长，膨胀变形将趋于稳定，并通过分段函数拟合分析了红砂岩膨胀性与吸水率和时间的相关关系；王萍等[99]认为膨胀岩石吸水不只是瞬时发生的，而是一个随时间增长的过程，为此采用黏性元件模拟泥页岩吸水膨胀的时间因素，建立了泥页岩在水化环境下的非线性膨胀蠕变模型；刘晓丽等[100]引入时间效应，提出了岩石浸水非稳定膨胀本构关系，并认为在应力一定的情况下，岩石的体积膨胀应变应随时间变化，实际工程中可以将岩石遇水膨胀问题转化为岩石流变问题。典型膨胀岩吸水膨胀变形通常在短时间内完成，一些弱膨胀性泥岩和砂岩的膨胀变形则表现出显著的时间效应现象，但是由于这种时效膨胀变形有限且变形过程复杂，在常规工程领域还未引起足够重视，相关研究成果也十分有限。

以往对红层泥岩膨胀性的研究大多从膨胀岩(土)判定方法出发，通过开展常规膨胀性试验获得泥岩膨胀性指标，进而指导工程建设。这对普速铁路工程建设是适用的，因为普速铁路有砟轨道变形调节能力强，弱膨胀性泥岩吸水产生的微小膨胀变形并不会对列车安全运行造成影响，也无需关注其时效膨胀变形[101]。然而，对变形控制要求极高的高速铁路无砟轨道，毫米级的上拱变形对线路的安全运行都将是致命的灾害。当前鲜有针对红层泥岩开展时效膨胀变形特性的研究，传统岩石膨胀性试验及相应指标很难解释川中红层地区高速铁路深挖路堑和隧道基底出现持续上拱变形的内在机制。

本章首先对依托工程上拱变形研究区常规物理力学性能进行分析；然后对前期三次钻孔岩芯常规膨胀性试验结果对比分析，初步获得红层砂岩及泥岩的常规膨胀指标及规律，并结合 X 射线衍射(XRD)矿物成分鉴定成果，分析内江北站红层泥岩的膨胀性特征；最后以内江北站典型红层泥岩为对象，开展不同初始含水率和侧限条件下原状泥岩试样的长期物化膨胀变形试验。从泥岩膨胀变形特征、吸水率、岩屑破碎程度等角度建立川中红层泥岩膨胀蠕变模型，并分析影响泥岩时效膨胀变形的因素及规律。研究成果可为优化现行膨胀岩判定标准提供参考，以适用于高速铁路工程建设，同时为川中红层泥岩的水-力耦合流变模型的建立奠定基础。

3.2 岩样制备

试验用红层泥岩取自四川盆地侏罗系中统上沙溪庙组(J_2s)泥岩夹砂岩地层(以下称川中红层)，位于川中平缓低褶带，单斜构造，近水平岩层。泥岩主要为紫红色，夹部分灰绿色，泥质结构，泥质胶结；砂岩为灰绿色，中细粒结构，钙质胶结，如图 3-1 所示。现场新鲜开挖泥岩及砂岩外观结构完整，节理、裂隙不发育，暴露很短时间即可在大块石表面观察到细微网状裂隙，风化速度较快。

在现场通过大型挖掘机开挖新鲜岩块，从中选取表观结构完整、无显著宏观结构面的大块泥岩及砂岩块石，采用保鲜膜及防震泡沫板包裹后小心运回实验室，确保泥岩保水且无显著二次裂隙。室内给予少量水钻取直径 50mm 的岩芯，然后切割并打磨成高 100mm 的标准圆柱形砂岩和泥岩试样，用于室内单轴压缩、常规三轴压缩和物化膨胀变形试验。同时，取部分岩屑用于 XRD 矿物成分测试。

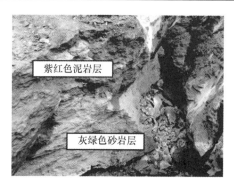 

图 3-1　内江北站基底泥岩和砂岩(见彩图)

3.3　常规单轴及三轴压缩特征

为获得红层砂泥岩的基本力学性能，采用标准岩样开展室内单轴压缩和不同围压下常规三轴压缩试验，获得不同应力状态下川中红层砂岩和泥岩的全过程应力-应变曲线及抗压强度、弹性模量、泊松比等基本力学参数。单轴和常规三轴压缩试验在成都理工大学地质灾害防治与地质环境保护国家重点实验室 MTS815 电液伺服岩石力学试验系统上完成，该系统由加载部分、测试部分、控制部分、程序控制四部分组成。试验采用室内钻取的标准圆柱形试样，各试样的平均重度为 24.82kN/m³，平均直径为 49.07mm，最大直径为 49.47mm，最小直径为 48.84mm，最大与最小直径比值为 1.01，平均高度为 99.63mm，最大高度为 101.31mm，最小高度为 95.94mm，最大与最小高度比值为 1.06，试样两端平行误差小于 0.05mm，断面垂直轴线偏差小于 0.25°，所得到的试样之间几何尺寸差异较小，可忽略由尺寸微小差距对试验过程带来的影响，满足试验要求。

为得到整个试验过程中完整的应力-应变曲线，试验过程分两阶段进行加载控制。第一阶段：试验加载初期采用力控制加载，加载速率为 0.8kN/min，目标值为 0.8kN，该阶段能有效保证试验机压头与试样之间充分接触且又不至于对试样造成过大破坏而产生变形；第二阶段：在后期加载过程中由轴向力控制加载转换到轴向位移控制加载，加载速率为 0.1mm/min，直到试样达到峰值强度或轴向应变达到 0.02 左右时停止加载。全过程由计算机数据采集系统自动采集变形、荷载、时间、围压等数据。以下选取部分单轴压缩及不同围压下常规三轴压缩试验曲线进行分析。

图 3-2 为用于单轴压缩试验的紫红色泥岩试样，图 3-3 为其单轴压缩应力-应变全过程曲线。可以看出，由于泥岩易崩解，室内制样十分困难，并且可以看到泥岩开挖扰动后表面出现明显的网状裂纹。根据试验结果，红层泥岩单轴

抗压强度均小于 15MPa,为典型的软岩;从应力-应变曲线看,峰前曲线平直,峰值轴向应变 ε_1 约为 0.001,径向应变 ε_3 约为 0.0004;但是峰后轴向和径向应变均显著增大,曲线较为平缓,特别是径向应变,峰后径向应变达到峰值应变的 3~6 倍。

图 3-2 紫红色泥岩单轴压缩试样(见彩图)

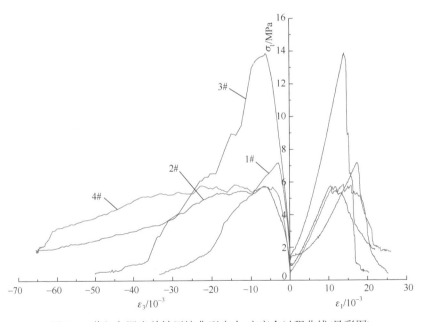

图 3-3 紫红色泥岩单轴压缩典型应力-应变全过程曲线(见彩图)

图 3-4 为用于单轴压缩试验的灰绿色砂岩试样,图 3-5 为其单轴压缩的应力-应变全过程曲线。可以看出,砂岩的单轴抗压强度明显大于泥岩,但依然小于30MPa,仍属于软岩。与泥岩类似,砂岩峰值应变很小(比泥岩小),而峰后径向

出现应变软化现象，峰后径向应变甚至达到峰值应变的 10 倍以上。

图 3-4　灰绿色砂岩单轴压缩试样(见彩图)

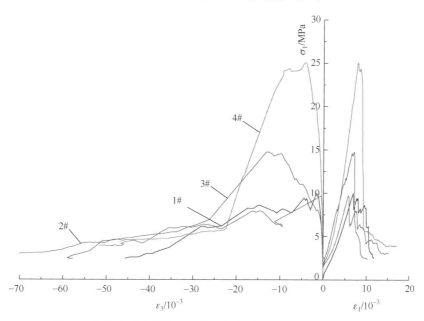

图 3-5　灰绿色砂岩单轴压缩典型应力-应变全过程曲线(见彩图)

　　结合内江北站红层泥岩和砂岩典型单轴压缩应力-应变全过程曲线可以看出：①内江北站红层泥岩和砂岩均为典型软岩，砂岩单轴抗压强度明显大于泥岩，泥岩平均单轴抗压强度为 8.12MPa，砂岩平均单轴抗压强度为 15.16MPa；②峰前应变较小，峰后应变显著增大，具有峰后软化性质，特别是径向应变，峰后出现显著的径向扩容现象。

　　图 3-6 为围压 1.0MPa、1.5MPa、2.0MPa 下紫红色泥岩常规三轴压缩典型应

力-应变全过程曲线。可以看出，不同围压下泥岩的抗压强度和弹性模量差异较小，但是峰后残余强度明显随着围压的增大而增大。这是由于紫红色泥岩本身裂隙十分发育，加之制样过程中的扰动，试样初始损伤程度较大，并且不同试样初始损伤程度不同，围压较大的试样由于初始内部损伤较大，抗压强度和弹性模量反而增大不明显。但是，试样达到峰值强度后，残余强度与岩石本身的性质相关，残余强度随着围压的增大而增大。另外，与单轴压缩试验相比，围压作用下泥岩的峰值应变明显增大。

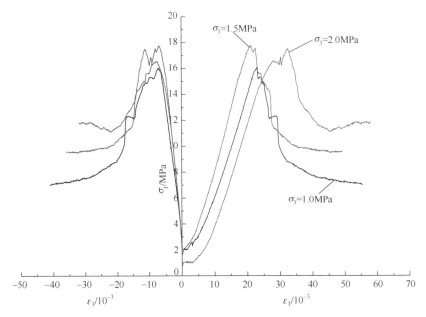

图 3-6　紫红色泥岩常规三轴压缩典型应力-应变全过程曲线(见彩图)

图 3-7 为围压 1.0MPa、1.5MPa、2.0MPa 下灰绿色砂岩常规三轴压缩典型应力-应变全过程曲线。与泥岩相比，砂岩试样初始损伤不明显，试样完整性较好，因此表现出峰值强度随围压增大而增大的趋势。同时，与泥岩相比，相同围压下砂岩试样抗压强度大得多，而峰值应变小得多，弹性模量大得多，脆性特征也更加明显。

对比泥岩和砂岩在单轴压缩和常规三轴压缩下的最终破裂状态(图 3-8)可以发现，单轴压缩下均表现出轴向劈裂破坏，常规三轴压缩下沿斜向压剪破坏；同时，无论单轴还是常规三轴压缩，泥岩都比砂岩破碎，宏细观破裂面更加发育，有明显的岩屑和掉块。表明泥岩初始损伤比砂岩大，应力作用下更加破碎。

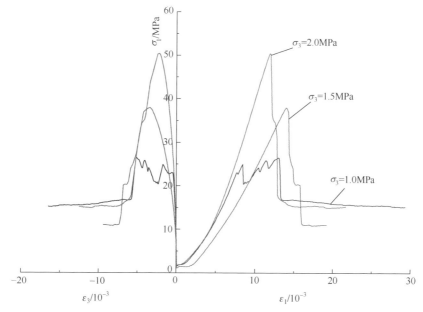

图 3-7　灰绿色砂岩常规三轴压缩典型应力-应变全过程曲线(见彩图)

(a) 泥岩破坏状态　　　　(b) 砂岩破坏状态

图 3-8　不同应力状态下试样破裂状态(见彩图)

　　从内江北站红层泥岩和砂岩常规三轴压缩试验可以看出，砂岩的抗压强度和弹性模量均大得多，峰值应变小，试样更完整，力学性能比泥岩好。泥岩初始裂隙发育，显著降低了其力学性能，同时也有利于吸水膨胀作用。需要关注的是，无论单轴还是常规三轴压缩作用下，红层砂泥岩均具有显著的径向扩容现象，特别是达到岩石峰值强度后，在轴向力作用下岩石径向扩容尤其明显。

3.4　含水率对泥岩单轴抗压性能的影响

3.4.1　试验设计

含水率是影响软岩物理力学性能的重要因素之一，为研究不同含水条件下红层泥岩的变形及强度特性，选取 12 个标准试样分为四组开展单轴压缩试验(表 3-1)。其中 B 组为天然试样，测试得到平均含水率为 3.12%；将另外三组试样分别放入干燥箱内，在 105℃高温下烘 24h 制成干燥岩样，烘干后，试样表面无明显扩展裂纹，试样保持完整。A 组为干燥试样，含水率为 0。再将其中两组干燥试样分别放在水中浸泡 3d 和 5d 以达到不同的含水状态。由于泥岩遇水易崩解的性质，试样不能采用自由吸水的方法进行浸泡，将试样侧面包裹保鲜膜并留出小孔，上下两端面裸露，小心地放入饱和器中，上下两端分别垫透水石及土工滤纸以达到缓慢吸水的目的，将饱和器固定好放入盛满水的桶中浸泡，如图 3-9 所示。将浸泡好的试样小心地从饱和器中取出，取下保鲜膜，用吸水纸擦干表面后称量吸水后的质量，计算出不同浸泡时间试样的含水率。将制备好并称完重量的吸水试样用保鲜膜重新包裹密封(图 3-10)，以防止水分挥发。

表 3-1　考虑含水率影响的单轴压缩试验分组

试样编号	直径/mm	高度/mm	天然密度/(g/cm³)	含水率/%	备注
A-1	49.40	98.80	2.45		
A-2	49.07	99.87	2.43	0	干燥试样
A-3	49.25	100.72	2.43		
B-1	48.86	98.97	2.44		
B-2	48.80	97.86	2.49	3.12	天然试样
B-3	49.44	99.55	2.47		
C-1	48.89	99.14	2.38	4.83	
C-2	49.12	98.71	2.42	5.15	泡水 3d 试样
C-3	49.05	99.96	2.50	4.98	
D-1	49.35	99.65	2.42	7.26	
D-2	49.58	99.32	2.36	7.73	泡水 5d 试样
D-3	49.88	100.05	2.43	6.81	

图 3-9　饱和器浸泡试样

图 3-10　部分吸水试样

3.4.2　试验结果及分析

本次共完成了四组 12 个试样的试验，其中干燥状态、天然状态、泡水 3d 和 5d 下试样各 3 个，图 3-11 为各组试样单轴压缩典型应力-应变曲线。可以看到，

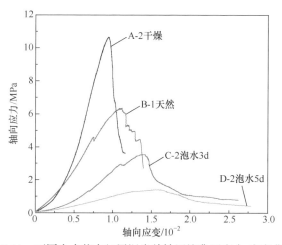

图 3-11　不同含水状态红层泥岩单轴压缩典型应力-应变曲线

各试样在单轴压缩作用下表现出上凹型变形曲线特征，表明试样本身内部微裂隙发育，在受荷初期产生显著的裂隙闭合压密现象。另外，随着试样含水率的增大，曲线峰前弹性模量和峰值强度明显降低，泡水后的 C 和 D 组试样峰后具有明显的残余强度，表现出水对红层泥岩的软化作用特征。

结合表 3-2 和图 3-12，不同含水率下红层泥岩单轴抗压强度均小于 15MPa，为典型的极软岩；随着含水率的增大，岩样单轴抗压强度和弹性模量均线性减小。同时，含水率相近(泡水时间相同)试样的单轴抗压强度和弹性模量近似。试验结果表明，含水率是影响红层泥岩力学性能的重要因素，水对红层泥岩具有显著的软化作用，与干燥状态相比，泡水 3d 和 5d 的岩石平均单轴抗压强度分别减小67.4%和85.1%，平均弹性模量分别减小 71.5%和87.4%。

表 3-2 不同含水率红层泥岩单轴压缩试验结果

试样编号	含水状态	含水率/%	单轴抗压强度/MPa	弹性模量/MPa
A-1		0	10.73	742.43
A-2	干燥状态	0	10.65	856.80
A-3		0	11.09	728.59
B-1		3.12	6.36	552.40
B-2	天然状态	3.12	5.91	475.36
B-3		3.12	6.52	503.02
C-1		4.83	4.08	248.47
C-2	泡水 3d	5.15	3.55	216.66
C-3		4.98	2.96	198.95
D-1		7.26	1.57	102.78
D-2	泡水 5d	7.73	1.39	93.50
D-3		6.81	1.87	97.41

注：试样天然状态含水率采用测定的平均含水率。

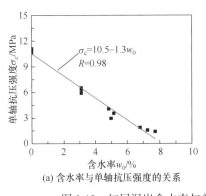

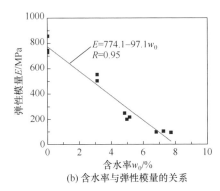

(a) 含水率与单轴抗压强度的关系　　　　(b) 含水率与弹性模量的关系

图 3-12 红层泥岩含水率与单轴抗压强度和弹性模量的关系

图 3-13 为不同含水率红层泥岩单轴压缩典型破坏形态。可以看到，不同含水率试样主要呈沿纵向的劈裂、张拉破坏以及局部剪切破坏模式。另外，对比不同含水状态下红层泥岩破坏的裂缝密集程度可以发现，随着含水率的提高，裂隙密度明显增大，泡水 5d 试样甚至可以看到显著的横向发育裂隙，这显然是在试验前期泡水过程中岩石吸水由膨胀作用产生的。裂隙密度的显著增大是由于红层泥岩含有一定的膨胀性黏土矿物，吸水后引起岩石内微裂隙的扩展，造成岩石初始损伤增大，并且水的作用软化了微裂隙强度，使得应力作用下裂隙更容易扩展延伸，这就造成了岩样在破坏时裂隙密度的增大，并且也造成了岩石力学性质的劣化，使得岩石单轴抗压强度及弹性模量降低。

(a) 干燥试样   (b) 天然试样   (c) 泡水3d试样   (d) 泡水5d试样

图 3-13 不同含水率红层泥岩单轴压缩典型破坏形态(见彩图)

3.5 红层软岩常规膨胀性研究

3.5.1 膨胀岩判定

膨胀土应是土中黏粒成分主要由亲水性矿物组成，同时具有显著的吸水膨胀和失水收缩两种变形特性的黏性土[102]。膨胀岩是指含大量亲水矿物，当含水率变化时，产生较大体积变化的一类岩石[103]。膨胀岩(土)的判别目前尚无统一的单一指标，膨胀岩无论室内试验方法还是判别指标都还不够成熟，通常建议将岩石粉碎成土后，按照膨胀土的试验方法和判定指标，间接判定膨胀岩的膨胀性[103]。国内外不同研究者对膨胀岩土的判定标准和方法也不同，大多采用综合判别法[102]。朱训国等[104]总结了国内外不同研究者和机构建议的膨胀岩判别方法(表 3-3)，这些方法中关注的主要指标包括岩石中黏粒含量、膨胀量、膨胀压力、蒙脱石含量、阳离子交换量、吸水率等。

表 3-3 部分膨胀岩判别方法[104]

地区或机构		判别指标
国外	日本	(1) 粒径<2μm 黏粒含量>20%; (2) 塑性指数 I_P≥70; (3) 阳离子交换量≥20mL/100g; (4) 体膨胀量>2%; (5) 浸水崩解度：A～D
	美国	霍尔兹建议定性的胶粒含量、塑性指数、塑限
	英国	泰勒的建议：蒙脱石含量>10%～15%
	澳大利亚	膨胀量>4%，线收缩率>5%
国内	铁道部第一勘察设计院	(1) 粒径<2μm 黏粒含量占 25%，粒径<5μm 黏粒含量占 30%; (2) 蒙脱石含量占 6%或伊利石含量占 15%以上; (3) 膨胀量(无荷、有侧限，试件高度 2cm)>20%，蒙脱石与伊利石成混层结构时以膨胀量为主要控制指标
	铁道部第二勘察设计院	自由膨胀率>40%，干燥饱和吸水率>25%
	铁道部第三勘察设计院	(1) 粒径<2μm 黏粒含量>30%，或粒径<5μm 黏粒含量>35%; (2) 自由膨胀率>30%; (3) 液限>40%; (4) 膨胀压力>100kPa; (5) 单轴抗压强度<5000kPa; (6) 蒙脱石含量>5%或伊利石含量>15%; (7) 体膨胀量>20%
	中科院地质研究所	干燥饱和吸水率>25%
	全国首届膨胀岩学术会议(1986)	材料的膨胀性判别(包括液限、比表面积、蒙脱石含量、阳离子交换量及交换组分等)，岩块的膨胀性判别(包括不规则岩块的崩解、耐久性指标、软化系数)
	浙江省人防办公室	(1) 利用常规土工试验指标提供的数据建立膨胀性判别函数 $R(X)$; (2) 求判别系数的分界值 R_0; (3) 计算解出 $R(X)$值，若 $R(X)<R_0$，则为膨胀岩

我国《岩土工程勘察规范(2009 年版)》(GB 50021—2001)[105]将膨胀岩和膨胀土统称为膨胀岩土，并且认为膨胀岩的判定尚无统一指标，当它作为地基时，建议参考膨胀土的判定方法进行判定，当它作为其他环境介质时，膨胀性的判定标准也不统一。总而言之，膨胀岩土的判定同样尚无统一的指标和方法，规范仍然建议采用综合判定，即分为初判和终判两步。对于膨胀土，初判主要根据地貌形态、土的外观特征和自由膨胀率，终判是在初判的基础上结合各种室内试验及邻近工程损坏原因分析进行。因此，在《岩土工程勘察规范(2009 年版)》(GB 50021—2001)中，并没有对膨胀岩的判别给出具体、明确的判定指标和有效的判定方法，依然以

定性的经验判定为主。

《铁路工程特殊岩土勘察规程》(TB 10038—2012)[106]中提到，遇含有较多的蒙脱石和硬石膏、无水芒硝等亲水矿物，具有含水率增加、体积膨胀、岩质软化、饱水后崩解泥化失水体积收缩、岩体破裂、新鲜岩石在空气中具有鳞片状剥落特性的软质岩石时，应按膨胀岩进行工程地质勘察。该规范中，膨胀土的详判是根据自由膨胀率 F_S、蒙脱石含量 M 和阳离子交换量 $CEC(NH_4^+)$ 进行的(表 3-4)，并且根据三者含量不同划分膨胀潜势等级(表 3-5)，《铁路工程地质勘察规范》(TB 10012—2019)[103]中对膨胀土(岩)的膨胀性和膨胀潜势等级划分也采用此标准。

表 3-4　膨胀土的详判指标

名称	判定指标
自由膨胀率 F_S/%	≥40
蒙脱石含量 M/%	≥7
阳离子交换量 $CEC(NH_4^+)$/(mmol/kg)	≥170

表 3-5　膨胀土的膨胀潜势分级

分级指标	弱膨胀土	中等膨胀土	强膨胀土
自由膨胀率 F_S/%	$40 \leqslant F_S < 60$	$60 \leqslant F_S < 90$	$F_S \geqslant 90$
蒙脱石含量 M/%	$7 \leqslant M < 17$	$17 \leqslant M < 27$	$M \geqslant 27$
阳离子交换量 $CEC(NH_4^+)$/(mmol/kg)	$170 \leqslant CEC(NH_4^+) < 260$	$260 \leqslant CEC(NH_4^+) < 360$	$CEC(NH_4^+) \geqslant 360$

膨胀岩的判定则基于膨胀率 V_H(自由膨胀率 F_S)、膨胀力 P_P 和饱和吸水率 ω_{sa} 这三个试验指标(表 3-6)，并通过干燥后饱和吸水率对膨胀潜势分级(表 3-7)，《铁路工程岩土分类标准》(TB 10077—2019)[107]同样采用此标准对膨胀岩进行判定。

表 3-6　膨胀岩的室内试验判定指标

试验项目		判定指标
不易崩解的岩石	膨胀率 V_H/%	≥3
易崩解的岩石	自由膨胀率 F_S/%	≥30
膨胀力 P_P/kPa		≥100
饱和吸水率 ω_{sa}/%		≥10

注：① 不易崩解的岩石应取轴向或径向自由膨胀率中的大值进行判断；

② 易崩解的岩石应将其粉碎，过 0.5mm 的筛去除粗颗粒后，比照土的自由膨胀率的试验方法进行试验；

③ 当有两项及以上符合表列指标时，可判断其为膨胀岩。

表 3-7 膨胀岩的膨胀潜势分级

分级指标	弱膨胀岩	中等膨胀岩	强膨胀岩
干燥后饱和吸水率/%	$10 \leqslant \omega_{sa} < 30$	$30 \leqslant \omega_{sa} < 50$	$\omega_{sa} \geqslant 50$

《膨胀土地区建筑技术规范》(GB 50112—2013)[108]主要对膨胀土地区建筑勘察、设计和施工做了相关规定。土中黏粒成分主要由亲水性矿物组成，同时具有显著的吸水膨胀和失水收缩两种变形特性的黏性土被定义为膨胀土。膨胀土应根据土的自由膨胀率、场地的工程地质特征和建筑物破坏形态综合判定。必要时，尚应根据土的矿物成分、阳离子交换量等试验验证。该规范中采用的膨胀土判定标准与《铁路工程特殊岩土勘察规程》相同，并且考虑膨胀土自由膨胀率与蒙脱石含量和阳离子交换量有较好的相关关系，为便于实际应用，依据自由膨胀率指标对膨胀潜势进行等级划分(表 3-8)。

表 3-8 膨胀土的膨胀潜势分类

自由膨胀率 δ_{ef}/%	膨胀潜势
$40 \leqslant \delta_{ef} < 65$	弱
$65 \leqslant \delta_{ef} < 90$	中
$\delta_{ef} \geqslant 90$	强

综合现行规范，特别是铁路行业规范中对于膨胀岩的定义、膨胀性判别和膨胀潜势分级的规定，目前对于膨胀岩的相关规定与膨胀土并无显著的区别，大多参考膨胀土的试验和判定标准，判定指标主要包括矿物物理化学指标方面的蒙脱石含量 M、阳离子交换量 $CEC(NH_4^+)$，以及岩石(或者土)本身表现出的膨胀性现象：饱和吸水率 ω_{sa}、自由膨胀率 F_S(膨胀率 V_H)和膨胀力 P_P。综合来看，蒙脱石含量 $M \geqslant 7\%$、阳离子交换量 $CEC(NH_4^+) \geqslant 170mmol/kg$、饱和吸水率 $\omega_{sa} \geqslant 10\%$、自由膨胀率 $F_S \geqslant 30\%$(膨胀率 $V_H \geqslant 3\%$)、膨胀力 $P_P \geqslant 100kPa$ 这 5 个指标中两个符合即可以认为属于膨胀岩。

3.5.2 内江北站岩石膨胀性试验结果分析

常规膨胀性试验为 2009 年内江北站在线路勘察、2015 年发现路基上拱变形后补充勘察和 2017 年补充勘察期间完成的室内膨胀性试验，试验根据《工程岩体试验方法标准》(GB/T 50266—2013)完成了岩石含水率、饱和吸水率、膨胀力、自由膨胀率等膨胀性指标的测试。下面对试验结果进行梳理总结。

1) 2009 年线路勘察阶段

在线路勘察阶段两处上拱路基范围内共布置 12 个钻孔，深度至路肩面以下 1.6~5.8m，取泥岩试样进行膨胀岩试验，试验结果如表 3-9 所示。

表 3-9　线路勘察阶段岩石膨胀性试验结果

钻孔里程	取样深度/m	含水率/%	饱和吸水率/%	膨胀力/kPa	自由膨胀率/%
DK151+980~ DK152+212(长 232m)	11.4~12.0	3.1	4.30	14.2	27
	16.4~17.0	4.4	5.80	32.7	22
	17.3~17.9	4.6	5.90	41.5	24
	13.2~14.1	6.1	8.00	46.8	28
	13.0~13.6	4.4	5.80	32.1	21
	16.2~17.0	6.5	8.70	42.3	31
	25.0~25.9	5.1	6.50	37.5	25
	29.2~30.0	3.6	4.80	38.9	21
	12.4~13.2	3.9	5.40	20.7	25
	13.0~14.2	5.1	6.70	48.9	34
	24.9~25.6	3.6	4.90	35.7	21
	21.0~21.9	5.2	6.80	25.9	14
	21.2~22.0	3.1	4.50	28.9	27
	23.0~23.6	5.1	6.70	25.0	19
DK152+885~ DK153+060(长 175m)	36.7~37.3	2.6	3.80	25.9	18
	20.0~21.0	3.6	4.90	34.2	23
	14.1~14.9	4.9	6.30	47.3	28
	15.0~15.8	5.0	6.50	42.1	24
	28.8~29.5	5.0	6.80	51.9	34
	19.4~20.0	5.0	6.50	31.5	9
	24.0~24.7	5.4	22.55	84.0	26
	11.4~12.0	5.0	6.40	27.8	13
统计值	极小值	2.6	3.80	14.2	9
	极大值	6.5	22.55	84.0	34
	平均值	4.56	6.75	37.08	23.36

从表 3-9 可以看出，所有两区段岩石试样均没有达到膨胀岩标准。岩石初始含水率平均值为 4.56%，饱和吸水率平均值为 6.75%，膨胀力平均值为 37.08kPa，

自由膨胀率平均值为23.36%，量值都很小，远没有达到膨胀岩标准。

2) 2015年补勘阶段

2015年发现路基出现上拱变形后即开展补勘工作，在K152+792.789和K152+832.789布置两个地质横断面进行钻探并取样，每个地质横断面布置4个钻孔，一般钻孔深度10m，控制性钻孔深度15m；在K153+672.789和K153+732.789布置两个地质横断面进行钻探并取样，每个地质横断面布置3个钻孔，一般钻孔深度10m，控制性钻孔深度15m。试验结果如表3-10所示。

表3-10　线路通车前2015年补勘阶段地表采样岩石膨胀性试验结果

取样位置	阳离子交换量 CEC(NH$_4^+$)/(mmol/kg)	蒙脱石含量 M/%	饱和吸水率/%	膨胀力/kPa	自由膨胀率/%	定名
	171.7	11.22	16.74	—	23	膨胀岩(粉砂岩)
	172.6	9.90	16.22	—	24	膨胀岩(粉砂岩)
	179.1	7.70	25.19	106	19	膨胀岩(泥岩)
	181.8	12.98	23.08	5	28	膨胀岩(泥岩)
K152+690.268~K153+732.789	176.5	12.14	26.21	15	20	膨胀岩(泥岩)
	178.8	11.29	23.75	26	20	膨胀岩(泥岩)
	107 8	6.61	3.87	/	21	砂岩
	73.0	4.47	2.14	15	11	砂岩
	62.2	4.75	3.00	10	15	砂岩
极小值	171.7	7.70	16.22	5	19	不包括砂岩
极大值	181.8	12.98	26.21	106	28	
平均值	176.75	10.87	21.87	38	22.33	

从表3-10可以看出，所取的泥岩和粉砂岩试样膨胀性指标均较大，阳离子交换量、蒙脱石含量和饱和吸水率都达到弱膨胀岩标准，而砂岩所有指标均达到膨胀岩标准，所有试样的膨胀力和自由膨胀率指标都很小。以2个指标达到膨胀岩标准则判定膨胀岩的原则，此次所取泥岩和粉砂岩均为弱膨胀岩，砂岩不具有膨胀性。

表3-11和表3-12为2015年补勘阶段钻孔岩芯泥岩和砂岩膨胀性试验结果。可以看出，25个泥岩试样中有6个试样达到膨胀岩标准，占24%，但从指标均值来看，泥岩初始含水率平均值为6.16%，膨胀力平均值为43.89kPa，自由膨胀率平均值为26.11%，均没有达到膨胀岩标准，仅饱和吸水率达到膨胀岩标准。砂岩的膨胀性指标依然很小，都没有达到膨胀岩标准。综合来看，与2009年线路勘

察阶段相比，内江北站基底泥岩膨胀性指标有所增大，但依然不属于典型膨胀岩。

表 3-11　线路通车前 2015 年补勘阶段钻孔岩芯泥岩膨胀性试验结果

钻孔里程	取样深度/m	含水率/%	单轴抗压强度/MPa	饱和吸水率/%	膨胀力/kPa	自由膨胀率/%	定名
K152 段	6.0～6.6	4.6	7.24	22.28	39	23	泥岩
	6.0～6.70	5.8	6.74	26.97	0	28	泥岩
	8.3～8.8	3.5	8.33	20.72	0	28	泥岩
	11.5～12.0	5.0	7.32	20.84	25	38	膨胀岩
	8.0～8.6	2.4	6.46	11.35	31	27	泥岩
	6.0～6.60	4.6	3.46	22.46	8	27	泥岩
	8.0～8.57	3.3	5.36	30.74	31	29	泥岩
	6.0～6.5	3.9	6.76	18.55	136	23	膨胀岩
	10.8～11.4	—	10.68	19.51	217	33	膨胀岩
	13.0～14.0	5.2	8.28	30.22	47	20	泥岩
	6.5～7.4	5.5	5.04	4.22	118	24	泥岩
	6.5～7.0	6.4	4.34	24.49	107	24	膨胀岩
	8.8～9.3	6.1	5.14	29.11	61	27	泥岩
K153 段	5.1～5.9	3.6	9.21	9.99	41	16	泥岩
	8.4～9.0	4.8	14.03	8.56	8	19	泥岩
	5.8～6.4	4.9	13.25	15.73	18	22	泥岩
	9.0～9.6	3.7	15.5	25.61	13	25	泥岩
	3.4～4.0	6.7	1.89	32.00	190	24	膨胀岩
	5.0～5.7	13.1	0.31	58.99	28	32	膨胀岩
	6.7～7.1	3.9	17.6	31.74	34	28	泥岩
	2.1～2.6	5.6	12.47	18.62	16	29	泥岩
	4.0～4.6	5.6	19.1	3.07	9	24	泥岩
	2.1～2.7	5.8	7.03	16.59	67	29	泥岩
	5.0～5.7	4.9	5.79	20.47	18	24	泥岩
	9.7～10.3	—	18.35	14.03	20	20	泥岩
统计值	极小值	2.4	0.31	3.07	0	16	
	极大值	13.1	19.1	58.99	217	38	
	平均值	5.17	8.79	21.47	51.28	25.72	

表 3-12　线路通车前 2015 年补勘阶段钻孔岩芯砂岩膨胀性试验结果

钻孔里程	取样深度/m	含水率/%	单轴抗压强度/MPa	饱和吸水率/%	膨胀力/kPa	自由膨胀率/%	定名
K152 段	10.2~10.8	4.1	24.93	3.84	4	23	砂岩
	2.7~3.5	5.7	11.37	13.72	4	14	砂岩
	3.2~3.7	4.1	21.1	3.46	8	2	砂岩
	3.7~4.3	5.1	19.63	3.85	4	28	砂岩
	8.0~8.6	4.3	22.97	3.75	8	24	砂岩
	14.0~14.5	3.3	28.6	3.94	8	20	砂岩
K153 段	2.7~3.3	5.6	19.43	3.63	8	22	砂岩
	7.3~7.8	3.5	33.13	2.26	7	22	砂岩
	9.2~9.9	1.3	34.27	1.69	7	10	砂岩
	12.0~13.0	—	29.17	8.36	39	14	砂岩
	8.7~9.2	4.5	13.79	11.59	4	19	砂岩
统计值	极小值	1.30	13.79	1.69	4	2	
	极大值	5.60	34.27	11.59	39	28	
	平均值	3.96	24.68	4.73	10.33	17.89	

图 3-14 给出了两次膨胀性试验中获得的泥岩和砂岩饱和吸水率与自由膨胀率和膨胀力的关系散点图。可以看到，在线路勘察阶段取样开展的试验结果显示，现场泥岩和砂岩饱和吸水率较低，并且膨胀力和自由膨胀率指标也更小，试验结果离散性小；而后 2015 年对地表取样和钻孔岩芯取样开展的膨胀性试验结果显示，无论泥岩还是砂岩，其饱和吸水率都明显增大，部分试样的膨胀力有所增大，

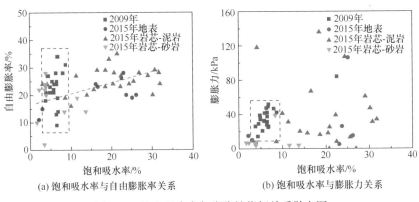

(a) 饱和吸水率与自由膨胀率关系　　　(b) 饱和吸水率与膨胀力关系

图 3-14　饱和吸水率与膨胀性指标关系散点图

但是自由膨胀率并没有明显增大，而且砂岩的饱和吸水率、膨胀力和自由膨胀率均明显更小。总体来看，川中红层泥岩的自由膨胀率随饱和吸水率的增大而略微增大，而膨胀力与饱和吸水率没有明显的相关性。

3) 2017 年补勘阶段

2017 年年底，中科院武汉岩土力学研究所在内江北站两处上拱区段内钻孔取样并开展了室内常规膨胀性试验，钻孔位置为两段上拱路基段，利用列车运营天窗时间钻孔取样，并依据 1999 年发布的《土工试验规程》(SL 237—1999)做岩粉自由膨胀率试验，胀缩特性试验中原岩样品的制备、相关试验仪器以及试验操作参考《铁路工程岩石试验规程》(TB 10115—2014)。试验结果如下[109]：

(1) 对 60 组岩粉的自由膨胀率测试结果显示，试样的自由膨胀率范围为 7%～37%，平均值为 25.9%，其中 28.8%的泥岩试样自由膨胀率大于 30%。自由膨胀率最大试样的取样深度为 3.2～3.3m，自由膨胀率最小试样的取样深度为 6.9～7.0m。

(2) 采用原状钻孔岩芯加工成标准试样开展的自由膨胀率试验显示，15 个泥岩试样轴向膨胀率的范围为 0.90%～4.03%。

(3) 饱和吸水率在 6.07%～14.27%，其中泥岩饱和吸水率相对较大，基本在 10%以上，泥质砂岩和砂岩的饱和吸水率要小一些，在 6%～8%。

(4) 泥岩膨胀力范围为 152.3～2025.5kPa，平均值为 694.71kPa，砂岩膨胀力较小，在 20～30kPa。

4) 对比分析

不同阶段开展的岩石膨胀性试验由不同单位各自完成，并且取样手段、取样位置略有不同，若不计试验方法及操作的差异，对 2009 年、2015 年和 2017 年三次钻孔岩芯泥岩膨胀性指标试验结果进行对比，如表 3-13 所示。可以看出，基底泥岩平均含水率在 2015 年有所增大，而 2017 年又减小至与 2009 年大致相同水平，平均饱和吸水率也有类似变化规律，2015 年显著增大，2017 年又有所减小，但比 2009 年大近 1 倍；平均自由膨胀率则表现出缓慢增大现象，从 2009 年的 23.36%增大到 2017 年的 27.22%；泥岩平均膨胀力变化最大，2017 年达到 694.71kPa。

表 3-13　三次钻孔岩芯泥岩膨胀性测试结果对比

指标	2009 年	2015 年	2017 年
平均含水率/%	4.56	6.16	4.69
平均饱和吸水率/%	6.75	24.57	12.50
平均自由膨胀率/%	23.36	26.11	27.22
平均膨胀力/kPa	37.08	43.89	694.71

三次试验在天然含水率和自由膨胀率这两个指标上不会存在较大差异,天然含水率均采用烘干法测得,自由膨胀率均采用磨碎后的岩粉浸水膨胀测得。也就是说,这两个参数不受试验批次的影响,具有对比意义。从试验数据也可以看出,这两个指标在三次试验中没有出现较大变化。而饱和吸水率和膨胀力的测试与采用的测试方法和试样有关,2017 年膨胀力测试采用的试样尺寸各异(直径约为65mm,高度为 25~80mm 不等),并且试样裂隙发育特征也对膨胀力测试有较大影响,有可能造成膨胀力测试结果偏大。但是,总体来看,内江北站两个上拱区段基底泥岩含水率变化不明显,从自由膨胀率指标来看也不具备膨胀岩特性,而饱和吸水率、蒙脱石含量和阳离子交换量均显示其具备膨胀岩特性。从饱和吸水率与天然含水率之间的差异也可以看出,内江北站泥岩后期吸水能力较强,这为泥岩吸水膨胀提供了较大的空间。表明内江北站红层泥岩本身具备膨胀岩的物质基础(蒙脱石含量和阳离子交换量),在外部环境(水环境、应力环境)改变作用下,泥岩裂隙发育特征改变,容易出现时效性的膨胀变形现象。

针对内江北站开展的三次地质勘察及室内膨胀性试验指标,根据现行膨胀岩判定标准,将内江北站红层泥岩定义为膨胀岩或者非膨胀岩都是不合适的,也都是合理的,更确切的应该是具有膨胀性倾向的泥岩,但是具体是否属于膨胀岩则与所采用的判定方法和标准有关。现行的膨胀岩判定指标及标准本质上是借鉴建筑行业膨胀土的判定标准制定的,而建筑工程中考虑了膨胀岩土变形量对建筑结构的影响,膨胀性指标阈值的确定是建立在允许地基 15mm 的膨胀变形基础上的。显然,这样的膨胀变形量对高速铁路路基工程是不合理的,如今采用相同的膨胀性判定标准用于评定其在高速铁路无砟轨道工程中引起的上拱病害,本质上就是不合适的。

合理的做法应该是:首先,需要结合高速铁路路基变形控制要求,重新确定膨胀岩土地基的允许变形量,并在此基础上研究红层软岩膨胀变形量与各膨胀性指标之间的定量关系;其次,考虑到泥岩吸水膨胀受本身裂隙发育特征的影响,吸水产生的膨胀变形具有显著的时效性特征,应充分考虑红层软岩膨胀变形的时间效应;最后,结合膨胀变形量及其时间效应特征,重新确定各膨胀性指标阈值。

3.5.3　黏土矿物的 XRD 分析

作为一种典型的黏土类膨胀岩,泥岩的膨胀性取决于黏土颗粒的粒间或晶间膨胀,黏土矿物含量越高,膨胀率也就越大。前期在 2015 年补勘阶段也对钻孔岩芯测定了蒙脱石含量,除此之外,伊利石、高岭石和绿泥石也是典型的黏土矿物。因此,为获得内江北站红层泥岩矿物成分,特别是蒙脱石、伊利石和高岭石等膨胀性黏土矿物的含量,2017 年采集内江北站上拱区段钻孔岩芯及邻近川南城际铁路施工开挖基底典型紫红色泥岩和灰绿色砂岩样品 10~20g,经过烘干、研磨、过 0.05mm 筛处理，进行 X 射线衍射测定其矿物成分及含量。同时，选取成贵高速铁路宜宾西站、龙泉山和成都平原东部某建筑基坑工程红层泥岩和砂岩进行对比分析。

表 3-14 为川南城际铁路施工场地、内江北站上拱区段钻孔岩芯、成贵高速铁路宜宾西站、龙泉山以及成都平原东部典型红层泥岩和砂岩的 XRD 矿物分析结果，图 3-15 为部分 XRD 能谱图。可以看出，内江北站及其邻近的川南城际线施工场地采集的紫红色泥岩矿物成分以石英、伊利石、钠长石为主，其中伊利石和绿泥石为黏土矿物，是引起泥岩吸水膨胀的内在原因。内江北站紫红色泥岩中 2 个样品黏土矿物分别占 56.2%和 47.1%，黏土矿物含量较高，另 1 个样品中则未发现伊利石和绿泥石等黏土矿物成分；钻孔灰绿色砂岩的黏土矿物含量仅 5.4%～13.9%，含量较低。与之对比，龙泉山红层泥岩同样具有显著的易风化、易崩解特性，但是并没有检测出典型黏土矿物成分；成贵高速铁路宜宾西站钻孔岩芯也仅检测出 18.2%的绿泥石成分，两者都以石英为主；成都平原东部某建筑地基钻孔红层泥岩样品中则检测出 20.9%～46.9%的黏土矿物，采用此岩石开展的吸水膨胀试验也表现出一定的膨胀性特征，并且伊利石含量高的岩样膨胀性明显更大、吸水膨胀速率更大。

表 3-14　红层泥岩和砂岩 XRD 矿物分析结果

取样位置		取样深度 /m	伊利石 /%	绿泥石 /%	石英/%	钠长石 /%	赤铁矿 /%	白云母 /%	镁/%	其他/%
川南城际铁路	紫红色	浅表层	0	0	36.2	18.4	3.1	42.1	0	0.2
		浅表层	30.0	0	31.1	25.5	0	0	0	13.4
	灰绿色	浅表层 (泥岩)	48.6	0	32.5	15.3	0	0	0	3.6
内江北站	紫红色	7.0～9.0	46.1	10.1	23.2	9.3	5.2	0	0	6.1
		16.8～17.8	0	0	27.5	19.4	0	41.1	10.0	2
		10.0～11.0	47.1	0	32.4	12.8	2.3	0	0	5.4
	灰绿色	9.0～10.6	5.4	0	31.3	29.0	0	0	24.6	9.7
		18.6～19.6	0	13.9	36.1	36.5	0	13.5	0	0
龙泉山 红层泥岩		地表	0	0	36.7	0	2.0	53.1	0	8.2
成贵高速铁路 宜宾西站泥质 砂岩		12.5～13.3	0	18.2	37.7	33.4	0	0	0	10.7
成都平原东部 红层泥岩		钻孔(2-5A)	39.1	7.8	23.5	6.4	0	13.0	0	10.2
		钻孔(3-1A)	13.7	7.2	35.5	18.0	0	14.0	0	11.6

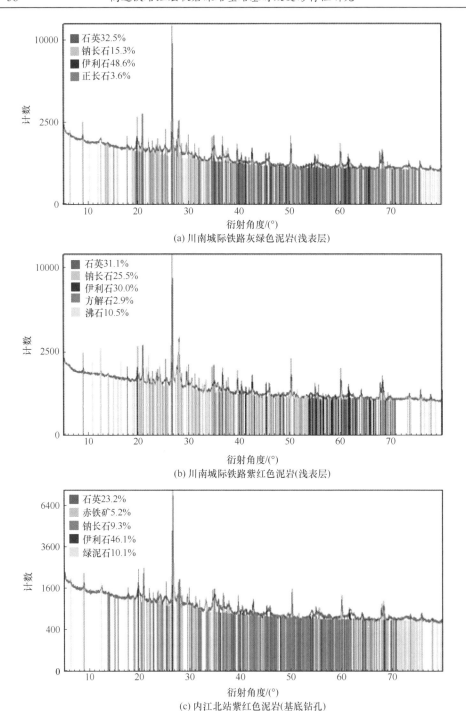

(a) 川南城际铁路灰绿色泥岩(浅表层)

(b) 川南城际铁路紫红色泥岩(浅表层)

(c) 内江北站紫红色泥岩(基底钻孔)

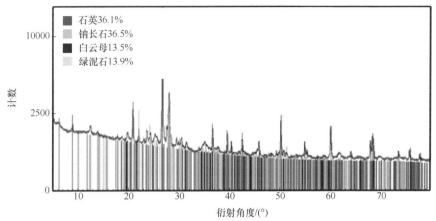

(d) 内江北站灰绿色砂岩(基底钻孔)

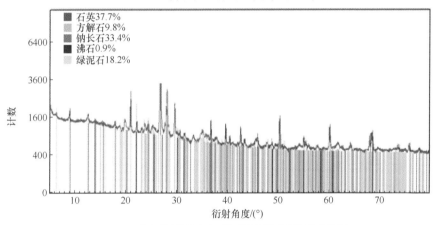

(e) 成贵高速铁路宜宾西站紫红色泥质砂岩(钻孔岩芯)

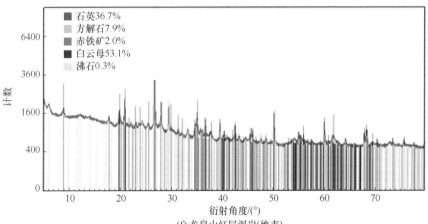

(f) 龙泉山红层泥岩(地表)

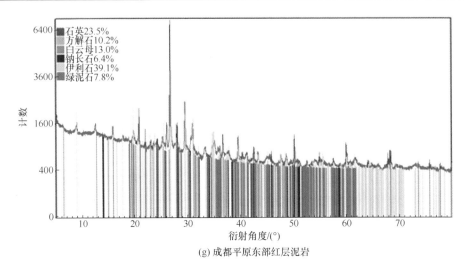

(g) 成都平原东部红层泥岩

图 3-15　红层泥岩和砂岩典型 XRD 能谱图

伊利石是含钾量高的原生矿物经过化学风化的初期产物，其结晶桁架的特点与蒙脱石极为相似，不同的是，伊利石四面体层之间，氧层的六角形网眼中嵌有 K^+，形成一种强键，致使水分子难以进入晶层，显现出的膨胀性远低于蒙脱石。伊利石晶胞层间连接力比高岭石弱，但比蒙脱石强，扫描电子显微镜下呈不规则的棉球状、片状、鳞片状或丝状集合体。绿泥石的结构类似于伊利石，它的阳离子交换量比蒙脱石少，近似于伊利石。考虑到当前膨胀岩(土)判定指标通常采用蒙脱石含量，而未考虑伊利石和高岭石含量，王冲等[101]提出根据矿物亲水性的差异，以 0.1 的比例将伊利石含量折算为蒙脱石含量。

总的来看，所有红层泥岩和砂岩试样均未检测出膨胀性最强的蒙脱石成分，泥岩中伊利石含量较高，砂岩中黏土矿物成分含量极低。许强等[18]统计了四川盆地 47 组红层泥岩、砂岩、泥质粉砂岩等的矿物成分，结果显示，部分样品中检测出蒙脱石，但含量一般较低，伊利石含量较高。内江北站红层泥岩中黏土矿物以伊利石为主，但是采用 0.1 比例折算后的等效蒙脱石含量依然远低于 7%。因此，可以认为根据以现行膨胀岩膨胀性黏土矿物含量为指标的判定标准，内江北站及其周边的川中红层泥岩未达到典型膨胀岩标准。然而，由于伊利石的存在，依然存在膨胀的物质基础，在岩体结构特征和地下水环境改变的情况下，存在缓慢、微弱膨胀变形的风险。

由于膨胀岩的膨胀变形比膨胀土复杂，黏土矿物吸水产生膨胀变形的过程还受其微细观结构的影响，传统膨胀岩的自由膨胀率试验采用岩粉吸水测定的膨胀变形量，显然获得的是该岩石的理论极限膨胀量，但是作为具有一定胶结作用的岩石块体，在工程结构设计使用期内是否能产生如此极限膨胀量呢？显然这与试验的微细观结构特征、岩石的赋存环境等一系列因素有关。因此，膨胀岩的判定比膨胀土更加复杂，目前还没有针对膨胀岩的统一判定标准，大多参照膨胀土指标对岩石的膨胀性及强弱进行判定。以《膨胀土地区建筑技术规范》(GB 50112—2013)为例，其制定膨胀性判定阈值(自由膨胀率 40%、蒙脱石含量 7%和阳离子交换量 170mmol/kg)的依据是小于该指标时地基的分级变形量小于 15mm。显然 15mm 的膨胀变形量值远大于高速铁路无砟轨道 4mm 的上拱变形限值要求。《铁路工程地质勘查规范》(TB 10012—2019)中也提到，对于易崩解的岩石膨胀力试验和饱和吸水率试验，没有可供选择的试验方法与判别标准，在当前的情况下，建议将膨胀岩粉碎成土后，按膨胀土进行阳离子交换量和蒙脱石含量的试验，并参照膨胀土的判定指标，间接判定膨胀岩的膨胀性。也就是说，对于易崩解的红层泥岩，应按照膨胀土的标准进行试验和判定，而前面提到《膨胀土地区建筑技术规范》(GB 50112—2013)给出的膨胀土判定标准是基于地基分级变形量 15mm 的阈值确定的，从而采用该方法对红层泥岩的膨胀性进行判定，势必默认为允许地基分级变形达到 15mm，这对普速铁路有砟轨道是适用的，但显然不适用于高速铁路无砟轨道工程。

　　因此，根据现行标准，按部分指标界定的非膨胀岩并不能认为就不具有膨胀性，而仅能说明其膨胀变形在特定试验条件下尚不足以对常规建筑、普速铁路等工程构成显著的影响。但是，对于变形要求更加苛刻的高速铁路工程或者在岩体赋存环境、本身结构发生改变后，就可能成为时效性膨胀岩，引起路基上拱病害。因此，有必要对现行膨胀岩判定标准进行优化，除考虑红层泥岩中黏土矿物成分的物质基础外，还要考虑岩体结构特征及时间因素，以适应高速铁路无砟轨道路基对于上拱变形的严苛要求。为此，以下将从这两方面开展红层泥岩的吸水膨胀性研究。

3.6　原状岩样时效性膨胀变形试验设计

　　《铁路工程特殊岩土工程勘察规程》(TB 10038—2012)中对于崩解性岩石，建议采用自由膨胀率指标替代膨胀率对膨胀性进行判定，这是由于对易崩解的岩石制取原岩试样较困难，并且岩石在无约束浸水作用下迅速崩解，使得测定的膨胀变形值失真。但是，采用粉碎后重塑试样开展膨胀土相同的自由膨胀率试验，失去了岩石与土的差异性信息，用土的标准评价岩石显然是不合理的。因此,本节将探索采用原岩试样对川中红层泥岩(以内江北站红层泥岩为例)开展吸水膨胀变形试验。

　　川中红层泥岩是一种典型的软岩，极易风化，遇水崩解、失水收缩开裂，并且岩石内初始隐微裂隙发育。采用传统室内水钻法，很难获得完整的岩样，尽管室内在大块石中钻取岩样过程中仅用极少量的水用于钻具降温，但依然很难制取大量完整的标准试样，特别是灰绿色泥岩，大多在钻进过程中即碎裂或崩解。柴肇云[93]采用液压油对钻机进行降温除尘，但是液压油一旦通过岩石裂隙入渗，势必造成其力学性能的改变。为此，首先在采集的泥岩块石表面涂抹 502 胶水，使块石能够保持完整，然后在传统钻机中采用低速钻进，钻进过程中减少用水量，最后选取 7 个完整标准岩样，其中紫红色泥岩试样 4 个(编号 R-1～R-4)、灰绿色泥岩试样 2 个(编号 G-1、G-2)、灰绿色夹紫红色泥岩试样 1 个(编号 GR-1)。试验均在无上覆荷载作用下监测试样在完全浸水情况下的长期膨胀变形规律。试样分组如下：

(1) 为考虑吸水率对膨胀变形的影响，将其中 2 个试样(紫红色泥岩 R-3 和灰绿色泥岩 G-2)预先置于烘箱中 105℃烘干 24h 至恒重，取出置于干燥器中 24h 自然冷却。经过烘干处理后的试样表面没有出现明显的扩展裂隙，试样保持完整。干燥试样和天然试样用于开展浸水膨胀性试验。

泥岩对水及温度敏感性较大，野外泥岩开挖裸露后，经过几次干湿循环及冷热循环后，即出现密集的裂隙网络并崩解。室内试验中，对于原状岩石试样(非重塑试样)，为了获得干燥状态，需对天然试样进行失水处理，若不进行加热烘干，而采用长时间置于空气中自然失水风干，则由于泥岩易风化的特性，极易风化并严重影响其力学性能，因此通常采用加温烘干获得干燥试样[27, 110]。试验中试样先在烘箱中 105℃烘干 24h 至恒重，后置于干燥器中自然冷却，不会重新吸收空气中的水分而引起裂隙张开。通过这样干燥处理的试样表面没有发现显著的裂隙扩展现象。如图 3-16 所示，G-2 试样在烘干前后表面并没有明显的

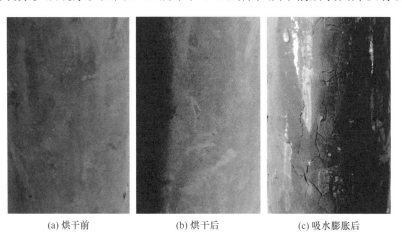

(a) 烘干前　　　　　　　(b) 烘干后　　　　　　　(c) 吸水膨胀后

图 3-16　G-2 烘干试样表面裂隙发展特征

裂隙扩展，试样依然保持完整状态，吸水膨胀性试验后则可以看到明显的网状裂隙。

(2) 侧向约束方面，考虑侧向刚性约束的 R-4 试样通过圆形钢管进行约束，钢管表面沿环向和竖向总共预留 24 个直径 10mm 的圆孔，便于浸水过程中试样通过预留孔均匀吸水(图 3-17(a))。对于无侧向约束情况，考虑到泥岩吸水易崩解，采用两层保鲜膜包裹试样，同样在保鲜膜上预留 24 个孔，便于试样均匀吸水(图 3-17(b))。保鲜膜为极柔性透明材料，伸长率大，且水稳定性好，长期浸水过程中，在不影响泥岩试样物理力学性能的情况下可以有效保护试样充分吸水，并且对试样约束力极小，不会影响试样的侧向膨胀变形。

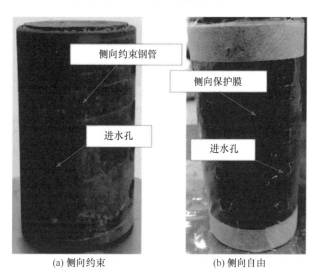

(a) 侧向约束   (b) 侧向自由

图 3-17　原状岩样侧向约束情况

试验采用自行制备的原状泥岩试样浸水膨胀变形试验设备(图 3-18)，试验过程中试样完全浸没在水中，试样底部和顶部各放置一块透水石。试样竖向膨胀变形量通过顶部两个数显千分表测量后取平均值获得，在试样高度中间部位的两个径向数显千分表测量值求和作为试样径向膨胀变形量。鉴于原状岩样吸水速率较慢，为研究其长期变形特征，借鉴岩石蠕变试验稳定标准，即试样轴向和径向变形值小于 0.001mm/d，且总计浸水试验时长不少于 100h，认为膨胀变形稳定，则排水停止试验，取下试样，最后测定试验后试样含水率，并进行岩屑筛分试验。

图 3-18　原状泥岩试样浸水膨胀变形试验设备

3.7　红层泥岩时效性膨胀变形模型

以初始天然含水率、无侧向约束情况下的 G-1 试样吸水膨胀试验结果(图 3-19)为例分析典型川中红层泥岩的时效变形规律。从图 3-19 可以看出，浸水初期岩样吸水膨胀速率极快，但很快趋于稳定。试样浸水后竖向和径向变形规律一致，表现出三个膨胀变形阶段。

(1) OA 段为加速膨胀变形阶段，试样浸水后，短时间(0.5h)内竖向和径向均急剧膨胀变形，膨胀速率较大。

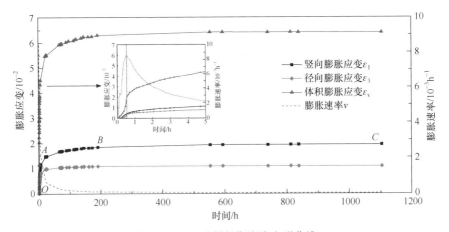

图 3-19　G-1 试样长期膨胀变形曲线

(2) *AB* 段为减速膨胀变形阶段(约 170h)，经过短时的加速膨胀变形后，试样膨胀变形速率显著减小，但依然处于膨胀变形中。

(3) *BC* 段为稳定膨胀变形阶段，此阶段试样膨胀变形速率趋于 0，竖向和径向基本不再膨胀变形，随着浸水时间的增加(约 1104h)，试样变形不再增大。

其余 6 组试验具有相同的膨胀变形规律，但是由于侧向千分表在长期泡水过程中进水失效，部分试样径向膨胀变形数据缺失，同时从图 3-19 可以看到，试样径向膨胀变形规律与竖向膨胀变形规律一致，因此以下仅对各试样竖向膨胀变形规律进行对比分析。

由以上分析可知，川中红层泥岩在无上覆荷载条件下的物化膨胀变形规律具有显著的时间效应，表现出类似于岩石在荷载作用下的蠕变过程。事实上，泥岩的物化膨胀也是一种蠕变过程，它是岩石内黏土矿物吸水后颗粒间膨胀力作用下表现出的宏观膨胀变形随时间变化的过程。借鉴岩石蠕变的元件模型，可以采用弹性体元件(胡克体)模拟吸水膨胀的准瞬时变形(*OA* 段)，黏性膨胀变形(*AC* 段)采用黏性元件(牛顿体)模拟，根据图 3-19 所示膨胀蠕变规律，将两元件并联可以得到反映川中红层泥岩膨胀变形过程的蠕变模型(图 3-20)，参照 Kelvin 模型可得膨胀蠕变方程，即

$$\varepsilon(t) = K(1 - e^{-\eta t}) \tag{3-1}$$

式中，$\varepsilon(t)$ 为与时间相关的膨胀应变；t 为时间；K 和 η 为与岩石本身物理力学性能有关的参数。

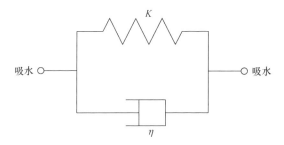

图 3-20　泥岩吸水膨胀蠕变模型

由式(3-1)可知，当 $t = 0$ 时，膨胀应变为 0，对应试样初始自然状态；当 $t \to \infty$ 时，$\varepsilon(t) \to K$ 为定值，则参数 K 的物理意义为岩石浸水后最终稳定膨胀应变值。参数 η 的存在使膨胀变形从初始自然状态达到稳定值 K 的过程变长，即 η 可以视为吸水膨胀黏滞系数。

采用式(3-1)对全部 7 组物化膨胀试验数据进行拟合，获得拟合参数 K 和 η，拟合曲线如图 3-21 所示。另外，根据试验稳定膨胀变形判定标准，获得了各试样不同时刻膨胀应变、最终稳定总膨胀应变及含水率变化数据，试验结果及曲线

拟合参数列于表 3-15。从表 3-15 可以看出，膨胀蠕变模型曲线拟合相关系数 R^2 均大于 0.9，表明具有较好的相关性。

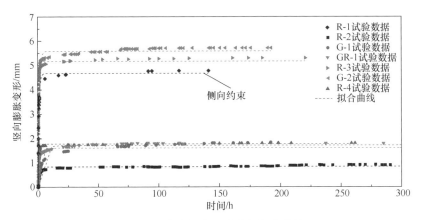

图 3-21   膨胀蠕变试验数据拟合曲线

表 3-15   红层原岩试样物化膨胀试验结果

试样编号	侧限	w_0/%	w_f/%	ω_a/%	ε_f/10^{-2}	s_{24h}/%	s_{100h}/%	s_{200h}/%	K/10^{-2}	η	R^2
R-1		3.06	11.48	8.42	4.78	96.82	99.79	—	4.671	1.324	0.991
R-2		3.06	4.87	1.81	0.89	89.61	93.45	97.74	0.842	0.724	0.964
G-1	无侧限	2.97	6.70	3.73	1.93	76.64	89.64	95.51	1.723	0.338	0.946
GR-1		5.57	8.60	3.03	1.84	90.53	97.83	—	1.611	1.136	0.904
R-3		0	13.35	13.35	5.30	97.74	99.38	—	5.169	3.107	0.990
G-2		0	14.94	14.94	5.71	95.66	99.82	—	5.587	0.969	0.984
R-4	约束	5.19	8.92	3.73	1.80	96.06	98.53	—	1.772	1.574	0.990

注：w_0 为试样初始含水率；w_f 为试验结束后试样含水率；ω_a 为吸水率；ε_f 为稳定时竖向总膨胀应变；s_{24h}、s_{100h} 和 s_{200h} 分别为 24h、100h 和 200h 对应竖向膨胀应变占总竖向膨胀应变的比例。

对比拟合参数 K 与试验获得的稳定总膨胀应变(图 3-22)，代表试样最终稳定膨胀应变的参数 K 与试验结果吻合，误差均小于 5%，表明参数 K 可以用于描述泥岩膨胀蠕变的最终总膨胀应变。表征黏滞特性的参数 η 应该与试样膨胀稳定过程相关，同时考虑到试样初始含水率及侧限条件的影响，选取初始同为天然状态、无侧向约束条件的 R-1、R-2、G-1 和 GR-1 四组试样 24h 膨胀应变占最终总膨胀应变的比例 s_{24h}，对模拟拟合参数 η 进行分析，如图 3-23 所示。从图中可以看出，总体上，s_{24h} 随参数 η 的增大而增大，即随着黏滞系数 η 的增大，试样膨胀稳定速率变快。表明模型中参数 η 可以有效描述泥岩吸水膨胀变形的黏滞特性。从而，式(3-1)所示泥岩膨胀蠕变模型中参数 K 和 η 分别用于描述泥岩吸水膨胀变形的总膨胀应变及膨胀过程的时间效应现象，具有明确的物理意义。

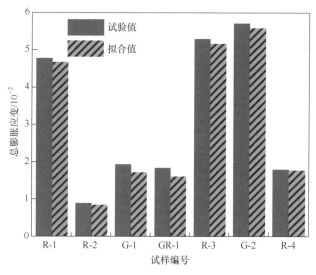

图 3-22　总膨胀应变对比

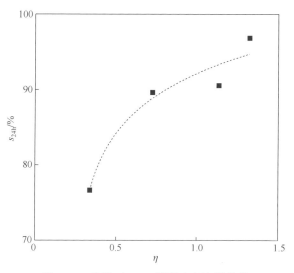

图 3-23　参数 η 与 24h 膨胀应变比例关系

进一步对试样膨胀变形速率进行分析，从表 3-15 中试样 24h、100h 和 200h 膨胀应变占总膨胀应变的比例试验结果可以看出，不同初始含水率、不同侧向约束试样 24h 膨胀变形量大部分达到 90%以上，100h 膨胀变形量基本达到 93%以上(除 G-1 试样外)，200h 膨胀变形量全部达到 95%以上。表明标准原状岩样在实验室浸水条件下，吸水膨胀变形速率较快，浸水后短时间内即完成大部分膨胀变形，后期蠕变变形量有限，并最终趋于稳定。

结合吸水膨胀蠕变模型及室内原状岩样膨胀试验结果，可以总结出川中红层泥岩膨胀蠕变具有以下特点：

(1) 膨胀蠕变具有典型的三阶段特征，即加速膨胀阶段、减速膨胀阶段和稳定膨胀阶段，浸水后瞬时变形速率快、量值大，后期蠕变变形有限，最终变形趋于稳定。

(2) 膨胀蠕变过程可以采用弹性元件和黏性元件并联的类 Kelvin 模型进行模拟，可以有效描述川中红层泥岩吸水的时效膨胀变形特性。

(3) 膨胀蠕变稳定的最终总膨胀应变由蠕变模型的应变参数 K 进行描述；膨胀过程的时间效应由蠕变模型的黏滞系数 η 进行描述，膨胀蠕变模型中两个参数具有明确的物理意义。

事实上，不仅川中红层泥岩吸水膨胀变形具有显著的时间效应，ISRM 膨胀岩试验方法中提到，测定黏土质岩石的膨胀变形需要几天时间，对含无水石膏的岩石而言，甚至可能需要几年的时间[111]。也就是说，此类膨胀性岩石在吸水后产生膨胀变形的过程持续时间都会很长，这与膨胀土有较大的区别。而这一特性对工程结构却是至关重要的，若累积变形量较小，则对建筑结构、普速铁路、边坡支挡结构等影响较小，对高速铁路无砟轨道则是致命的灾害，因此确定基底岩体在工程结构运营期内的累积变形量、变形速率对线路的安全运营至关重要。

3.8　影响红层泥岩时效膨胀变形的因素分析

3.8.1　吸水率对膨胀变形的影响

泥岩物化膨胀的本质是组成岩石的黏土矿物吸水产生体积膨胀的过程，同时，膨胀过程受岩石本身结构特征及外部环境因素的影响，包括岩石本身裂隙发育特征、初始含水率、约束状态等。采用同一场地采集的泥岩开展试验，不考虑各试样矿物成分及含量的差异，分析岩样吸水率和结构特征与其长期膨胀变形特征的关系。现有研究表明[26, 29, 97, 112-114]，对于相同岩石，初始含水率越小，膨胀性越大。然而，相同初始含水率的原状岩样也会表现出明显不同的膨胀变形特性，这与其吸水率不同有关。

选取无侧向约束下不同吸水率的 3 组膨胀性试验结果进行对比分析，如图 3-24 所示。其中 R-1 和 R-2 组为天然试样，初始含水率相同(w_0=3.06%)，但试验结束后，R-1 组试样吸水率显著大于 R-2 组，其总膨胀应变也显著大于 R-2 组；R-3 组为初始干燥试样(w_0=0)，试验后吸水率最大(ω_a=13.35%)，总膨胀应变也最大。类似地，G-1(天然含水率，w_0=2.97%)与 G-2(干燥，w_0=0)组具有相同的规律。

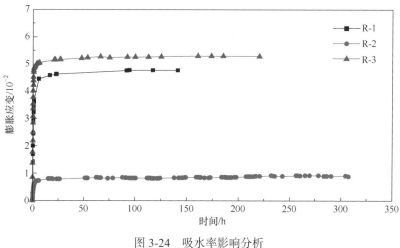

图 3-24　吸水率影响分析

图 3-25 对比了无侧向约束 6 组试验初始含水率 w_0 和吸水率 ω_a 与总膨胀应变 ε_t 的关系。可以看出，w_0 与 ε_t 没有明显的相关性，而 ε_t 明显随着 ω_a 的增大而增大，对数函数拟合相关系数 R^2=0.97，两者具有较强的相关性，表明吸水率更适用于评价川中红层泥岩物化膨胀特性。这是由于川中红层泥岩仅具有弱膨胀性，物化膨胀变形较小，并且试验采用原状岩石试样，长期浸水也很难达到理想的饱和状态，相同初始含水率的不同试样内部裂隙发育特征存在差异，造成吸水量不同，测得的膨胀变形量也就不同。因此，采用吸水率评价其物化膨胀变形特性更加合理。

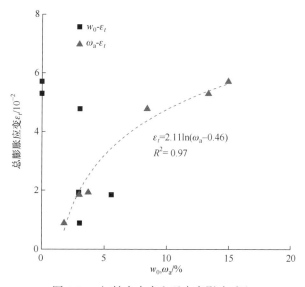

图 3-25　初始含水率和吸水率影响对比

3.8.2 结构特征对膨胀变形的影响

完整泥岩本身渗透系数极小，浸水后水分大多通过岩石内发育的隐微裂隙渗透，并与泥岩中黏土矿物发生物理化学反应，引起体积膨胀。具有相同矿物成分及含量、相同初始含水率的泥岩试样(如 R-1 与 R-2 组)，在相同条件下吸水率及膨胀应变差异较大，这可能是因为两个试样具有不同的微结构特征，即初始微裂隙发育程度不同，吸水过程出现差异，从而造成最终膨胀变形的显著差异。对于具有相同黏土矿物及含量的不同岩样，隐微裂隙越发育，岩石吸水越充分，引起的膨胀变形越充分，膨胀变形速率也越快。因此，通过原状岩石隐微裂隙发育程度可以间接评价泥岩的膨胀性。

已有大量研究成果表明，结构性是岩石作为一种天然地质材料的重要特征，也是影响岩石物理力学性能的重要因素。然而，由于很难对岩石内微裂隙进行准确的统计和分析，目前鲜有研究关注泥岩结构特征对其膨胀性能的影响规律。为此，将各泥岩试样浸水膨胀稳定后小心取下(由于有保鲜膜及钢管保护，很容易收集破碎岩屑)，放入烘箱105℃烘干24h至恒重，然后进行筛分试验，筛径分别为 20mm、10mm、5mm、2mm、1mm、0.25mm 和 0.075mm，测量各筛子上余留岩屑质量(图 3-26)。将岩屑按照粒径大小划分为粗粒($r \geqslant 10$mm)、中粒(1mm$\leqslant r <$ 10mm)、细粒(0.075mm$\leqslant r < 1$mm)和微粒($r < 0.075$mm)。表 3-16 为各试样试验后岩屑颗粒筛分结果，图 3-27 为岩屑颗粒筛分曲线。可以看出：

(1) 颗粒筛分曲线均前段陡峭后段平缓，表明岩屑以粗粒和中粒为主，岩屑最大含量粒组颗粒粒径 d_{max} 全部为粗粒和中粒，$r < 1.0$mm 的细粒和微粒质量占比 $\omega_{1.0}$ 都不超过 10%，R-2 组最小，仅 0.4%。

(2) 对比 R-1、R-2 和 R-3 三组试样，R-2 组 d_{max} 最大($\geqslant 20$mm)，且对应的颗粒质量占比 ω_{dmax} 达到 95.2%，粒径小于 1.0mm 的细粒仅占 0.4%，试验后岩屑几乎全部以粗颗粒出现，其总膨胀应变最小(仅 0.0089)，R-1 和 R-3 组具有相同的 d_{max}，且对应的岩屑质量占比 ω_{dmax} 也相近，但 R-3 组的细粒和微粒质量占比 $\omega_{1.0}$ 显著大于 R-1(细粒含量较大)，从而 R-3 组总膨胀应变也大于 R-1。表明岩屑最大含量粒组颗粒粒径越大、细粒和微粒含量越小，总膨胀应变越小，即岩石越破碎，微裂隙发育程度越大，膨胀变形量越大。

(3) 有效粒径 d_{10} 可以用于间接表征岩屑的吸水特征，图 3-28 为试验后岩屑有效粒径 d_{10} 与其吸水率 ω_a 的关系。可以看出，有效粒径越大，岩样吸水率越小，两者存在较好的幂函数相关性。结合图 3-25 可知，岩屑有效粒径越小，岩样膨胀性越强，这与张巍等[115]对泥岩崩解颗粒与其膨胀性能的研究结果一致。

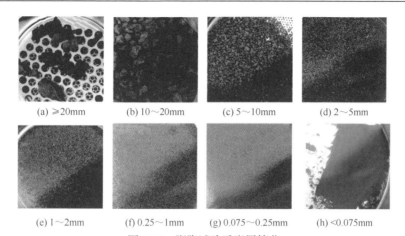

(a) ≥20mm　　　　(b) 10～20mm　　　　(c) 5～10mm　　　　(d) 2～5mm

(e) 1～2mm　　　(f) 0.25～1mm　　　(g) 0.075～0.25mm　　　(h) <0.075mm

图 3-26　膨胀试验后岩屑筛分

表 3-16　岩屑颗粒筛分结果

试样编号	ω_a/%	ε_f/10^{-2}	d_{max}/mm	ω_{dmax}/%	$\omega_{1.0}$/%	d_{10}/mm
R-1	8.42	4.78	5～10	53.8	3.2	1.38
R-2	1.81	0.89	≥20	95.2	0.4	10.54
G-1	3.73	1.93	10～20	36.8	5.9	1.21
GR-1	3.03	1.84	≥20	62.6	0.5	5.66
R-3	13.35	5.30	5～10	50.1	10.0	0.36
G-2	14.94	5.71	10～20	40.6	8.3	0.56
R-4	3.73	1.80	10～20	74.7	1.0	2.83

注：d_{max} 为岩屑最大含量粒组颗粒粒径；ω_{dmax} 为对应于 d_{max} 的颗粒质量占比；$\omega_{1.0}$ 为粒径小于 1.0mm 颗粒质量占比；d_{10} 为有效粒径。

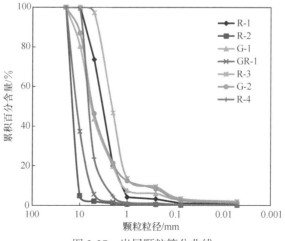

图 3-27　岩屑颗粒筛分曲线

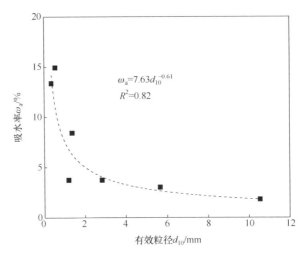

图 3-28 岩屑有效粒径与吸水率关系

以上分析表明，可以综合采用岩屑最大含量粒组颗粒粒径 d_{max}、细粒和微粒质量占比 $\omega_{1.0}$ 和有效粒径 d_{10} 三个岩屑筛分数据判断原状岩样的吸水特性和膨胀特性，d_{max} 越小、$\omega_{1.0}$ 越大、d_{10} 越小，则岩石微裂隙发育程度越大，泥岩的吸水率也就越大，膨胀性越强。

3.8.3 侧向约束对膨胀变形的影响

侧向刚性约束的存在，使得原状岩样在吸水过程中不能产生侧向膨胀变形，而只能转向轴向膨胀变形。从图 3-21 中 R-4 组试样膨胀变形曲线可以看到，与初始同样为天然试样相比，侧向约束后泥岩轴向膨胀变形明显增大，但依然小于初始干燥 R-3 和 G-2 组试样。对比吸水率相同而侧向自由的 G-1 组试样和侧向约束的 R-4 组试样的体积膨胀应变(图 3-29)可以看出，侧向约束后试样的体积膨胀

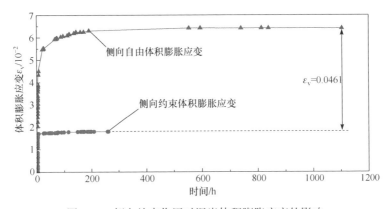

图 3-29 侧向约束作用对泥岩体积膨胀应变的影响

应变明显减小。由以上分析可知，泥岩吸水率和裂隙发育程度是影响其膨胀性的主要因素，侧向约束的存在一方面约束了侧向膨胀变形转而增大轴向膨胀变形，另一方面也在一定程度上限制了泥岩充分吸水，并且泥岩在吸水过程中裂隙扩展难度更大，又进一步限制了其膨胀变形，总体表现为体积膨胀应变显著减小。因此，侧向约束作用对泥岩膨胀变形的影响是一个更为复杂的过程，仅分析侧向约束对泥岩膨胀性的影响显然是不合适的，也很难做到单因素定量对比分析。相比而言，泥岩吸水率和试验后岩屑破碎程度则是原状岩样吸水膨胀后的两个重要现象表征，更容易建立其与泥岩膨胀性的定性和定量关系。

3.9　红层软岩干湿循环下胀缩变形试验

3.9.1　试验设计

红层泥岩开挖后在赋存环境改变的情况下产生变形并伴随着物理力学性能快速劣化，其内在机制是成岩时间较短、胶结程度差的岩石在反复吸水、失水过程中，颗粒间泥质填充区中水-岩界面上的黏土颗粒在水作用下发生水化、扩散和流失，致使泥质胶结带缩减，从而引起颗粒间黏聚力下降，并在颗粒间形成不均匀应力场，造成岩石内微细观结构损伤并随时间积累。如此反复，最终岩石崩解成碎屑颗粒，物理力学性能显著劣化。因此，对于南方红层泥岩，反复的吸水和失水引起岩石胀缩变形，同时伴随时效性劣化的过程。已有大量学者对砂岩、石膏岩、白云岩等开展干湿循环作用下的力学性能劣化特征试验，然而现有研究大多关注岩石受不同次数干湿循环后力学性能的劣化结果，鲜有对干湿循环过程中岩石本身的变形特征或者演化过程进行研究。本次试验将采用制备的原状岩石试样开展干湿循环试验，测试此过程中岩样的变形特征及其与岩石含水率、结构等特征的相关性。

试验在自主研发的软岩干湿循环试验装置(图 3-30)上完成，该装置由透明有机玻璃板构成水容器，底部预留泄水孔并安装排水管。试验前，首先测定岩样的质量，并置于烘箱中 105℃烘干、称重，获得各岩样的天然含水率；同时，采用烘干后的试样开展后续干湿循环试验，即所有试样试验前均为干燥状态。考虑到红层泥岩试样浸水后极易崩解，试验过程中将岩样用同尺寸圆形钢管约束，圆形钢管壁间隔预留直径 10mm 的孔，便于试样与容器中水分充分接触；试样底部和顶部依次垫滤纸和透水石，顶部透水石上再放置厚度 15mm 的钢垫块，并将千分表顶针置于钢垫块中心位置。试验过程中，在容器中注入没过透水石的自来水，模拟岩样吸水过程(浸水时间不小于 24h)，岩样充分吸水膨胀变形稳定后，通过排水管将水排净，并采用缠绕在钢管上的加热带，通过电子温控器控制加热温度为 105℃(加热时长不少于 24h)，加热钢管并实现对试样环向的充分加热烘干，使得试样内水分充分蒸发。这样便完成单次干湿循环试验，试验过程中记录试样竖向变形及端部裂隙发育特征。

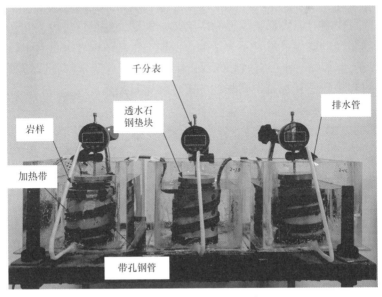

图 3-30　软岩干湿循环试验装置

　　第一组试验试样取自内江北站典型红层泥岩，试样编号及基本参数如表 3-17 所示。其中 1#～4#试样开展 7 级干湿循环试验，作为对比，另外设置无侧向约束以及有侧向约束下不进行干湿循环的膨胀变形对比试验。

　　(1) 5#试样为无侧向约束对比组。将泥岩试样外包裹一层保鲜膜，防止泥岩浸水后发生整体崩解，在试样顶端对称设置两个千分表，测定泥岩的竖向变形，试样布置与干湿循环试验试样相同。

　　(2) 6#试样为有侧向约束对比组。试样安装方法与干湿循环试验试样相同，用相同的带孔钢管对试样进行侧向约束，试样上端对称放置两个千分表记录试样变形。

表 3-17　第一组内江北站红层泥岩干湿循环变形试验分组

试样编号	天然密度 /(g/cm³)	干密度 /(g/cm³)	天然 含水率/%	试验后 含水率/%	试验后密度 /(g/cm³)	备注
1#	2.51	2.40	1.29	6.48	2.49	
2#	2.44	2.27	7.30	8.28	2.41	7 次干湿循环
3#	2.28	2.11	8.22	11.99	2.31	
4#	2.27	2.06	10.10	12.16	2.26	

试样编号	天然密度/(g/cm³)	干密度/(g/cm³)	天然含水率/%	试验后含水率/%	试验后密度/(g/cm³)	备注
5#	2.52	2.44	3.06	4.87	2.56	侧向自由，浸水
6#	2.46	2.33	5.47	6.71	2.49	侧向约束，浸水
均值	2.41	2.27	5.91	8.42	2.42	

第二组试样取自成都平原东部某建筑地基钻孔岩芯，同样为典型红层泥岩，试样编号及基本信息如表 3-18 所示，试样高径比近似为 1.0，初始含水率(天然含水率)为 3.53%～7.38%。总共开展 5 组 15 个试样的不同级数干湿循环试验，每次完成吸水膨胀及干燥收缩后，取下顶部千分表，拍照并观察试样端部裂隙发育特征，完成预定干湿循环次数后，取下试样，观察岩样表面裂隙发育特征，并用保鲜膜包裹，开展单轴压缩试验，测得不同干湿循环后试样的单轴抗压强度。最后，将试验后破裂试样进行筛分试验，获得试验后岩石破碎颗粒的结构特征。每组 3 个试样初始含水率接近，以保证同组试验岩样的一致性，典型红层泥岩试样干湿循环次数分别为 1 次、2 次、3 次、4 次、8 次。

表 3-18　第二组成都平原东部某建筑地基红层泥岩干湿循环试验分组

序号	试样编号	直径/mm	高/mm	初始含水率/%	干湿循环次数
1	2-5A	66.87	63.35	4.88	1
	2-5B	67.16	69.19	4.93	
	2-5C	67.22	66.33	4.29	
2	2-1A	72.12	72.06	6.58	2
	2-1B	71.61	67.49	6.62	
	2-1C	71.75	72.92	7.38	
3	2-4A	72.67	70.52	4.85	3
	2-4B	72.30	68.28	4.82	
	2-4C	72.22	72.34	4.91	
4	2-4D	72.50	67.35	4.35	4
	2-4E	72.25	68.26	5.07	
	2-4F	72.30	69.17	4.42	
5	3-1A	72.83	69.66	3.77	8
	3-1B	72.83	69.34	3.53	
	3-1C	68.84	68.85	3.85	

3.9.2　干湿循环变形特征

图 3-31 为试验第一组 1#～4#试样在 7 次干湿循环过程中轴向应变-时间关系曲线。可以看到，该红层泥岩具有吸水膨胀和失水收缩的特性，且每次循环中吸水膨胀变形曲线和失水收缩变形曲线的变化规律类似。

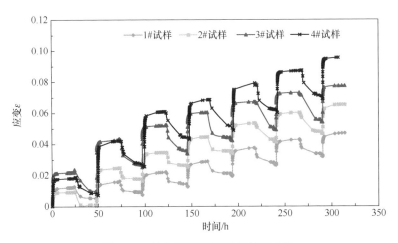

图 3-31　轴向胀缩应变-时间关系曲线

每次干湿循环结束后，试样轴向都有一定的残余膨胀变形，从而整个试验过程岩石的膨胀变形逐渐累积，试样在干湿循环整个过程的应变-时间曲线呈现非常量逐级增加。为了更直观地显示出泥岩在干湿循环下的变形特性，绘制图 3-31 中各试样轴向胀缩应变-时间曲线外包络线，即将每次循环中应变最大值用光滑曲线连接，获得如图 3-32 所示的包络线。从图 3-32 可以看到整个试验过程中试样

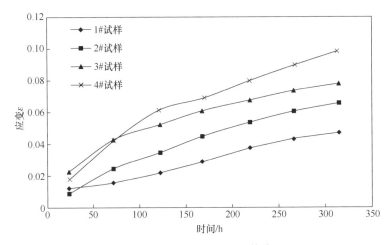

图 3-32　循环胀缩变形包络线

变形曲线的发展趋势，在试验初期，膨胀变形速率较大，随后变形速率逐渐减小，包络线趋于平稳。这是由于初期干燥的岩石试样快速吸水产生膨胀变形，并且在膨胀力作用下试样裂隙不断扩展，裂隙密度增大；而后，随着裂隙发育密度增大，新裂隙扩展减少，试样吸水能力趋于稳定，从而膨胀变形也逐渐趋于稳定。

忽略岩样本身初始发育裂隙等客观不可避免的差异，从图 3-32 可以看到，各个试样的膨胀变形外包络线大小并不相同，而是随着天然含水率的增大而增大。从另一个角度，根据表 3-17，天然含水率高的试样试验后的含水率也更大，由于各试样在试验初始时为干燥状态，试验后的含水率即为试验过程中岩样的吸水率，从而也可以认为岩样的吸水率越大，膨胀变形越大，这与前面对初始含水率和吸水率对红层泥岩时效性膨胀变形影响的研究结论一致。即红层泥岩在经历多次干湿循环后产生的胀缩变形同样与其吸水率相关，吸水率越大，胀缩变形越明显，累积膨胀变形越大，表明吸水率是红层泥岩产生时效性膨胀及环境改变后干湿胀缩变形的主要影响因素。

从图 3-31 可以看到，每一次干湿作用后岩样存在一定的残余变形，即收缩变形总是小于膨胀变形，使得试样总体呈膨胀变形趋势。张善凯等[116]对卢氏膨胀岩的干湿循环试验也发现，在每一次干湿循环中，膨胀量与收缩量是不等的，这是由于每一次干湿循环后试样都会发生不可逆变形。为此，计算单次残余变形量，即

$$h_{ri} = h_{si} - h_{ci} \tag{3-2}$$

式中，h_{ri} 为第 i 次干湿循环后的残余变形量；h_{si} 和 h_{ci} 分别为岩样第 i 次吸水膨胀量和失水收缩量。

根据式(3-2)计算各级干湿循环作用下试样的残余变形量，如图 3-33 所示。可以看到，随着干湿循环次数的增加，岩样残余变形量总体呈减小的趋势，个别试样(1#)先增大后减小，达到 4 次干湿循环后，所有试样的单级残余变形量均开始减小。膨胀岩在首次吸水后容易产生横向裂隙，该裂隙相比之后出现的裂隙要宽大且呈贯通状，在这以后出现的裂隙基本以浅裂隙为主，很少再出现贯通性裂隙，因此首次膨胀量最大，之后逐渐减小。与之相比，红层泥岩试样在首次吸水后产生的变形量并不大，只是残余变形量是最大的。这是由于红层泥岩的黏土矿物含量比典型膨胀岩少得多，首次吸水大多为原生裂隙内黏土矿物吸水膨胀变形，而随着干湿循环次数的增加，裂隙不断扩展甚至贯通，岩石比表面积增大、膨胀变形也逐步增大，即膨胀变形的发展是与岩石内裂隙的时效性扩展相关的。这也是红层泥岩表现出与典型膨胀岩更加显著的时效性变形特征的原因。

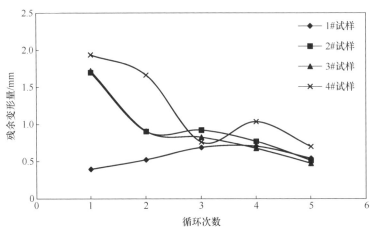

图 3-33　干湿循环作用下试样的残余变形量

3.9.3　多级干湿循环变形特征

采用钻孔岩芯试样开展 1~8 次不等的干湿循环试验,同样获得岩样胀缩变形随时间变化特征曲线及裂隙发育特征。

1. 变形特征

图 3-34 为 1 次干湿循环过程中试样竖向变形随时间的变化曲线。可以看出,试样吸水后迅速产生膨胀变形,而后变形速率显著减小,并趋于稳定;待吸水膨胀变形稳定后,排水并采用加热带加热钢管,热量均匀传递到试样,使得试样水

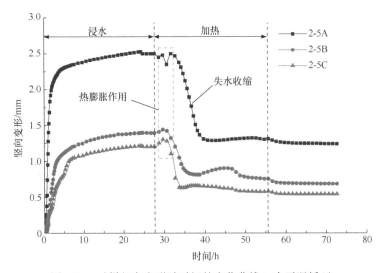

图 3-34　试样竖向变形随时间的变化曲线(1 次干湿循环)

分蒸发,开始加热的短时间内(约 2h),由于温度迅速上升,试样产生热膨胀作用,试样出现微小的膨胀变形,而后温度稳定后,随着试样水分的蒸发,出现快速的收缩变形,直至水分完全蒸发后变形趋于稳定。

图 3-35～图 3-38 分别为 2 次、3 次、4 次和 8 次干湿循环过程中试样竖向变形随时间的变化曲线。总体上看,①泥岩试样均表现出吸水后快速膨胀变形、缓慢变形到稳定变形阶段;水分蒸发过程中,开始阶段收缩变形速率同样较快,而后缓慢收缩并趋于稳定。②随着干湿循环次数的增加,试样反复出现吸水膨胀、

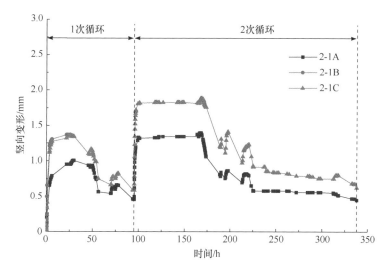

图 3-35　试样竖向变形随时间的变化曲线(2 次干湿循环)

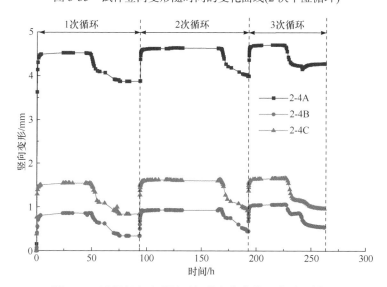

图 3-36　试样竖向变形随时间的变化曲线(3 次干湿循环)

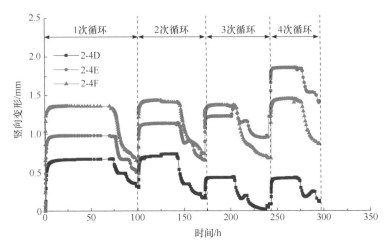

图 3-37　试样竖向变形随时间的变化曲线(4 次干湿循环)

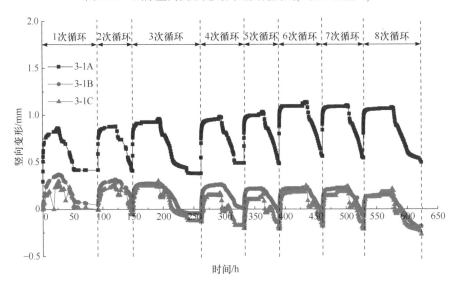

图 3-38　试样竖向变形随时间的变化曲线(8 次干湿循环)

失水收缩，由于水分蒸发速率小于浸水下吸水饱和速率，收缩变形速率较小，但达到变形稳定的时间更长。③反复干湿循环后，试样损伤累积，吸水膨胀达到稳定的时间更短，表现为变形更快趋于稳定。

　　另外，虽然试验前通过试样表面观察，尽量选择结构特征相似的试样作为同组开展试验，但是吸水变形过程依然存在较大的差异。图 3-34 中 2-5A 和图 3-36中 2-4A 试样初始吸水膨胀变形及收缩变形都比同组其他试样大；图 3-35 中 2-1B试样首次吸水后即崩解。

　　提取不同干湿循环过程中每次吸水膨胀变形和水分蒸发后收缩变形值，如

图 3-39 所示。可以看出，总体上，随着干湿循环次数的增加，膨胀变形和收缩变形均先迅速减小，而后缓慢减小并趋于稳定。也就是说，红层泥岩开挖揭露后，开始阶段试样吸水膨胀和失水收缩变形显著，随着干湿循环次数的增加，岩石微细观结构充分破坏，累积损伤达到阈值后变形反而减小，并且趋于稳定。这与采用内江北站采集红层泥岩开展的多级干湿循环试验表现出的胀缩规律有所不同，此岩样的胀缩变形规律更加接近常规膨胀岩的变形特征。

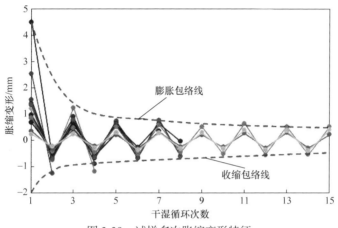

图 3-39　试样多次胀缩变形特征

以将各次膨胀变形量和收缩变形量与相应试样高度的比值作为试样单次吸水膨胀率 s 和收缩率 δ，分析膨胀率和收缩率与干湿循环次数之间的关系。图 3-40 为膨胀率与干湿循环次数的关系。可以看到，试样膨胀率与干湿循环次数总体上呈负指数函数关系，即试样首次吸水膨胀率最大，后随着干湿循环次数的增加，膨胀率减小，在第 3 次干湿循环以后，膨胀率基本已趋于稳定。图 3-41 为试样

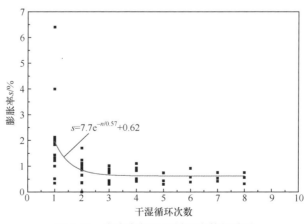

图 3-40　膨胀率与干湿循环次数的关系

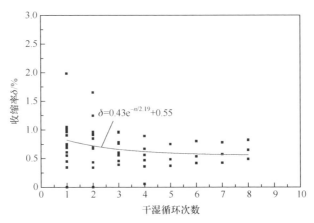

$$\delta=0.43e^{-n/2.19}+0.55$$

图 3-41　收缩率与干湿循环次数的关系

收缩率与干湿循环次数的关系。可以看出,试样收缩率总体上与膨胀率变化特征相似,表现为负指数函数关系,在约第 4 次干湿循环以后,试样由于水分蒸发产生的收缩变形趋于稳定。

通过红层泥岩在不同次数干湿循环下膨胀和收缩变形与时间和干湿循环次数的关系分析,可以得到:

(1) 干燥试样吸水后产生快速的膨胀变形,而后变形很快趋于稳定;相比而言,试样水分蒸发过程持续较长,试样失水收缩变形速率较小。

(2) 首次吸水膨胀率和首次失水收缩率都是最大的,而后随着吸水和失水次数的增加,膨胀率和收缩率缓慢减小,基本在经过 3～4 次的吸水和失水后,试样的胀缩变形率趋于稳定。

2. 裂隙发育特征

红层泥岩开挖揭露后,随着环境的改变,其胀缩变形是伴随着结构特征改变的,在反复的吸水与失水过程中,岩样内部裂隙不断扩张,损伤累积,直至结构完全破坏而崩解。因此,本小节将对试样在各次吸水与失水后的裂隙发育特征进行分析。

表 3-19 给出了 1 次干湿循环过程中试样端部裂隙演化特征。可以看出:①2-5A 试样裂隙发育密度最大,第一次吸水膨胀后,试样端部就已经发育多条宏观裂隙,并显著张开,水分蒸发后扩展成裂隙网络,试样完整性最差,对比图 3-34 可以看出,2-5A 试样胀缩变形明显大于另外两个试样,这与其裂隙发育密度表现一致;②2-5B 和 2-5C 试样裂隙发育密度相对较小,尤其是 2-5C 试样仅出现一条宏观裂隙,试样完整性较好,对比图 3-34 也可以看到,这两个试样的胀缩变形均较小,且 2-5C 试样的胀缩变形小于 2-5B 试样。

表 3-19　1 次干湿循环试样裂隙演化特征

阶段	2-5A	2-5B	2-5C
初始状态	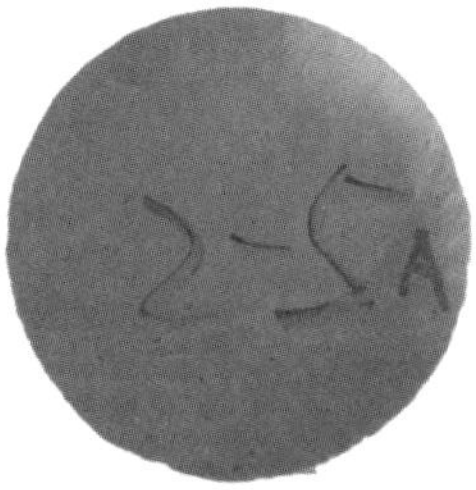	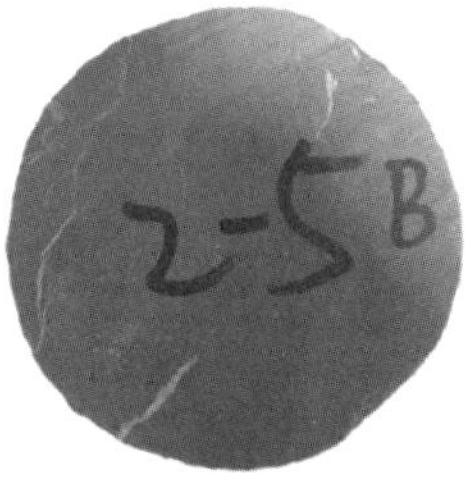	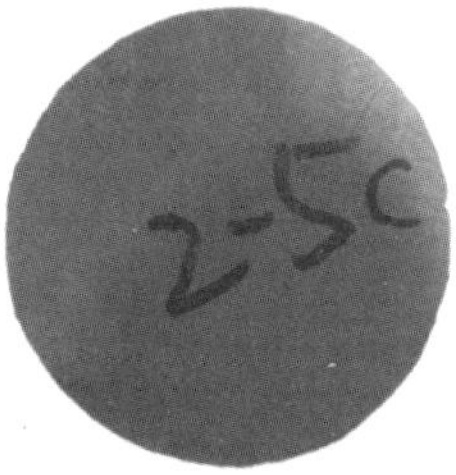
第1次吸水			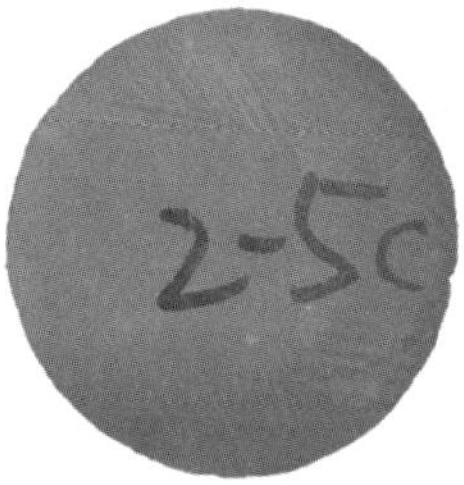
第1次失水	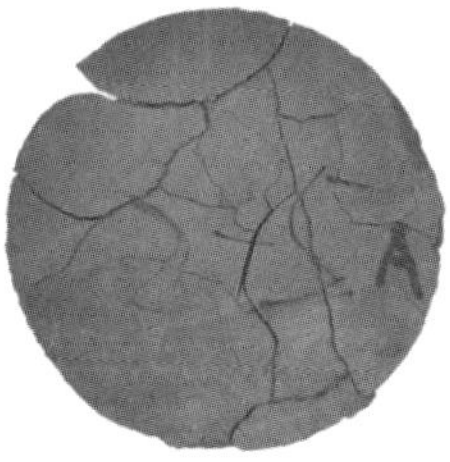		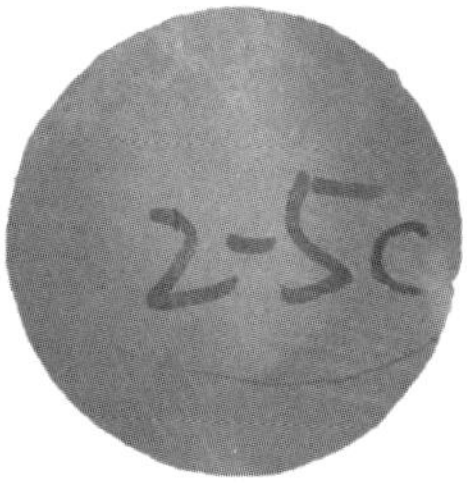

　　表 3-20 给出了 3 次干湿循环过程中试样端部裂隙演化特征。可以看到，2-4A 试样裂隙在第一次吸水后即明显扩展，第一次失水后，端部裂隙已扩展成网状，造成岩石完整性比另外两个试样差得多。对比图 3-36 可以发现，2-4A 试样在首次吸水后即表现出更大的膨胀变形，与端面裂隙演化特征相一致。

表 3-20　3 次干湿循环试样裂隙演化特征

阶段	2-4A	2-4B	2-4C
初始状态		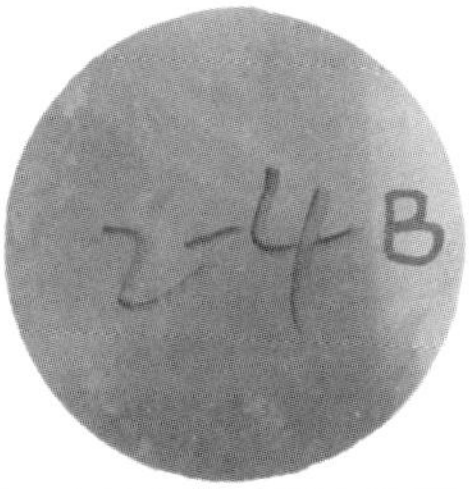	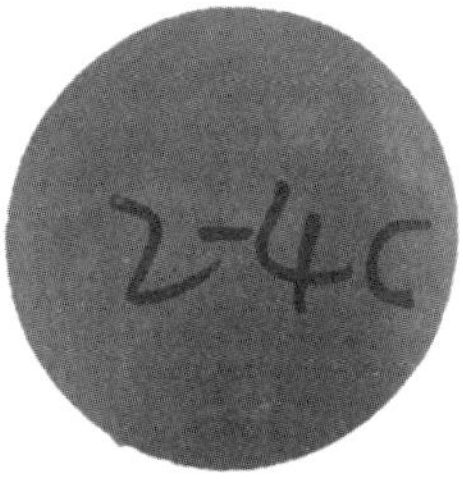

续表

阶段	2-4A	2-4B	2-4C
第1次吸水			
第1次失水			
第2次吸水			
第2次失水			
第3次失水			

表 3-21 给出了 4 次干湿循环过程中试样端部裂隙演化特征。可以看出，第 2 次失水后试样表面裂隙密度显著增大并扩展成网络，尤其是 2-4D 试样，随着继续干湿循环作用，其裂隙密度并没有明显增加；2-4E 和 2-4F 试样则在第 3 次失水后表面裂隙显著增加。结合图 3-37 可以看出，2-4D 试样在第 2 次干湿循环后，胀缩变形都有所减小，2-4E 和 2-4F 试样则继续增大。

表 3-21　4 次干湿循环试样裂隙演化特征

阶段	2-4D	2-4E	2-4F
初始状态			
第1次吸水			
第1次失水			
第2次吸水			

阶段	2-4D	2-4E	2-4F
第2次失水			
第3次吸水			
第3次失水			
第4次吸水			
第4次失水			

　　表 3-22 给出了 8 次干湿循环过程中试样的裂隙演化特征。与其余几组试样相比，本组试样干湿循环过程中裂隙并不发育，只在第 6 次烘干后三个试样端面观察到明显的宏观裂隙，尤其是 3-1C 试样右下方裂隙贯通，而后随着继续干湿循环作用，试样逐渐崩解。试验结束后取下约束钢管，试样总体裂隙并不发育，完整性较好，仅 3-1C 试样局部崩解。

表 3-22　8 次干湿循环试样裂隙演化特征

阶段	3-1A	3-1B	3-1C
初始状态			
第 1 次吸水			
第 1 次失水			
第 2 次吸水			

续表

阶段	3-1A	3-1B	3-1C
第2次失水			
第6次失水			
第7次吸水			
第7次失水			
第8次吸水			

续表

阶段	3-1A	3-1B	3-1C
第 8 次 失 水			
侧面裂隙			

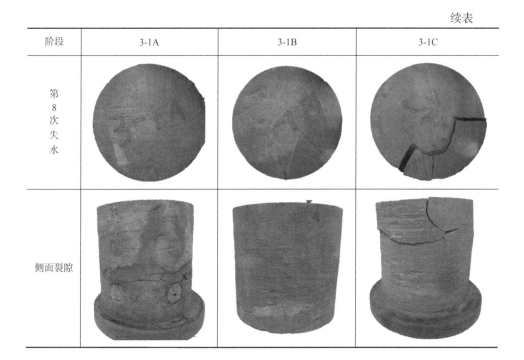

从不同干湿循环下泥岩试样端部裂隙演化特征可以发现:

(1) 红层泥岩在吸水和失水过程中伴随着裂隙发育密度的剧烈变化,尤其是在初始的两次干湿循环下,裂隙发育密度已经达到较大水平。

(2) 与试样轴向膨胀和收缩变形曲线对比发现,裂隙的发育与时效性胀缩变形特征相一致,初始裂隙密度急剧增大,试样的轴向胀缩变形及变形速率也相对更大,而后胀缩变形显著减小,伴随的裂隙密度增长也更小。

(3) 由于试样取自不同深度,黏土矿物含量存在差异,干湿循环过程中试样裂隙发育特征也存在显著差异,如 3-1A/B/C 试样,虽经过多达 8 次干湿循环作用,但是试样最终整体完整,裂隙并不发育;而 2-4D/E/F 试样经过 2 次干湿循环后裂隙即扩展成网络,试样破碎。

3. 岩样劣化特征分析

为了进一步探讨红层泥岩试样吸水和失水过程中物理力学性能的劣化特征,将经过不同次数干湿循环作用的试样进行单轴压缩试验,获得不同试样的残余单轴抗压强度;并且,将最后破碎的岩屑进行筛分,通过不同试样的筛分曲线获得不同干湿循环作用后试样的结构特征。需要说明的是,由于试样经过干湿循环作用后大多呈碎裂状,不易开展单轴压缩试验,实际试验中首先采用保鲜膜包裹破碎的试样侧面，然后置于压力机上测试其单轴抗压强度，不同试样破碎程度不同，无法采用相同的加载速率进行试验，实际试验中采用手动控制加载，直至试样失去承载力，记录峰值荷载。因此，获得的单轴抗压强度通常偏大，本节仅对比强度的相对值，而不对强度的绝对值进行讨论。岩样劣化参数特征如表 3-23 所示，干湿循环后各试样表面裂隙发育特征如图 3-42～图 3-46 所示。

表 3-23　岩样劣化参数特征

组别	试样编号	干湿循环次数	残余单轴抗压强度 σ_r/MPa	岩屑有效粒径 d_{10}/mm	首次吸水膨胀率/%
1	2-5A	1	6.77	3.0	3.99
	2-5B		11.14	5.0	2.01
	2-5C		20.6	8.5	1.83
2	2-1A	2	14.14	6.5	1.32
	2-1B		13.36	6.5	2.03
	2-1C		5.26	5.5	1.85
3	2-4A	3	已崩解	11.0	6.40
	2-4B		22.2	8.0	1.25
	2-4C		已崩解	11.0	2.12
4	2-4D	4	15.38	6.0	1.00
	2-4E		12.57	3.5	1.43
	2-4F		已崩解	7.0	1.96
5	3-1A	8	19.11	5.0	1.21
	3-1B		27.53	14.0	0.51
	3-1C		28.95	12.5	0.34

　　　(a) 2-5A　　　　　　　　　(b) 2-5B　　　　　　　　　(c) 2-5C

图 3-42　第 1 组 1 次干湿循环后试样表面裂隙发育特征

(a) 2-1A　　　　　　　　　　　(b) 2-1C

图 3-43　第 2 组 2 次干湿循环后试样表面裂隙发育特征

(a) 2-4A(已崩解)　　　　　(b) 2-4B　　　　　(c) 2-4C(已崩解)

图 3-44　第 3 组 3 次干湿循环后试样表面裂隙发育特征

(a) 2-4D　　　　　　　　　　　(b) 2-4E

图 3-45　第 4 组 4 次干湿循环后试样表面裂隙发育特征

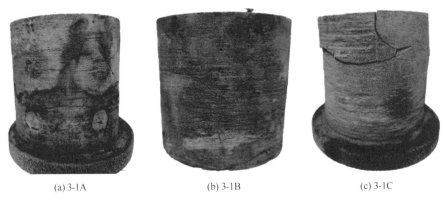

(a) 3-1A　　　　　　　(b) 3-1B　　　　　　　(c) 3-1C

图 3-46　第 5 组 8 次干湿循环后试样表面裂隙发育特征

经过不同级次干湿循环作用后，部分试样崩解，无法开展单轴压缩试验，如 2-4A/C/F，尤其是 2-4F 试样试验后已完全崩解为碎裂岩屑，而 2-5A 试样仅 1 次干湿循环表面裂隙密度就极其发育，虽然未崩解，但是已经呈破碎状态，其残余单轴抗压强度也明显更小；同样地，2-1C 试样经过 2 次干湿循环后，其破碎程度也比同组另外两个试样更强，残余单轴抗压强度也小得多。第 5 组 3-1A/B/C 试样由于取样位置的差异，其黏土矿物含量存在一定的差异，经过 8 次干湿循环后依然保持较完整状态，残余单轴抗压强度也相对大得多。如表 3-14 所示，2-5A 试样中伊利石含量为 39.1%，其次为石英，占 23.5%，而 3-1A 试样中伊利石仅占 13.7%，石英含量更高，为 35.5%。伊利石为红层软岩中典型的黏土矿物，在吸水后将产生膨胀变形，这也是 3-1 组试样历经 8 次干湿循环依然保持较好的完整性，残余单轴抗压强度也更大的主要原因。从而可以判断，对于红层软岩开挖揭露后受大气降雨等环境作用产生变形及力学性能劣化过程，受其组成的矿物成分中伊利石等黏土矿物含量控制，黏土矿物含量高，则膨胀变形显著，物理力学性能劣化速度更快，残余单轴抗压强度更小。

3.10　红层软岩时效膨胀变形特性的讨论

红层泥岩的原状岩样浸水膨胀率较小，根据现行膨胀土(岩)判定标准并不足以影响工程结构的稳定性。然而，红层泥岩在浸水条件下的物化膨胀变形具有显著的时效性，其吸水及膨胀过程是与时间相关的，长期浸水条件下原状岩样内裂隙处于吸水→膨胀→裂隙扩展→进一步吸水→进一步膨胀的动态平衡过程，最终使得岩体膨胀变形随时间稳定发展。这种时效膨胀变形是否会引起高速铁路路基的持续上拱变形，除与泥岩本身的矿物成分及其含量直接相关外，还应考虑泥岩的结构特征(节理、裂隙发育程度)、吸水过程的时效性、应力状态及改变过程等因素，通过膨胀蠕变模型对其时效膨胀变形特性进行评价是一个有效的途径。

原状泥岩试样物化膨胀具有显著的尺寸效应，这与不同尺寸岩样在浸水过程中吸水率、水分渗透难易程度、隐微裂隙发育程度等众多因素有关。室内常规方法采用重塑样开展自由膨胀率试验，重塑过程破坏了岩石的内部结构及固化凝聚力，并使亲水性黏土矿物处于自由状态[114, 117]，试验获得的是岩石的极限膨胀变形状态，其膨胀变形量仅与岩石所含膨胀性黏土矿物含量相关，而完全忽略了岩石本身的结构特征。但是，实际工程岩体是以致密岩石块体及不同尺度结构面构成的复合地质体出现的，即使在长期饱水状态下，后期吸水过程也很缓慢，膨胀变形也很难达到岩粉自由膨胀率的程度；同时，反复的干湿循环作用下泥岩裂隙处于不断累积扩展过程，裂隙的发育进一步加剧了水分渗透，从而引起岩石产生渐进性的膨胀变形，这也是泥岩出现时效膨胀变形的主要原因，国际岩石力学学会建议采用原状岩样开展膨胀岩的膨胀性室内试验就是提示需要关注膨胀性岩石结构特征对其膨胀量及膨胀过程的影响。本章试验通过原状岩样开展无荷膨胀变形试验，测得的膨胀应变及规律更接近实际工程岩体的膨胀变形状态，但依然属于一种半理想状态下的岩石材料物理力学性能试验，旨在研究原状岩样吸水膨胀变形的时效性、可能的影响因素及影响规律，并为进一步建立常规弱膨胀性泥岩在不同应力路径下的水-力耦合蠕变理论模型奠定基础。

3.11　本 章 小 结

(1) 内江北站红层泥岩在单轴压缩下峰前应变较小，峰后应变显著增大，具有峰后软化性质，特别是径向应变，峰后出现显著的径向扩容现象。常规三轴压缩下砂岩的抗压强度和弹性模量均大得多，峰值应变小，岩石试样更完整，力学性能比泥岩好。泥岩初始裂隙发育，显著降低了其力学性能，同时也有利于吸水膨胀作用。另外，水对红层泥岩力学性能的劣化作用显著，单轴抗压强度和弹性模量随岩石含水率的增大而线性减小。

(2) 根据内江北站 2009 年、2015 年和 2017 年三次钻孔岩芯常规膨胀性试验结果，内江北站两个上拱区段基底泥岩含水率变化不明显，从自由膨胀率指标来看也不具备膨胀岩特性，而 2015 年测试饱和吸水率、蒙脱石含量和阳离子交换量均显示具备膨胀岩特性。但是，从饱和吸水率与天然含水率之间的差异也可以看出，内江北站泥岩后期吸水能力较强，这为泥岩吸水膨胀提供了较大的空间。三次试验数据中，仅饱和吸水率产生较大变化，且随时间推移而指向膨胀性岩石特征。表明内江北站红层泥岩本身具备膨胀岩的物质基础(蒙脱石含量和阳离子交换量)，在外部环境(水环境、应力环境)改变作用下，受泥岩裂隙发育特征改变、矿物溶蚀迁移等影响，泥岩膨胀性特征逐渐显著，尤其是饱和吸水率显著改变，容易出现膨胀变形现象。

(3) 根据 XRD 矿物成分分析结果，内江北站红层泥岩和砂岩均未检测出膨胀性最强的蒙脱石成分，泥岩中伊利石含量较高，砂岩黏土矿物成分含量极低。内江北站红层泥岩中黏土矿物以伊利石为主，但是采用 0.1 比例折算后的等效蒙脱石含量依然远低于 7%。对比成都平原东部两处红层泥岩矿物成分，同样检测出蒙脱石成分，且伊利石含量也达到膨胀岩标准。因此，可以认为以现行膨胀岩判定标准，内江北站红层泥岩未达到典型膨胀岩标准。然而，现行规范给出的膨胀土(岩)判定标准是基于地基分级变形量 15mm 的阈值确定的，采用该方法对红层泥岩的膨胀性进行判定，势必默认为允许地基分级变形达到 15mm，这对普速铁路有砟轨道是适用的，但显然不适用于高速铁路无砟轨道工程。但是，由于伊利石的存在，川东、川中红层泥岩依然存在膨胀的物质基础，在岩体结构特征和地下水环境改变的情况下，存在缓慢、微弱膨胀变形的风险。

(4) 以内江北站红层泥岩原岩试样开展的浸水膨胀性试验结果显示，川中红层泥岩膨胀变形过程具有典型的三阶段特征：初始短时间内急剧膨胀；减速膨胀阶段膨胀速率迅速减小，持续膨胀变形；稳定膨胀阶段基本不再发生膨胀变形。岩样吸水膨胀变形具有显著的时间效应，采用类 Kelvin 体模型可以较好地模拟其膨胀蠕变规律，模型参数 K 和 η 可以有效度量泥岩总膨胀变形量及黏滞特性。膨胀变形量与浸水过程中试样吸水率呈对数相关，吸水率越大，膨胀变形量越大，采用吸水率更适合评价其膨胀特性。

(5) 原状岩石结构性是影响泥岩吸水膨胀的重要因素，隐微裂隙越发育的试样，吸水率就越大，膨胀速率越快，膨胀变形量也越大。通过试验后岩屑的筛分试验获得岩屑最大含量粒组颗粒粒径 d_{max}、细粒和微粒质量占比 $\omega_{1.0}$ 和有效粒径 d_{10} 三个岩屑筛分数据，可以定量判断泥岩的吸水特性和膨胀特性，d_{max} 和 d_{10} 越小、$\omega_{1.0}$ 越大，则泥岩的吸水率越大，膨胀性越强，反之亦然。

(6) 在干湿循环作用下，红层泥岩表现出显著的胀缩特征，且随着干湿循环作用次数的增加，胀缩变形逐渐累积后趋于稳定。同时，胀缩变形、裂隙扩展及力学性能劣化特征与岩样本身矿物含量密切相关，较高的伊利石等黏土矿物成分、较大的吸水能力，使得岩样产生急剧的胀缩变形及结构损伤。

由于岩石结构及膨胀岩变形特征的复杂性，目前对于膨胀岩判别在国际和国内尚无统一标准。现行规范一般参考膨胀土判定指标及标准，而《膨胀土地区建筑技术规范》给出的膨胀土判定标准本质上是基于地基分级变形量 15mm 的阈值确定的，采用该方法对红层泥岩的膨胀性进行判定即允许地基分级变形达到 15mm，这对普速铁路有砟轨道是适用的，但显然不适用于高速铁路无砟轨道工程。因此，根据现行标准界定的非膨胀岩并不能认为就不具有膨胀性，而仅能说明其膨胀变形在特定条件下尚不足以对常规建筑、普速铁路等工程构成显著的影响。但是，对于变形要求更加苛刻的高速铁路工程或者在岩体赋存环境、本身结构发生改变后，就可能成为时效性膨胀岩，引起路基上拱病害。因此，对于高速铁路工程建设，除考虑红层泥岩中黏土矿物成分的物质基础外，还要考虑岩体结构特征及时间因素，以适应高速铁路无砟轨道路基对于上拱变形的严苛要求。本章对内江北站及四川盆地多处典型红层泥岩原岩试验开展的时效膨胀变形试验结果显示，红层泥岩吸水膨胀变形具有显著的时效性，且与吸水率、岩体结构特征、约束情况密切相关。对于在该地区修筑的高速铁路工程，应该在对基底泥岩层水力环境改变、岩体结构特征调查的基础上，结合原状泥岩试样膨胀蠕变试验，判定泥岩吸水时效膨胀变形规律及变形量值，从而指导相关工程设计。

第4章 复杂水-力环境下红层砂泥岩
蠕变特性研究

4.1 概 述

岩石流变是指岩石矿物组构(骨架)随时间增长不断调整重组，导致其应力、应变状态亦随时间持续增长变化。流变研究对评价岩石工程长期稳定性必不可少。国外对岩石的蠕变特性认识较早，Griggs[118]于20世纪30年代开展了岩石流变力学特性的试验研究，对灰岩、粉砂岩、页岩的试验表明，加载应力水平在达到破坏应力水平的12.5%~80%时，岩石会产生明显的蠕变变形。我国从20世纪50年代开始重视岩石流变特性研究，尤其是以三峡工程为代表的重大水利水电工程建设以来，大量科研人员和工程师对不同岩性、不同应力环境、不同含水率等条件下岩石的流变特性开展了大量的试验、理论和数值模拟研究，推动了我国岩石流变学的研究。

Zhang等[119]对某高坝基软弱砂岩开展了三轴压缩蠕变试验，结果显示，该软弱砂岩具有显著的时效性变形和延性破坏特征，并且蠕变应变随着应力水平的增大而增大，特别是高应力下侧向应变起到主导作用；李良权等[38]、马冲等[39]通过粉砂质泥岩的三轴压缩蠕变试验分析，一方面，长期荷载作用下粉砂质泥岩强度、变形模量、黏聚力和内摩擦角等力学性能指标都有不同程度的降低；另一方面，渗透压力的存在有利于岩石裂隙的扩展和贯通，从而降低了岩石蠕变的长期强度，并且孔隙水压力在蠕变后期由于有利于裂纹扩展而增大轴向应变；胡波等[120]通过自制三轴蠕变仪对泥质粉砂岩进行了恒围压分级增轴压的三轴压缩蠕变试验，结果表明，随着应力水平的提高，初始蠕变速率增大，进入稳态蠕变阶段用时延长。软岩流变变形同样也是内部裂隙从萌生到扩展的过程，黄兴等[40]认为砂质泥岩随围压逐级卸载，岩石内部产生竖向张性微裂纹，微裂纹的萌生和扩展使得卸围压瞬时产生较明显的侧向变形，且蠕变过程中微裂纹将发生与应力水平相应的失效扩展，产生黏塑性变形。

流变本构模型是研究软岩长期强度和变形规律的重要基础。目前建立岩石流变本构模型的主要方法最常用的是元件组合模型，这类模型参数也可以通过室内流变试验直接获取，在工程中被广泛应用。进一步与细观力学、损伤力学等理论及特定岩石的物理力学特性相结合，由此引申建立了大量的线性与非线性流变模型，同时也证明了元件模型在岩石流变理论研究中的优越性。

从以上研究成果可以发现，软岩，特别是砂岩、砂质泥岩、泥岩的流变特性都与其含水率、风化程度、节理裂隙发育特征、所处水力环境和应力状态等因素相关，外部因素的改变使得其表现出不同的蠕变特征，众多学者也针对性地建立了丰富的蠕变模型，用于描述软岩特殊的蠕变特性，Burgers 模型被认为是最适用于描述红层砂泥岩蠕变特性的经典模型。

本章从可能引起内江北站路基上拱的红层软岩蠕变特性方面开展试验研究，通过红层泥岩和砂岩的室内蠕变试验，获得红层软岩的蠕变特性，据此分析内江北站深挖路堑持续变形机理，为进一步开展数值分析提供基础资料。

4.2　岩石流变模型

4.2.1　经验模型

经验模型即基于唯象学的统计本构模型，一般通过开展岩石的流变试验，基于试验数据的拟合得到岩石应变与时间的关系函数，也称为岩石流变统计本构模型。岩石蠕变经验方程的一般形式如下：

$$\varepsilon(t) = \varepsilon_0 + \varepsilon_1(t) + \varepsilon_2(t) + \varepsilon_3(t) \tag{4-1}$$

式中，$\varepsilon(t)$ 为时间 t 时的应变；ε_0 为瞬时应变；$\varepsilon_1(t)$ 为衰减阶段应变；$\varepsilon_2(t)$ 为稳定阶段应变；$\varepsilon_3(t)$ 为加速阶段应变。

常见的蠕变经验方程包括幂函数、对数函数、指数函数和多项式函数等。经验公式大多描述蠕变的衰减阶段和稳定阶段，很少反映加速蠕变阶段。鉴于统计分析本构模型是基于不同试验条件与不同类型岩石得到的数学表达式，因此缺少理论依据与通用性，且不能够描述岩石的弹性后效与应力松弛等特性。

4.2.2　元件组合模型

元件组合模型是由理想化的弹性、黏性及塑性元件以不同的形式串、并联得到的流变模型，据此推导出其微分方程，进而建立模型的本构方程及相关特征曲线的微分模型。在一定的应力条件下，可以得到蠕变方程与松弛方程等。鉴于元件组合模型定义简单直观、物理意义明确，可综合反映蠕变、松弛及弹性后效等各种流变特性，目前已广泛应用于各种岩石流变模型研究中。

绝大部分流变模型都可以由弹性元件、黏性单元和塑性元件三种基本元件组合而成。

1) 弹性元件(胡克体)

弹性元件由一个弹簧构成(图 4-1)，用于模拟理想弹性体，其应力-应变关系为线弹性，满足胡克定律。一维状态下的本构方程为

$$\sigma = E\varepsilon \tag{4-2}$$

式中，E 为弹性系数。

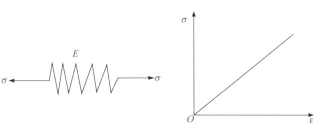

图 4-1 弹性元件示意图

弹性元件具有瞬时弹性变形的性质，变形与时间无关，应变是瞬时完成的，因此没有蠕变、弹性后效及应力松弛等流变特性，可以用来模拟蠕变试验的瞬时加载过程。

2) 黏性元件(牛顿体)

黏性元件由一个带孔活塞组成的阻尼器表示(图 4-2)，用来模拟理想黏性体，其应变与时间成正比，本构关系符合牛顿定律，本构方程为

$$\varepsilon = \frac{\sigma}{\eta} t \tag{4-3}$$

式中，η 为牛顿黏滞系数。

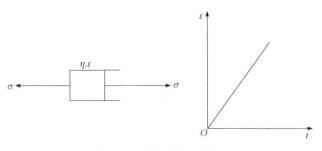

图 4-2 黏性元件示意图

黏性体受力作用没有瞬时变形，位移随时间逐渐增长，具有蠕变性质，卸载后无弹性后效，有永久变形，且无应力松弛性质。

3) 塑性元件(圣维南体)

塑性元件由一个摩擦片构成(图 4-3)，用于模拟理想塑性体，本构关系遵循库

仑摩擦定律，本构方程为

$$\begin{cases} \varepsilon = 0, & \sigma < \sigma_s \\ \varepsilon \to \infty, & \sigma \geqslant \sigma_s \end{cases} \tag{4-4}$$

式中，σ_s 为材料的屈服极限。

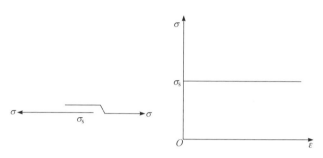

图 4-3　塑性元件示意图

当塑性体所受应力小于材料的屈服极限时，完全塑性体表现出刚体的特点，不产生任何变形，当应力达到或超过屈服极限 σ_s 时，才会出现持续不断的塑性流动。

综上来看，胡克体具有弹性变形的特点，牛顿体具有黏性流动的特点，圣维南体在应力达到或超过屈服极限时具有塑性流动的特点。在材料实际变形过程中，经常将三者通过并联或者串联方式组合，由此产生了黏弹性体与黏弹塑性体。前者研究应力小于屈服极限时材料的变形，后者研究应力达到或超过屈服极限时材料的变形。

4) 组合模型

上述三种基本元件模型只能用来模拟理想材料的变形，但自然界客观存在的岩石一般都具较复杂的性质，为了准确描述岩石的变形特性，将这些基本元件按照一定的方法进行串联或者并联组合，就形成了诸如 Maxwell 模型、Kelvin 模型、黏塑性模型等组合模型，以下简要介绍几种基本的元件组合模型。

(1) Maxwell 模型。

Maxwell 模型由一个弹性元件与一个黏性元件串联组成，如图 4-4(a)所示，用符号表示为：M=H—N。其本构方程为

$$\dot{\varepsilon} = \frac{\dot{\sigma}}{E} + \frac{\sigma}{\eta} \tag{4-5}$$

在瞬时恒定应力 σ_0 作用下，Maxwell 模型蠕变方程为

$$\varepsilon = \frac{\sigma_0}{\eta} t + \frac{\sigma_0}{E} \tag{4-6}$$

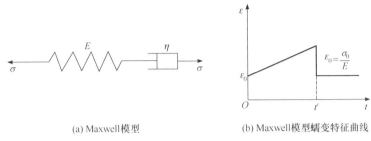

(a) Maxwell 模型　　　　　　　(b) Maxwell 模型蠕变特征曲线

图 4-4　Maxwell 模型及其蠕变特征曲线

由式(4-6)及图 4-4(b)可知，在施加恒定荷载后，Maxwell 模型有瞬时变形，应变随时间延续也逐渐变大，该模型可反映等速蠕变，变形由瞬时变形和蠕变变形构成。在某一时刻 t' 卸载后，变形将会立刻恢复，但是会残留部分蠕变变形，无弹性后效。

(2) Kelvin 模型。

Kelvin 模型由一个弹性元件与一个黏性元件并联组成，如图 4-5(a)所示，用符号表示为：K=H | N。其本构方程为

$$\sigma = E\varepsilon + \eta\dot{\varepsilon} \tag{4-7}$$

施加瞬时恒定应力 σ_0 后，Kelvin 模型的蠕变方程为

$$\varepsilon = \frac{\sigma_0}{E}\left(1 - e^{-\frac{E}{\eta}t}\right) \tag{4-8}$$

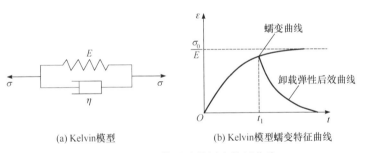

(a) Kelvin 模型　　　　　　(b) Kelvin 模型蠕变特征曲线

图 4-5　Kelvin 模型及其蠕变特征曲线

由式(4-8)及图 4-5(b)可以看出，当施加瞬时应力 σ_0 后，Kelvin 模型不产生瞬时变形，应变随时间增长逐渐增加至一稳定值，应变增加速率也不断减小直至变为零，在某一时刻 t_1 卸载后，变形能够逐渐恢复直至完全恢复，具有明显的弹性后效。Kelvin 模型能够用来模拟岩石的衰减蠕变阶段，但并不具备岩石加载时的瞬时变形特性。

(3) 黏塑性模型。

黏塑性模型是由一个塑性元件(摩擦片或滑块)和一个黏性元件(阻尼器)并联组成的,用来模拟材料的黏塑性,如图 4-6 所示,用符号表示为: V | N。其本构方程为

$$\dot{\varepsilon} = \begin{cases} 0, & \sigma < \sigma_s \\ \dfrac{\sigma - \sigma_s}{\eta}, & \sigma \geqslant \sigma_s \end{cases} \tag{4-9}$$

施加瞬时恒定应力 σ_0 后,黏塑性模型的蠕变方程为

$$\varepsilon = \begin{cases} 0, & \sigma_0 < \sigma_s \\ \dfrac{\sigma_0 - \sigma_s}{\eta}t, & \sigma_0 \geqslant \sigma_s \end{cases} \tag{4-10}$$

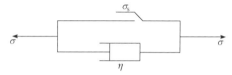

图 4-6 黏塑性模型

由式(4-10)及图 4-6 可知,当加载的恒定应力小于材料屈服极限 σ_s 时,塑性元件开关打开,此时模型不起作用,应变为零;当应力达到或超过材料屈服极限 σ_s 时,塑性元件开关闭合,塑性元件开始工作,模型产生黏塑性变形。黏塑性模型在应力加载瞬间没有弹性变形,因此在应力卸载后,黏塑性模型产生的变形不能够恢复,没有弹性后效。

基本组合模型能够很好地反映岩石特定蠕变阶段的属性,将元件的基本模型相互组合,可以获得具有黏弹、黏塑、黏弹塑特性的蠕变模型。在基本组合模型的基础上通过元件再组合形成的蠕变模型有广义 Kelvin 模型、Bingham 模型、Poynting-Thomson 模型、Burgers 模型和西原模型等,部分元件组合模型具体形式及本构方程详见表 4-1。

表 4-1 常用元件组合模型及其本构方程

模型名称	组合形式	一维本构方程
广义 Kelvin 模型	H—(H | N)	$\sigma + \dfrac{\eta_1}{E_1 + E_2}\dot{\sigma} = \dfrac{E_1 E_2}{E_1 + E_2}\varepsilon + \dfrac{E_1 \eta_1}{E_1 + E_2}\dot{\varepsilon}$
Bingham 模型	H—(V | N)	当 $\sigma < \sigma_s$ 时, $\dot{\varepsilon} = \dfrac{\dot{\sigma}}{E}$ 当 $\sigma \geqslant \sigma_s$ 时, $\dot{\varepsilon} = \dfrac{\dot{\sigma}}{E} + \dfrac{\sigma - \sigma_s}{\eta}$

续表

模型名称	组合形式	一维本构方程
Poynting-Thomson 模型	H | (H—N)	$\sigma + \dfrac{\eta_2}{E_2}\dot{\sigma} = E_1\varepsilon + \left(1+\dfrac{E_1}{E_2}\right)\eta_2\dot{\varepsilon}$
Burgers 模型	H—N—(H | N)	$\sigma + \left(\dfrac{\eta_1}{E_1} + \dfrac{\eta_1+\eta_2}{E_2}\right)\dot{\sigma} + \dfrac{\eta_1\eta_2}{E_1E_2}\ddot{\sigma} = \eta_1\dot{\varepsilon} + \dfrac{\eta_1\eta_2}{E_2}\ddot{\varepsilon}$
西原模型	H—(H | N)—(V | N)	当 $\sigma < \sigma_s$ 时，$\sigma + \dfrac{\eta_1}{E_1+E_2}\dot{\sigma} = \dfrac{E_1E_2}{E_1+E_2}\varepsilon + \dfrac{E_1\eta_1}{E_1+E_2}\dot{\varepsilon}$ 当 $\sigma \geqslant \sigma_s$ 时，$(\sigma-\sigma_s) + \left(\dfrac{\eta_2}{E_1}+\dfrac{\eta_1+\eta_2}{E_2}\right)\dot{\sigma} + \dfrac{\eta_1\eta_2}{E_1E_2}\ddot{\sigma} = \eta_2\dot{\varepsilon} + \dfrac{\eta_1\eta_2}{E_1}\ddot{\varepsilon}$

4.2.3　Burgers 模型

　　红层砂岩和泥岩都是典型的软岩，不仅强度低，而且具有极强的流变性，一些学者对其开展了不同条件下的蠕变试验研究。杨淑碧等[44]、朱定华等[45]、巨能攀等[46]和谌文武等[47]对不同地区的红层泥质岩开展的一系列压缩蠕变试验结果表明，红层泥质岩的流变特性受风化程度、含水率等因素控制，并且均采用 Burgers 模型进行拟合分析。刘小伟等[48]和王志俭等[49]的研究也发现，红层软岩的单轴和三轴蠕变特性均符合 Burgers 模型，采用 Burgers 模型可以准确描述红层软岩变形的时效性；王闫超[121]对巴东组红层泥岩开展了一系列的室内瞬时力学试验和蠕变力学试验，蠕变试验表明，巴东组红层泥岩蠕变应变随着应力水平的增加而增加，体现出明显的蠕变三阶段特征，并据此建立了非线性黏弹塑性蠕变本构模型，对边坡时效变形特征开展数值分析；除此之外，徐慧宁等[122]采集北天山中西部的志留系上统紫红色粉砂质泥岩开展了单轴和不同围压下的三轴压缩蠕变试验，闫云明等[123]对某地下工程采集的紫红色泥岩开展了围压 0.5～5.0MPa 下的三轴压缩蠕变试验，并给出了一种带应变触发的分数阶蠕变本构模型。

　　以上研究表明，Burgers 模型是一种较适合于红层软岩流变特性描述的元件模型[46-48]。Burgers 模型的基本特征是采用黏弹性和弹性性质分别描述材料的偏应力与体应变行为。模型中的黏弹性、黏性和弹性蠕变体以串联的方式发生作用，由 Kelvin 体与 Maxwell 体串联构成 Burgers 黏弹性模型，如图 4-7 所示。

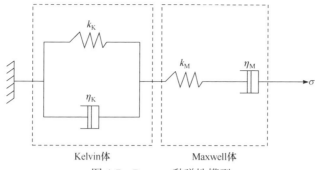

图 4-7　Burgers 黏弹性模型

Burgers 黏弹性模型的本构方程为

$$\ddot{\sigma} + \left(\frac{k_M}{\eta_K} + \frac{k_K}{\eta_M} + \frac{k_K}{\eta_K} \right) \dot{\sigma} + \frac{k_K k_M}{\eta_K \eta_M} \sigma = k_M \ddot{\varepsilon} + \frac{k_K k_M}{\eta_K} \dot{\varepsilon} \qquad (4\text{-}11)$$

在蠕变试验中，荷载 $\sigma = \sigma_0$ 恒定，则 $\dot{\sigma} = 0$，Burgers 体的变形由 Kelvin 体和 Maxwell 体的变形组成，蠕变方程为

$$\varepsilon = \frac{\sigma_0}{k_M} + \frac{\sigma_0}{\eta_M} t + \frac{\sigma_0}{k_K} \left(1 - e^{-\frac{k_K}{\eta_K} t} \right) \qquad (4\text{-}12)$$

k_M 反映岩石在剪应力作用下的瞬时变形特性，k_K 反映岩石在剪应力作用下第一蠕变阶段(衰减蠕变)的最终变形量，η_K 反映岩石在衰减蠕变阶段的衰减速度，η_M 反映岩石在剪应力作用下进入第二蠕变阶段(匀速蠕变)的应变速率。

在 $t = t_1$ 时刻卸载，$\sigma = 0$，Burgers 体出现一个瞬时回弹，之后变形随着时间的增长逐渐恢复，最后存在一定的残余变形。Burgers 模型的加卸载蠕变曲线如图 4-8 所示。

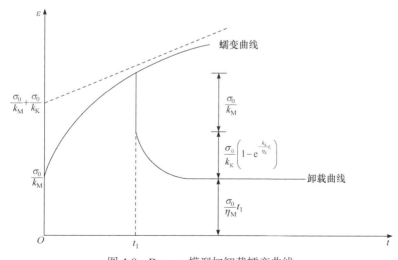

图 4-8　Burgers 模型加卸载蠕变曲线

可以看出，Burgers 模型具有瞬时变形、减速蠕变、等速蠕变、松弛等性质，有弹性后效现象，属于不稳定蠕变，是一种黏性-黏弹性-黏塑性模型。

4.2.4　流变参数识别与算法

实际应用中，通常采用岩石试样的室内蠕变试验数据，采用蠕变模型进行参数识别，获得岩石的流变方程。常见的参数识别优化算法有最小二乘(L-S)法、Quasi-Newton 法及 Levenberg-Marquardt 非线性最小二乘法(L-M)算法等。L-M 算法是介于牛顿法和梯度下降法之间的一种优化算法，兼顾两者的优点，因此本节采用 L-M 算法对泥岩蠕变模型进行参数识别。

L-M 算法对过参数化问题不敏感，可以有效地解决冗余参数问题，极大地降低了代价函数坠入局部极小值的概率，这些性质使得 L-M 算法成为目前在各个领域应用最广泛的非线性优化最小二乘法。L-M 算法实质上是在迭代过程中将问题转化为若干个 L-S 问题进行求解。它的非线性关系的一般形式为

$$y = f(x, d) \tag{4-13}$$

式中，f 为给定的非线性函数；$x = (x_1, x_2, \cdots, x_m)$ 为自变量向量；$d = (d_1, d_2, \cdots, d_n)$ 是未知参数向量。假设对 x 与 y 做了 p 次运算，获得 p 组数据 X 和 Y，那么 p 组数据的残差平方和 e 为

$$e = \sum_{i=1}^{p} \left(Y_i - f(X_i, d)\right)^2 \tag{4-14}$$

L-M 算法旨在求得一组 d，使 e 极小化，如果运算过程中第 k 次迭代的结果是 $d^{(k)}$，则将 $f(x, d)$ 在 $d^{(k)}$ 左右的一阶近似表示为

$$f(d^{(k)} + \delta^{(k)}) \approx f(x, d^{(k)}) + A^{(k)} \delta^{(k)} \tag{4-15}$$

其中，

$$A^{(k)} = \left[\frac{\partial f(x, d)}{\partial d_j}\right]_{d = d^{(k)}}, \quad j = 1, 2, \cdots, n \tag{4-16}$$

再搜寻下一个迭代点：

$$d^{(k+1)} = d^{(k)} + \delta^{(k)} \tag{4-17}$$

使得

$$\left\| y - f(x, b^{(k+1)}) \right\| = \min_{\delta^k} \left\| A^{(k)} \delta^{(k)} - e^{(k)} \right\| \tag{4-18}$$

即在给定的 $A^{(k)}$ 与 $e^{(k)}$ 条件下求解超定线性方程 $A^{(k)} \delta^{(k)} = e^{(k)}$，它的最小二乘解是

$$(\delta^{(k)})_{\text{LS}} = \left((A^{(k)})' A^{(k)} \right)^{-1} (A^{(k)})' e^{(k)} \tag{4-19}$$

对 L-M 算法而言，用 $(A^{(k)})' A^{(k)} + \lambda^{(k)} I$ 替换式(4-19)中的 $(A^{(k)})' A^{(k)}$，则方程可写为

$$(\delta^{(k)})_{\text{LM}} = \left((A^{(k)})' A^{(k)} + \lambda^{(k)} I \right)^{-1} (A^{(k)})' e^{(k)} \tag{4-20}$$

式中，$\lambda^{(k)}$ 称为阻尼因子；$\lambda^{(k)} I$ 称为阻尼项，就是这一步变化使 L-M 算法相较于最小二乘法，避免了系数矩阵奇异或病态引起的异常。L-M 算法的灵活性很高，当 $\lambda^{(k)} = 0$ 时，变为 Quasi-Newton 法的最优步长计算；而当 $\lambda^{(k)}$ 很大时，又变为梯度下降法的最优步长计算。由于 L-M 算法采用了近似二阶导数，其收敛速度比其他算法快得多。

基于上述优点，本章蠕变模型参数的获取均选用 L-M 算法进行拟合。

根据红层泥岩室内单轴压缩蠕变试验结果，基于 Origin 软件自定义拟合函数为 Burgers 蠕变方程后，利用 L-M 算法拟合蠕变试验曲线，在拟合的过程中，为了更好地表明试验数据点与拟合曲线的关系，以免过多的试验数据点影响显示效果，将每 2 个数据点显示为 1 个，但在曲线拟合时，对每个数据点都进行了拟合，并不影响拟合效果。通过蠕变曲线拟合，可得到不同含水状态泥岩试样在各分级应力下 Burgers 模型的相关参数，以及 Burgers 模型对不同含水状态泥岩蠕变特征的适用性。

4.3　试 验 设 计

4.3.1　蠕变试验装置研制

红层泥岩作为一种典型的软岩，其抗压强度低，试验设定的荷载等级较小。现有岩石蠕变试验装置要实现长时间的恒荷载作用，往往通过电液伺服系统来实现，并且对系统控制精度和稳定性要求很高，从而也使试验设备造价昂贵、试验可靠性较低、试验费用高昂，而可实现的试验条件也十分受限，试验结果又很难直接用于高速铁路路堑、隧道、桥梁基础等的开挖引起的结构长期变形评价。因此，传统机械配重加载方式对于低应力条件下岩石的蠕变试验是一种更为实用的方法，并且试验可靠性更大。由于蠕变试验耗时长，针对上覆荷载大小不同，为提高试验效率，研制了两种试验装置开展不同的蠕变试验。

1. 基于杠杆加载的四联恒载蠕变试验装置

图 4-9 为自主开发的机械式四联恒载蠕变试验装置，它主要由反力框架、试

样容器系统、杠杆加载机构和变形测量系统四部分组成。

(1) 容器系统采用透明有机玻璃板制成，岩石试样被置于容器系统内，可以实现侧向约束(或自由)及饱水(或干燥)环境，外加加热板及风冷系统，可以实现试验过程中的干湿循环及冷热循环。

(2) 杠杆加载机构采用长臂杠杆获得作用于试样上较大的竖向压力，通过不同质量砝码实现岩石试样恒重加载和卸载过程，试验过程中不会因为试样的压缩或者膨胀变形造成竖向压力的改变，从而实现稳定的长期压应力作用。

(3) 变形测量系统采用数显千分表，试验过程中定时采集变形数据。采用自动采集千分表连接计算机，设定采样频率可以实现长时间自动采集数据。或者，通过架设在试验装置上的高清摄像头，对试样及千分表进行实时录像，可实现对试验的远程监控及数据回放记录，将大大降低试验工作量。

该恒载蠕变试验装置可以实现软岩在低应力、复杂水-热-力耦合下的长期稳定蠕变试验。采用该设备，根据具体试验过程中对试样的竖向加卸载应力路径及饱水、排水等水环境变化，开展红层泥岩的稳定蠕变试验，并获得蠕变变形数据。

图 4-9 软岩水-力耦合蠕变试验设备

2. 基于砝码配重的加卸载-干湿循环耦合蠕变试验装置

由于开展的蠕变试验数量较多，且蠕变试验耗时较长，为提高试验效率，对于部分加载等级更小的试验通过如图 4-10 所示的自主设计制作的简易软岩干湿循环加卸载蠕变试验装置完成。该装置的储水槽、加热装置、侧限刚性约束装置与第 3 章中泥岩干湿循环试验装置相同，不同的是，试样顶部考虑一定的荷载作用，采用钢砝码堆载实现加载及卸载过程。

试验中，将试样放入侧向约束钢管中，使得试样与钢管紧密接触起到侧向约束作用；然后，将加热带螺旋形缠绕在钢管外壁并用扎丝固定，缠绕时尽量避开钢管进水圆孔位置；将试样放入储水槽中且试样上下部两端依次放置滤纸、透水石、刚性垫块，并在恰当位置固定千分表，试验就位。试验过程中，根据设计开展竖向加卸载及干湿循环下的蠕变试验，记录试样竖向变形数据。

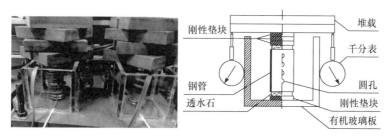

图 4-10　干湿循环加卸载蠕变试验装置

4.3.2　红层泥岩蠕变试验设计

采用成渝客运专线内江北站采集的紫红色泥岩和灰绿色砂岩开展室内蠕变试验，试样尺寸为：①圆柱形 $\varPhi$50mm×100mm 室内钻芯试样；②圆柱形 $\varPhi$68mm×100mm 现场钻孔岩芯试样；③方形 100mm×100mm×100mm 试样。试样加工精度满足国际岩石力学学会试验规程。加工好试样采用保鲜膜包裹、透明胶带紧密缠绕密封保存，以保持试样含水率并避免卸荷后暴露在空气中快速风化。试验主要从应力及水作用两个方面考虑试样变形与时间的关系。考虑到红层泥岩强度低，且在长期暴露下极易风化，特别是在浸水条件下极易崩解，采用传统单轴压缩蠕变试验很难获得其真实蠕变特性。因此，类似于第 3 章浸水膨胀试验，采用侧向钢管或者保鲜膜约束原岩试样，然后在轴向施加稳定压力，监测试样轴向变形随时间的变化。侧向约束状态下的蠕变试验将试样装入侧向带圆孔的钢管中，然后放在蠕变装置加载台的中心，在加载台底板、试样上端放置刚性圆形垫块，使岩样和设备的加载位置较好接触，保证加载时应力能均匀作用于试样上，同时确保试样的轴线和蠕变装置的加载中心线一致，以免试样偏心受力影响试验结果。对于分级加卸载蠕变试验，每级荷载作用下变形量值小于 0.001mm/d 则视为蠕变稳定，再施加下一级压力。

本章主要开展如下工况的蠕变试验：

(1) 侧向约束下，红层泥岩和砂岩在轴向加载、卸载作用下的蠕变试验。试验采用内江北站采集的紫红色泥岩及灰绿色砂岩试样，采用带孔钢管侧向约束，通过增加和减少配重砝码实现试样轴向的稳定加卸载试验。

(2) 侧向约束下，红层泥岩在浸水、轴向加载及卸载作用下的蠕变试验。试验考虑红层泥岩在浸水环境下轴向加载和卸载过程中变形随时间的变化特征，模拟基底地下水以下岩体的长期变形过程。将试样置于容器内并注入自来水至淹没试样顶部透水石，记录试样在不同上覆压力作用下的轴向变形。

(3) 侧向约束下，不同含水率红层泥岩在轴向加载和卸载下的蠕变试验。红层泥岩具有显著的崩解特性，一方面，水的作用使得岩样产生吸水膨胀变形，另一方面，吸水后岩样力学性能劣化，岩石的蠕变特性也将随之改变。因此，考虑水和荷载共同作用下红层泥岩的变形随时间的变化规律。试验在上述(1)条件下，分别采用烘干后的干燥试样、天然试样以及泡水 3d 和 5d 四种不同含水率试样开展轴向循环加卸载蠕变试验，试验过程中为保证试样含水率不受空气中水分的影响，将试样用保鲜膜包裹后装入侧向约束钢管。

(4) 侧向自由下，红层泥岩在轴向加载作用下的蠕变试验。试验为常规单轴压缩蠕变试验，在不使用钢管约束的条件下，将试样置于蠕变试验装置，仅进行轴向稳定加载，记录试样轴向变形随时间的变化。

(5) 加卸载耦合干湿循环下的蠕变试验。试验采用砝码配重加载的方式实现轴向加卸载，模拟路基开挖前岩体的应力状态，轴向采用单块 10kg 砝码配重加载(换算成试样所受应力为 50kPa)，加载至 200kPa。加载过程中轻拿轻放，减小对试样的扰动，加载完成后立即调整千分表位置，开始记录变形数据；加载初期，每半个小时记录一次数据，5h 后每一个小时记录一次数据，48h 后每 6 个小时记录一次数据，直到变形稳定即 24h 内变形量小于 0.001mm 为止。然后，根据试验设计，通过减少不同数量的砝码，实现卸载作用，同时采用第 3 章提到的方法实现反复干湿循环作用，记录在卸载后耦合反复干湿循环作用下岩样的长期变形特征。

以上 1～4 组试验采用基于杠杆加载的四联恒载蠕变试验装置完成，第 5 组试验采用基于砝码配重的加卸载-干湿循环耦合蠕变试验装置完成。

4.4　侧限单轴加卸载蠕变特性

4.4.1　加载蠕变特性

侧向单轴加卸载蠕变试验不考虑水的作用，分别采用天然紫红色泥岩和灰绿色砂岩标准圆柱形 Φ50mm×100mm 原岩试样，进行轴向加载和卸载后的长期变形特征研究。试验前测得试样初始质量，然后包裹 PET 膜并装入环向带圆孔的钢管中，置于加载设备，通过砝码施加稳定荷载，并记录竖向变形(图 4-11)。考虑到侧向钢管的刚性约束，轴向压缩下侧向产生被动环向均匀压力，取侧压力系数为 λ=0.5，获得轴向、侧向加载压力差 $\Delta\sigma=\sigma_1(1-\lambda)$。试验岩样竖向加载压力差为 150～1350kPa 不等。

图 4-11　侧向单轴加卸载蠕变试验

图 4-12 和图 4-13 分别为不同应力状态下红层泥岩和砂岩的蠕变试验数据及其 Burgers 模型拟合曲线。对比图 4-12 和图 4-13 可以清楚地看出,泥岩在加载初期产生瞬时压缩变形后,进入减速蠕变阶段,此阶段蠕变速率逐渐减小;而后出现近似稳定蠕变阶段,此时泥岩以近似等速率产生压缩蠕变,但是蠕变速率非常小,使得蠕变时长很长。相反,从砂岩在不同应力等级下的蠕变曲线很难看出明显的三阶段特征,试样在受载初始产生显著的瞬时压缩变形,而后产生的蠕变变形较小,蠕变变形也很快趋于稳定。

总体上看,泥岩在不同轴向应力差作用下,轴向变形具有典型的瞬时变形、

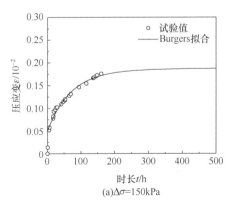

(a)$\Delta\sigma$=150kPa

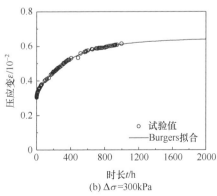

(b) $\Delta\sigma$=300kPa

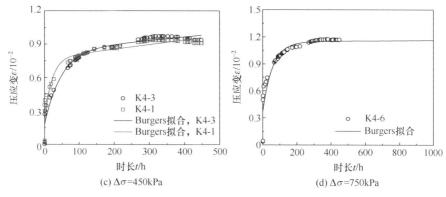

图 4-12　不同应力状态下泥岩蠕变规律

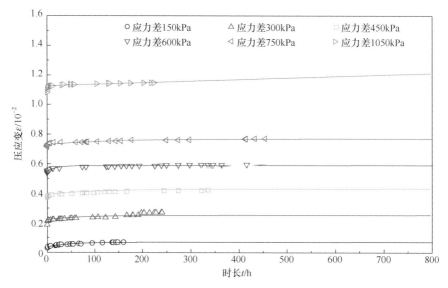

图 4-13　不同应力状态下砂岩蠕变规律

减速蠕变和等速蠕变三阶段特征，且减速蠕变过程耗时较长(超过 200h)，轴向应力差越小，瞬时变形和总变形均较小，但减速蠕变过程越长。相对而言，砂岩在各级荷载下加载瞬时变形较小，且减速蠕变过程并不明显，即使轴向应力差达到 1050kPa，也没有观察到显著的减速蠕变过程。表明在低应力状态下，红层泥岩就已经具有显著的蠕变特征，砂岩的蠕变特征并不明显。

根据实测蠕变曲线，岩样在加载前 1h 内变形速率最大，产生急剧的压缩变形，因此定义加载后 1h 内试样变形为瞬时变形并计算瞬时应变 ε_e，之后随时间增长的变形则为蠕变变形，计算蠕变应变 ε_c，则任意荷载作用下的总应变 ε 为

$$\varepsilon = \varepsilon_e + \varepsilon_c$$

定义蠕变应变占总应变比例(即蠕变应变比)δ为

$$\delta = \frac{\varepsilon_c}{\varepsilon} \times 100\%$$

内江北站红层砂泥岩侧向约束不同轴压下蠕变试验瞬时应变ε_e、蠕变应变ε_c及蠕变应变比δ列于表4-2。从表中可以看到，相同应力等级下，泥岩蠕变稳定时长明显大于砂岩，特别是应力差大于 300kPa 后，泥岩蠕变出现缓慢增长的稳定蠕变变形，经历上千小时才可稳定，表明内江北站泥岩在低应力下蠕变特性显著，而砂岩并未表现出显著的蠕变特性。同时，由于泥岩极强的蠕变性，很难在室内开展多种应力等级下的蠕变试验，特别是当应力差较大时，蠕变稳定时长甚至以年为单位，这对室内试验来说几乎是无法实现的。

从表 4-2 泥岩和砂岩蠕变试验结果可以看出，泥岩蠕变应变比明显大于砂岩，这是由于泥岩内部初始隐微裂隙发育，特别是在卸荷后，原本闭合的裂隙网络张开，在重新加载后，这些裂隙缓慢闭合，产生较大的蠕变变形。为此，对 K4-1试样在应力差 450kPa 作用下压缩固结 2015h，而后继续分级加载发现，此时产生的蠕变应变明显减小。

表 4-2　侧限压缩下红层泥岩和砂岩蠕变试验结果

岩性	试样编号	$\Delta\sigma$/kPa	ε_e	ε_c	ε	δ/%	t/h
泥岩	M-1	150	0.00014	0.00162	0.00176	92.05	160.7
	M-2	300	0.00310	0.00360	0.00670	53.73	1535.7
	K4-3	450	0.00301	0.00639	0.00940	67.98	447.7
	K4-1		0.00396	0.00514	0.00910	56.48	448.0
	K4-6	750	0.00784	0.00364	0.01148	31.71	447.9
砂岩	S-1	150	0.00027	0.00032	0.00059	54.24	160.9
	S-2	300	0.00205	0.00056	0.00261	21.46	241.5
	S-3	450	0.00382	0.00041	0.00423	9.69	335.5
	S-4	600	0.00546	0.00042	0.00588	7.14	418.3
	S-5	750	0.00727	0.00037	0.00764	4.84	456.7
	S-6	1050	0.01107	0.00064	0.01171	5.47	224.3

将泥岩和砂岩蠕变试验过程中的瞬时应变ε_e、蠕变应变ε_c、总应变ε和蠕变应变比δ进行对比分析，如图 4-14 所示。需要说明的是，图中泥岩蠕变试验结果中$\Delta\sigma$>750kPa 的试验数据是 K4-1 试样在$\Delta\sigma$=450kPa 应力差作用下压缩固结 2015h后继续加载获得的，即泥岩在长期固结变形稳定后的加载蠕变特征结果。从图中可以看出：

(1) 两种岩石的瞬时应变和总应变均与应力差呈显著的线性关系(图 4-14(a) 和(c)),即随着应力差的增大,红层泥岩和砂岩总应变和瞬时应变均线性增大。

(2) 除泥岩试样长期固结后再加载的蠕变结果外,其余岩样蠕变应变随应力差的增大而增大,同时,泥岩蠕变应变显然大于相同应力状态下的砂岩试样,且泥岩试样蠕变应变随应力差增大更加显著(图 4-14(b))。

(3) 蠕变应变比与应力差呈指数函数关系,即蠕变应变随着应力差的增大而迅速减小(图 4-14(d)),这是由于随着应力差的增大,岩样瞬时应变显著增大,相对而言,蠕变应变的增大幅度更小,但蠕变应变绝对值显然是相应增大的。

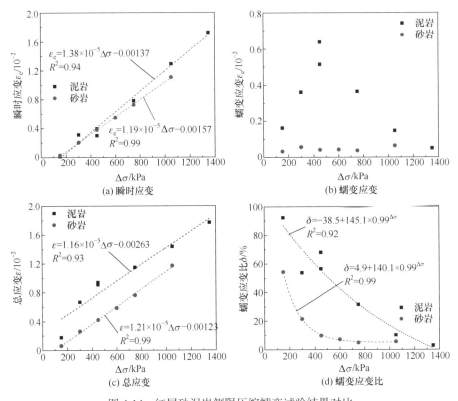

图 4-14　红层砂泥岩侧限压缩蠕变试验结果对比

基于 Origin 软件,对蠕变试验数据进行 Burgers 模型参数识别,砂岩参数识别结果列于表 4-3,泥岩参数识别结果列于表 4-4,表中 $\Delta\sigma$ 为考虑侧向约束作用的轴向应力差;E_M、η_M、E_K、η_K 分别为 Burgers 模型中 Maxwell 模型和 Kelvin 模型的体积模量参数和黏滞特性参数。可以看出,泥岩各蠕变参数均低于砂岩,表明泥岩流变特性更加显著。

表 4-3 砂岩 Burgers 蠕变参数

试样编号	$\Delta\sigma$/kPa	E_M/GPa	η_M/(GPa·h)	E_K/GPa	η_K/(GPa·h)	R^2	试验时长/h
S-1	150	0.5780	12061.50	0.458	21.81	0.956	160.9
S-2	300	0.1420	13403.00	1.00	76.33	0.680	241.5
S-3	450	0.1180	12000.00	1.180	122.39	0.952	335.5
S-4	600	0.1110	11871.60	1.570	30.36	0.928	418.3
S-5	750	0.1040	11000.00	2.090	246.35	0.871	456.7
S-6	1050	0.0969	1392.71	2.500	3.56	0.975	224.3
均值		0.1917	10288.14	1.466	83.47	—	1837.2

表 4-4 泥岩 Burgers 蠕变参数

试样编号	$\Delta\sigma$/kPa	E_M/GPa	η_M/(GPa·h)	E_K/GPa	η_K/(GPa·h)	R^2	试验时长/h
M-1	150	0.3000	2610	0.1110	7.83	0.915	160.7
M-2	300	0.0925	300	0.1010	36.9	0.997	1535.7
K4-3	450	0.1530	1900	0.0690	5.21	0.990	447.7
K4-1		0.1130	2800	0.0870	6.10	0.985	448.0
K4-6	750	0.1220	2520	0.0581	3.35	0.894	447.9
均值		0.1561	2026	0.0852	11.88	—	3040.0

从拟合结果来看，内江北站红层砂泥岩的蠕变特性符合 Burgers 模型特征，拟合相关系数较高。对比两种岩石蠕变参数均值，砂岩各参数均大于泥岩，其中砂岩表征黏滞特性的参数 η_M 和 η_K 分别是泥岩的 5.08 倍和 7.03 倍，这也是泥岩蠕变特性显著强于砂岩的原因，相同应力状态下泥岩蠕变稳定时长远大于砂岩；另外，泥岩的体积模量参数 E_M 和 E_K 明显小于砂岩，从而泥岩的变形量值显著大于砂岩。

4.4.2 卸载蠕变特性

对加载变形稳定后的岩样开展分级卸载，并在各级荷载卸除后依照加载蠕变试验方法记录变形随时间的变化，待变形稳定后继续卸载下一级荷载，获得砂岩和泥岩试样的卸载蠕变试验曲线，如图 4-15 和图 4-16 所示。

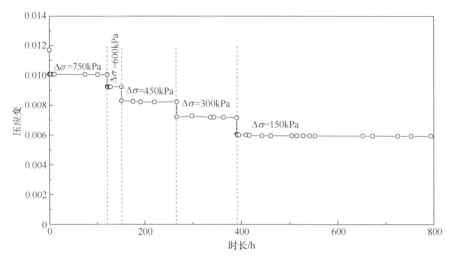

图 4-15　砂岩 S-1 试样卸载蠕变曲线

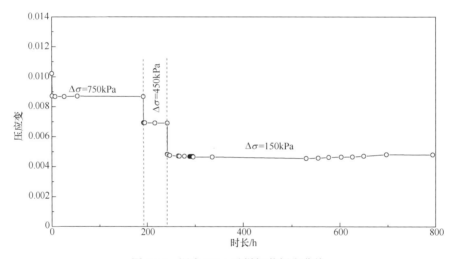

图 4-16　泥岩 K4-1 试样卸载蠕变曲线

　　针对砂岩 S-1 试样在加载至应力差$\Delta\sigma$=1050kPa 且变形稳定后，开始逐级卸载并监测卸载变形规律。从图 4-15 可以看到，与其加载蠕变过程类似，砂岩的卸载过程也没有体现出显著的蠕变特征，卸载后出现较大的瞬时回弹变形，而后并没有显著的弹性后效变形。但是，卸载至$\Delta\sigma$=150kPa 后存在较大的残余变形，表明外观完整致密的砂岩试样内部同样存在卸荷裂隙，再次加载后经过较长时间裂隙重新闭合。

　　表 4-5 为内江北站红层泥岩和砂岩卸载蠕变试验结果，与加载蠕变试验结果相比，卸载过程无论瞬时回弹变形、弹性后效应变还是总卸载应变均小得多，特

别是弹性后效应变仅为总卸载应变的不足 10%, 并且无论泥岩还是砂岩, 卸载过程中应变稳定时间短得多。同时可以看到, 泥岩总卸载应变略大于砂岩。表明无论泥岩还是砂岩, 仅考虑开挖卸荷引起的变形, 超过 90% 为瞬时回弹变形, 在短时间内即结束, 剩余约 10% 的弹性后效稳定时间也比压缩蠕变过程短得多。

表 4-5 内江北站红层泥岩和砂岩卸载蠕变试验结果

岩性	试样编号	$\Delta\sigma$/kPa	瞬时回弹应变ε_e	弹性后效应变ε_c	总卸载应变ε	弹性后效应变比/%	试验时长/h
泥岩	K4-1	750	0.00151	0.00003	0.00154	1.95	192.3
		450	0.00175	0.00002	0.00177	1.13	49.8
		150	0.00209	0.00015	0.00224	6.70	675.8
砂岩	S-1	750	0.00163	0.00002	0.00165	1.21	121.1
		600	0.00084	0	0.00084	0	29.9
		450	0.00092	0.00008	0.00100	8.00	115.3
		300	0.00102	0.00002	0.00104	1.92	124.4
		150	0.00117	0.00006	0.00123	4.88	1487.8

综合图 4-13 和图 4-15 可以认为, 内江北站砂岩并没有显著的流变特性, 加载和卸载作用下变形均在短时间内结束, 没有明显的时效性变形。但是, 开挖卸荷会使得砂岩内部裂隙张开, 再次压缩后裂隙重新闭合。

综合图 4-12 和图 4-16 可以认为, 内江北站泥岩在较低应力水平下即表现出显著的流变特性, 加载蠕变应变较大且稳定时间较长; 但是, 卸载过程中与时间相关的弹性后效变形不明显, 并且稳定过程比加载过程快得多, 卸载过程不会产生明显的时效性变形。

4.5 侧限水-力耦合蠕变特性

考虑到内江北站红层泥岩在低应力作用下即表现出显著的流变特性, 同时由第 3 章研究可知, 内江北站红层泥岩在无荷载饱水条件下同样表现出时效性变形特征。因此, 本节将同时考虑内江北站红层泥岩饱水时效膨胀变形及应力作用下的加载、卸载蠕变耦合作用, 分析红层泥岩在水-力耦合作用下的时效性变形特征。

红层泥岩的侧限水-力耦合蠕变试验采用稳定恒载作用下标准圆柱形试样, 试样同样通过带孔洞钢管约束, 同时在加载或者卸载过程中让试样完全浸泡在水中, 水通过钢管侧壁预留孔洞及上下端面透水石渗入试样, 产生时效性膨胀变形 (图 4-17)。

图 4-17　红层软岩侧限水-力耦合作用蠕变试验

对 2 个内江北站紫红色泥岩试样进行不同路径加卸载试验：

(1) K1 试样在轴向一次加载至Δσ=750kPa 后稳定 20h,然后注水使试样完全浸没在水中,产生吸水膨胀变形,监测浸水后试样轴向变形；待膨胀变形稳定后(293.5h)分两级卸载轴向压力,直到Λσ=150kPa。

(2) K2 试样在轴向一次加载至Δσ=450kPa 后监测其轴向变形,待压缩蠕变稳定后(447.9h)注水使试样完全浸没在水中,产生吸水膨胀变形,监测试样膨胀变形；吸水膨胀稳定后分两级卸载轴向压力,直到Δσ=150kPa。

由于轴向压力较大时,泥岩出现长时间持续的压缩蠕变现象,很难达到理想的蠕变稳定状态,因此针对较大轴向压力作用下的水-力耦合蠕变试验 K1 试样,一次加载后蠕变变形未稳定即进行注水膨胀及卸载蠕变试验。因此,K1 试样在首次加载后并未达到最终稳定变形状态,这也是造成 K1 试样加载蠕变阶段总应变(0.01081)小于轴向应力较小状态 K2 试样的加载蠕变阶段总应变(0.011665)的原因。

图 4-18 和图 4-19 分别为 K1 和 K2 试样在水-力耦合作用下的蠕变全过程曲线,相关应变结果列于表 4-6 和表 4-7。可以看出：

(1) 在压应力差Δσ=450kPa 和 750kPa 作用下,红层泥岩吸水后都出现明显的膨胀变形现象；同时,轴向压力越大,总吸水膨胀应变越小(分别为 0.00453 和 0.00281)。表明内江北站红层泥岩具有较大的膨胀力,在轴向较大压应力作用和侧向约束下,水的入渗依然会产生明显的膨胀变形。

(2) 轴向压应力作用下泥岩的吸水膨胀同样表现出明显的时效性特征,吸水后变形稳定时长均大于 200h。并且轴向压应力越大，吸水膨胀蠕变应变占总应变比值越小，$\Delta\sigma$=450kPa 时吸水 24h 后产生的蠕变应变占总应变比例 δ 为 10.71%，$\Delta\sigma$=750kPa 时仅为 2.49%，明显减小。也就是说，较大的轴向压力有利于减小泥岩吸水产生的时效性膨胀变形。

(3) 同一试样，随着卸载量的增大，瞬时应变、蠕变应变、总应变均随之增大，卸载时间-应变曲线变得更缓，蠕变应变占总应变比例也随之增大，并且轴向压应力越小，这种增大现象越明显。也就是说，水-力耦合作用下，随着卸载量的增大，红层泥岩产生的卸载蠕变现象越明显。

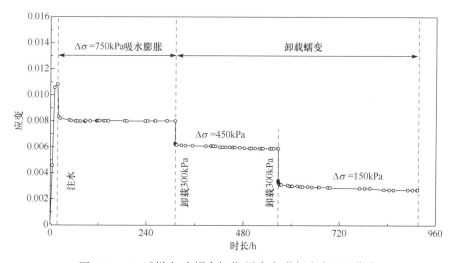

图 4-18　K1 试样水-力耦合加载-浸水-卸载蠕变全过程曲线

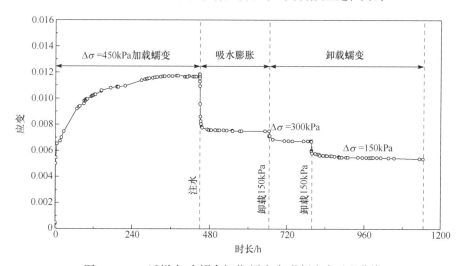

图 4-19　K2 试样水-力耦合加载-浸水-卸载蠕变全过程曲线

表 4-6　K1 试样水-力耦合蠕变试验结果

试验阶段	加载蠕变	吸水膨胀	卸载-Ⅰ	卸载-Ⅱ
状态	$\Delta\sigma=750\text{kPa}$	浸水	$\Delta\sigma=450\text{kPa}$	$\Delta\sigma=150\text{kPa}$
24h 瞬时应变 ε_e		−0.00274	−0.00190	−0.00283
蠕变应变 ε_c	0.01081	−0.00007	−0.00021	−0.00036
总应变 ε		−0.00281	−0.00211	−0.00319
蠕变应变比 δ/%	——	2.49	9.95	11.29
试验时长 t/h	20	293.5	255.7	346.7

表 4-7　K2 试样水-力耦合蠕变试验结果

试验阶段	加载蠕变	吸水膨胀	卸载-Ⅰ	卸载-Ⅱ
状态	$\Delta\sigma=450\text{kPa}$	浸水	$\Delta\sigma=300\text{kPa}$	$\Delta\sigma=150\text{kPa}$
24h 瞬时应变 ε_e	0.007450	−0.004045	−0.000395	−0.000995
蠕变应变 ε_c	0.004215	−0.000485	−0.000025	−0.000360
总应变 ε	0.011665	−0.004530	−0.000420	−0.001355
蠕变应变比 δ/%	36.13	10.71	5.95	26.57
试验时长 t/h	447.9	217.7	129.5	348.8

4.6　侧限水-力耦合蠕变试验结果对比分析

将泥岩在仅荷载作用下的卸载蠕变试验结果(表 4-5 和图 4-16)与水-力耦合作用下的卸载蠕变试验结果(表 4-6、表 4-7、图 4-18 和图 4-19)进行对比,可以看出:

(1) 水的作用使泥岩在卸载情况下产生的时效性变形明显增大,卸载时间-应变曲线变得更缓,变形稳定时间也明显增长(几乎大 10 倍)。也就是说,水的作用使泥岩的卸荷变形表现出更明显的时效性。

(2) 水-力耦合卸载后,泥岩卸荷蠕变应变明显增大,卸荷蠕变应变占总应变比例甚至可以达到 26.57%。与第 3 章所述无荷载作用下泥岩吸水膨胀时效变形规律相比,24h 后蠕变应变及占总应变比例也明显增大。

为了便于对比内江北站红层泥岩在仅考虑吸水膨胀变形、仅考虑卸荷膨胀变形和吸水条件下卸荷膨胀变形三种不同状态下的膨胀变形差异,将 K4-2、K4-1 和 K1 三个泥岩试样的蠕变试验结果汇总于表 4-8。从表中可以看出:

(1) 仅考虑吸水的泥岩物化膨胀应变量最大，是仅卸荷和水-力耦合作用下膨胀应变的 3～5 倍，总应变 ε 和蠕变应变 ε_c 大小关系为：仅卸荷<水-力耦合<仅吸水。

(2) 仅卸荷条件下泥岩总应变和蠕变应变均最小，蠕变应变比仅约 1.13%和0.89%，为仅吸水和水-力耦合条件下的 1/10。

(3) 水-力耦合作用下泥岩的总应变比仅卸荷作用下大，同时蠕变应变比值也显著增大。

表 4-8　不同试验条件下泥岩膨胀应变试验结果

试样编号	试验条件	卸载应力/kPa	浸水	总应变 ε	24h 瞬时应变 ε_e	蠕变应变 ε_c	蠕变应变比 δ/%
K4-2	仅吸水	0	是	0.00886	0.00794	0.00092	10.38
K4-1	仅卸荷	750→450	否	0.00177	0.00175	0.00002	1.13
		450→150		0.00224	0.00209	0.00015	6.70
K1	水-力耦合	750→450	是	0.00211	0.00190	0.00021	9.95
		450→150		0.00319	0.00283	0.00036	11.29

　　三种不同应力和水环境下的红层泥岩蠕变试验结果表明，内江北站红层泥岩在自由吸水条件下的膨胀变形较大，且膨胀变形的时效性显著。无水卸荷作用下，内江北站红层泥岩会产生回弹变形现象，但是瞬时回弹及滞后性的弹性后效均远小于吸水作用产生的膨胀变形；然而，泥岩若在浸水条件下卸载，产生的水-力耦合膨胀变形及时效性的蠕变变形都显著增大，时效性蠕变应变比也显著增大，甚至接近于泥岩自由吸水条件下的蠕变应变比。这是由于泥岩在自由状态下内部裂隙处于自由张开状态，最有利于水分入渗产生物化膨胀，膨胀变形也就最大。在上覆压力作用下，部分裂隙闭合，水分短时入渗更加困难，使得总应变显著减小。但是，由于水-岩相互作用是一个缓慢而逐渐递进的过程，随着时间的增长，泥岩劣化不断产生新的渗水通道，从而呈现出显著的时效变形现象，在前期固结及后期卸荷加上水的作用下，内江北站红层泥岩表现出的时效性膨胀特征甚至比仅吸水物化膨胀情况下显著。

　　综上所述，内江北站红层泥岩在仅考虑吸水物化膨胀和仅考虑应力作用的卸荷变形时，其膨胀(或者回弹，包括弹性后效)蠕变应变占总应变比例小。但是，在水-力耦合作用下，泥岩的加载和卸载变形的时间效应都更加明显，这是由于一方面，泥岩本身具备吸水膨胀的物质基础，缓慢的吸水产生的膨胀力使得加载和卸载平衡过程都变得更长；另一方面，吸水膨胀过程伴随着泥岩力学性能的劣化过程，同时也是泥岩流变性能动态改变的过程，特别是卸载后的吸水过程，这种改变更为明显，从而也使得蠕变过程动态调整。从而可以看出，泥岩本身具备吸水膨胀的物质基础，加上开挖卸荷引起应力状态改变及泥岩结构特征改变，在这种水-力耦合过程中，泥岩产生显著的时效性变形，将可能引起路基持续、缓慢的上拱变形。

4.7　空气湿度对红层泥岩蠕变特征的影响

实际工程中面对的是赋存在自然界中的岩体，针对高速铁路路基，深路堑开挖后，一方面使基底岩体应力状态改变；另一方面由于地形及周围环境的改变，基底岩体所处的水环境也随之改变。从而，实际工程中红层泥岩不可能处于绝对的水气隔绝状态。对于深挖路堑工程，可以将基底岩体所处的状态分为两种类型：深部岩体同时受较大的竖向上覆岩体压力、侧向约束及地下水完全浸没的水-力耦合作用状态；浅部岩体受较小的上覆岩体压力、侧向约束及大气湿度环境作用状态。在这两类环境状态下，红层泥岩随着时间的推移表现出不同的时效性特征。

本节将通过室内红层泥岩的蠕变试验，探讨在低应力耦合大气湿度作用下红层泥岩的时效性变形特征。试验同样采用恒荷载作用下的蠕变试验平台，将内江北站红层泥岩置于带孔钢管内，保持较低的竖向压应力，通过监测试验环境空气湿度改变及试样变形，探讨泥岩时效变形特性受大气湿度的影响规律。采用两个试样进行试验(图 4-20)：1#试样采用保鲜膜完全包裹，端部用玻璃胶密封，试样不与环境水汽产生交换作用，因此仅存在应力作用下的蠕变变形过程；2#试样未采用保鲜膜包裹，环境水汽可以通过约束钢管周向预留的孔洞与试样产生交换作用，模拟实际工程中受大气影响层岩体的时效变形过程。

(a) 1#试样　　　　　　　　　　　　　(b) 2#试样

图 4-20　两种不同试验状态下的水-力耦合蠕变试验

　　两个试样初始轴向应力差均为Δσ=300kPa，而后根据水汽影响特征进行轴向卸载和加载。如图 4-21 所示，1#试样采用保鲜膜和玻璃胶密封隔绝空气，在荷载作用下其变形不受空气湿度的影响，从时长-应变曲线可以看到，Δσ=300kPa作用下整体呈渐进压缩变形，不随空气湿度变化而改变；轴向应力差卸载至150kPa 后，也随之产生卸荷回弹，之后变形稳定，Δσ=150kPa 作用下蠕变过程同样不受空气湿度的影响。

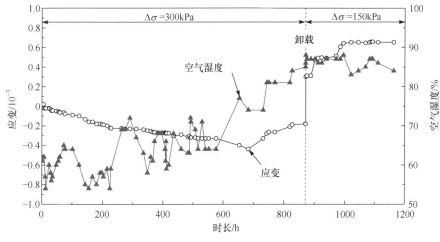

图 4-21　1#试样蠕变试验曲线

　　如图 4-22 所示，没有包裹的 2#试样试验过程中空气中的水分可以通过预留孔洞与泥岩试样接触，从时间-应变曲线可以明显看出其与 1#试样的差异，Δσ=300kPa 作用下时长-应变曲线几乎与时长-空气湿度曲线同步吻合，即空气湿

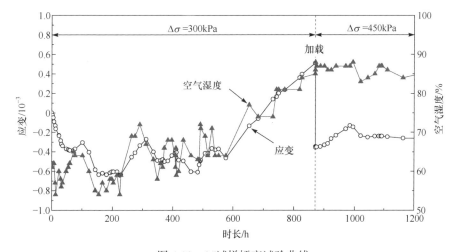

图 4-22　2#试样蠕变试验曲线

度增大时试样膨胀,空气湿度减小时试样压缩,特别是在 600～870h 内空气湿度显著增大的情况下,泥岩试样也表现出同步近似线性的显著膨胀变形现象;轴向加载 150kPa 后,试样出现瞬时压缩变形,而后又出现缓慢的膨胀变形现象,这是由于试样受空气湿度影响的变形与瞬时加载相比缓慢得多,具有明显的迟滞特征。1000h 后空气湿度变化较小,变形也趋于稳定,上覆压力的增大使得膨胀变形受空气湿度的影响程度减小。Zhang 等[97]对取自法国和瑞士的两种泥岩试样开展改变空气湿度情况下的膨胀性试验,也发现不同上覆压力作用下,泥岩的轴向膨胀变形与空气湿度相关,空气湿度增大会产生显著的膨胀应变,并且膨胀应变持续时间较长(240d 以上依然没有稳定)。

4.8　含水率对泥岩循环加卸载蠕变特性的影响

分级加卸载是指在同一个试样上先施加一定的荷载,等到这一应力水平下蠕变趋于稳定或加载时间达到所设定标准后再卸载,待变形恢复至一定程度趋于稳定或卸载时间达到要求后再施加下一级荷载,直至试验加载到所设定的应力等级或试样蠕变产生破坏。分级加卸载可以观测到岩样的滞后弹性恢复和残余变形,从而得到更全面的蠕变试验数据,得到更多有关岩石的蠕变特征参数。与前述侧限单轴加卸载蠕变试验不同的是,本次蠕变试验将采用分级加卸载方式(图 4-23),即单级加载至预定值,待变形稳定后均卸载至 300kPa,卸载变形稳定后再直接加载至下一级预定值,如此循环递增,加卸载蠕变变形稳定判定标准与前述试验相同。

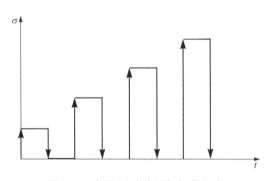

图 4-23　蠕变试验分级加卸载方式

单轴压缩试验测定的红层泥岩单轴抗压强度较低,同时,考虑到高速铁路地基岩体实际所受上覆压力较小,蠕变试验所设定的轴向荷载加卸载量值较小,单次加载达到预定值且变形稳定后,卸载至设定的较小值,待变形稳定继续施加下一级荷载,重复前述试验方法。采用不同初始含水率试样开展的侧向约束、轴向循环加载-卸载蠕变试验方案如表 4-9 所示,其中天然试样、泡水 3d 和 5d 试样的含水率是对相同状态的同组另外 3 个试样测试含水率并计算平均值获得。

表 4-9　单轴压缩蠕变试样加卸载应力等级

试样编号	含水状态	含水率 w_0/%	加载方式	加卸载应力差 $\Delta\sigma$/kPa
1-1	干燥	0		
1-2				
2-1	天然	3.51		300(4~5d)→300(1~2d)
2-2				600(4~5d)→300(1~2d)
3-1	泡水 3d	4.99	分级加卸载法	900(4~5d)→300(1~2d)
3-2				1200(4~5d)→300(1~2d)
4-1	泡水 5d	7.27		
4-2				

注:试验时间持续到变形稳定。

考虑到蠕变试验时间较长,为了更方便地实时监控试验过程及记录试样变形数据,在试验装置上安装高清无线监控摄像头用于长时间观察试样并记录千分表读数(图 4-24)。

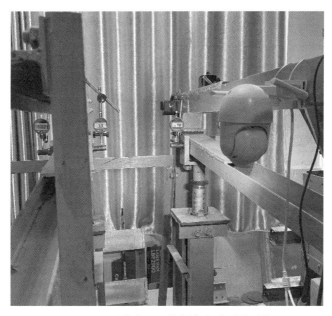

图 4-24　千分表、监控摄像变形测量系统

为了避免长时间试验中空气湿度对蠕变过程的影响，将制备的试样用 PET 膜和保鲜膜包裹，以保持在长时间试验过程中试样含水率不变。试样加卸载过程中，在每一级荷载加载、卸载完成后记录试样瞬时变形值，按每隔 1min、5min、10min、30min、1h 和 2h 采集试样变形值。

4.8.1　全过程加卸载蠕变特征

单轴压缩蠕变试验得到的不同含水状态泥岩试样分级加卸载全程蠕变曲线如图 4-25 所示。从图中可以看出，不同含水状态泥岩试样的单轴压缩分级加卸载全程蠕变曲线较为相似，荷载作用下首先产生较大的瞬时变形，随后是减速蠕变阶段和等速蠕变阶段，所有试样均未出现加速蠕变阶段。随着轴向加载压力的增大，当轴向压力卸载至初始值 300kPa 后，残余变形逐渐增大，表现为卸载曲线相对于上一级处于更大的轴向应变水平；并且随着试样含水率的增大，相同轴向荷载下，卸载后的残余应变也增大，表现出损伤的累积效应，且随着含水

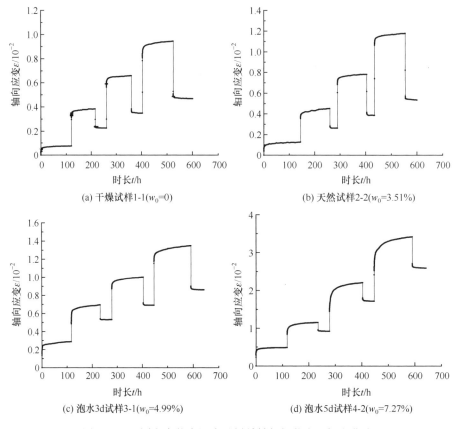

图 4-25　不同含水状态泥岩试样单轴加卸载全程蠕变曲线

率的增大，累积损伤也增大，尤其是泡水 5d 的 4-2 试样，各级轴向荷载作用下的稳定蠕变应变均显著大于其余 3 个试样。根据第 3 章对内江北站不同时期红层泥岩饱和吸水率试验结果，泡水 5d 的 4-2 试样(w_0=7.27%)远未达到其饱和含水状态，因此可以判断实际深路堑基底泥岩随着含水率的继续增大，即使应力状态不变，其蠕变变形也将会不断增大。

4.8.2　含水率对加卸载蠕变特性的影响

为了进一步研究红层泥岩的蠕变特性和辨识流变模型，基于 Boltzmann 叠加原理，将逐级加卸载蠕变曲线转换为单级加卸载蠕变曲线，并结合不同试样的含水率及不同加载等级进行对比分析。

图 4-26 和图 4-27 为基于 Boltzmann 叠加原理，获得的不同含水率试样在各级加载和卸载作用下的蠕变曲线。

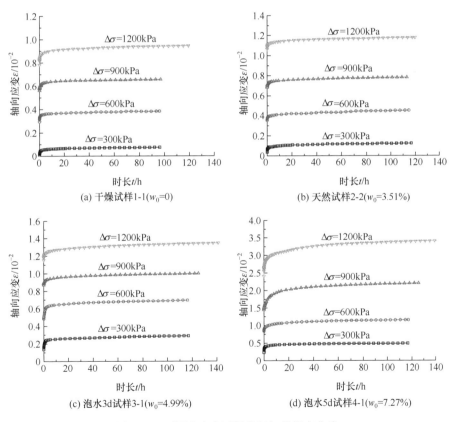

图 4-26　不同含水率试样分级加载蠕变曲线

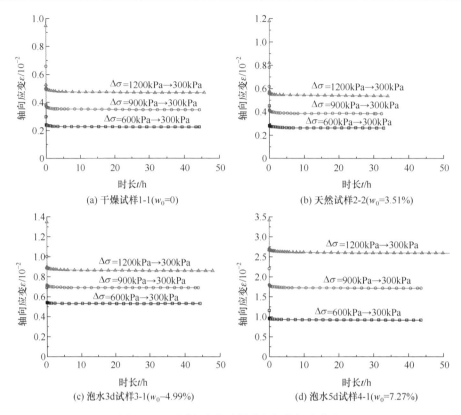

图 4-27　不同含水率试样分级卸载蠕变曲线

从图 4-26 泥岩分级加载蠕变试验结果可以看出：

(1) 试样在加载的瞬间都会立刻产生瞬时轴向压缩变形，并且试样在各级荷载作用下产生的瞬时轴向应变会随着加载应力水平的增大逐渐增加。如干燥试样(w_0=0)在第一级加载应力水平下($\Delta\sigma$=300kPa)5min 内轴向应变为 0.0002，而第二级加载应力水平($\Delta\sigma$=600kPa)时为 0.00247。各级压力作用下试样均产生了显著的蠕变变形，并且轴向压力越大、试样初始含水率越大，蠕变变形达到稳定的时间越长，如干燥试样在$\Delta\sigma$≤600kPa 时蠕变稳定时长约为 100h，在$\Delta\sigma$=1200kPa 时蠕变稳定时长为 120h，而泡水 5d 试样在$\Delta\sigma$=1200kPa 时蠕变稳定时长达到 140h。

(2) 随着加载应力水平的增加，试样的蠕变变形增大，即泥岩试样的蠕变特性更加显著。在低应力水平作用下，试样轴向变形在短时间内即趋于稳定，以瞬时变形为主，蠕变变形较小。

(3) 由于本次试验目的是研究低应力状态下红层泥岩的蠕变特性，试验所设定的加载应力远未达到岩样产生加速蠕变的临界荷载(岩石的长期强度)，所有泥岩试样只产生了减速蠕变及稳定蠕变两个蠕变阶段，并没有出现加速蠕变阶段。

从图 4-27 泥岩分级卸载蠕变试验结果可以看出:

(1) 各级荷载(从第二级开始)卸除后,泥岩试样首先产生瞬时的弹性恢复变形,这是由于加载过程中产生的弹性压缩变形以及岩石内部部分压密的隐微裂隙在轴向卸载后变形恢复或裂隙重新开张的现象;而后,随着时间增长,还有一部分黏性变形逐渐恢复,试样的轴向应变逐渐减小,但并不会完全恢复,而是趋于一稳定的残余变形,即不可恢复的塑性变形[124]。

(2) 试样的残余变形随着轴向加载应力水平的增加而逐渐变大,这是由于轴向压力的增大造成试样内部塑性损伤累积,表现为卸载后不可恢复的残余变形逐渐增大。同时,同一含水率试样在相同轴压差卸载下产生的残余变形增量近似相同,如图 4-27(a)所示干燥试样,第一次卸载($\Delta\sigma$=600kPa→300kPa)与第二次卸载($\Delta\sigma$=900kPa→300kPa)残余应变差值为$\Delta\varepsilon_{12}$=0.00123,第二次卸载与第三次卸载($\Delta\sigma$=1200kPa→300kPa)残余应变差值为$\Delta\varepsilon_{23}$=0.00122,两者几乎相等;类似地,天然试样$\Delta\varepsilon_{12}$和$\Delta\varepsilon_{23}$分别为 0.00122 和 0.00151,泡水 3d 试样$\Delta\varepsilon_{12}$和$\Delta\varepsilon_{23}$分别为 0.00166 和 0.00169,泡水 5d 试样$\Delta\varepsilon_{12}$和$\Delta\varepsilon_{23}$分别为 0.00794 和 0.00879。这也说明岩石的总残余变形会随着试验卸载次数的增加而增加,且在轴压增加值相同情况下,残余应变增量近似相等,而试样含水率越大,残余变形增量越大,特别是含水率达到 7.27%后,总残余变形和单级残余变形增量均显著增大。

(3) 与加载蠕变曲线相比,卸载过程试样瞬时变形速率更快,整个卸荷蠕变过程更短,即由卸载产生的岩石时效性变形时间更短。这是由于在较低的轴向压力作用下,岩石以弹性变形为主,兼具部分既有裂隙压密闭合和塑性蠕变变形,轴向卸载后侧向被动压力等比例减小,岩石弹性变形快速恢复,弹性后效不显著。

泥岩试样的加载和卸载蠕变试验结果表明,内江北站泥岩在较低的压应力水平下即表现出显著的流变特性,蠕变稳定时长及蠕变变形随轴向压力和含水率的增加而增大;但是卸载过程中与时间相关的弹性后效变形不明显,并且稳定过程比加载过程快得多,卸载过程不会产生明显的时效性变形。基于不同含水率下内江北站泥岩加卸载蠕变特征,初步判断路基上拱主要由施工开挖后基底岩体的加载效应引起蠕变变形,卸载造成的时效性变形并不显著;同时,从第 3 章对不同时期现场泥岩含水率测试发现,自勘察设计阶段至今,基底泥岩含水率有明显的增大,从而泥岩蠕变参数相应改变、蠕变效应逐渐累积,这是路基持续产生上拱变形的另一个重要原因。

4.8.3　流变模型与参数识别

根据前述流变参数识别方法,以不同含水率下红层泥岩分级加载蠕变曲线为例，基于 Origin 软件自定义拟合函数为 Burgers 蠕变方程后，利用 L-M 算法拟合蠕变试验曲线。为了更好地表明试验数据点与拟合曲线的关系，以免过多的试验数据点重合影响显示效果，图中将试验数据点间隔 1 个显示，但在曲线拟合时采集所有数据分析，并不影响拟合效果。通过蠕变曲线拟合，可得到不同含水状态泥岩试样在各分级应力下 Burgers 模型的相关参数，以及 Burgers 模型对不同含水状态泥岩蠕变特征的适用性。

    不同含水状态泥岩分级加载 Burgers 模型拟合曲线和单轴压缩蠕变试验曲线对比如图 4-28～图 4-31 所示，不同含水状态试样在各分级应力下的 Burgers 模型拟合参数列于表 4-10。可以看出，Burgers 模型蠕变参数的变化与加载应力水平及岩样含水状态具有一定的相关性。Burgers 模型拟合曲线和蠕变试验曲线比较吻合，R^2 均超过 0.97，在一定程度上说明 Burgers 模型能够用来描述红层泥岩的蠕变特性。

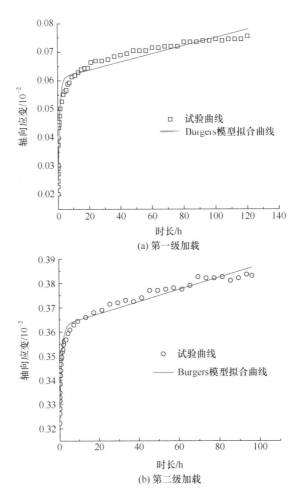

(a) 第一级加载

(b) 第二级加载

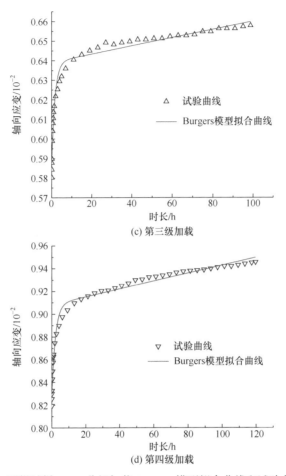

(c) 第三级加载

(d) 第四级加载

图 4-28　干燥试样($w_0=0$)分级加载 Burgers 模型拟合曲线和试验曲线对比

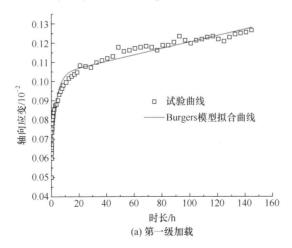

(a) 第一级加载

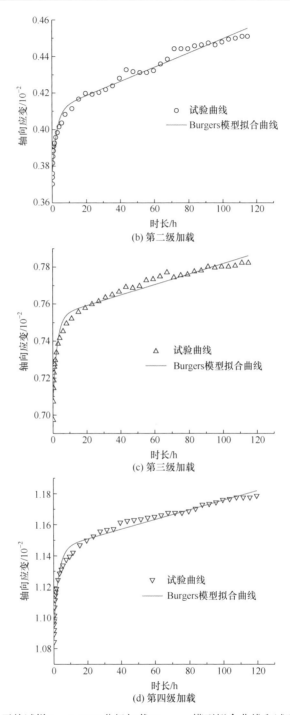

图 4-29　天然试样(w_0=3.51%)分级加载 Burgers 模型拟合曲线和试验曲线对比

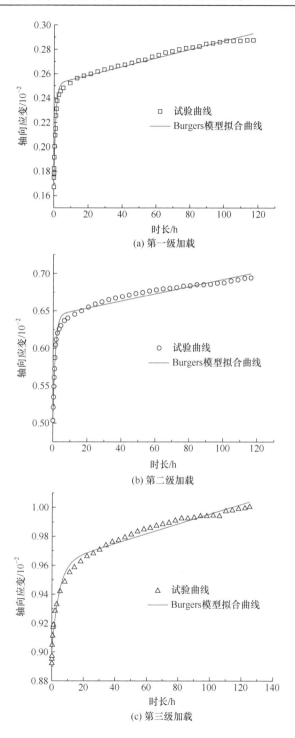

(a) 第一级加载

(b) 第二级加载

(c) 第三级加载

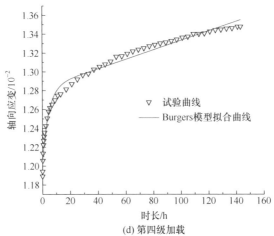

(d) 第四级加载

图 4-30　泡水 3d 试样(w_0=4.99%)分级加载 Burgers 模型拟合曲线和试验曲线对比

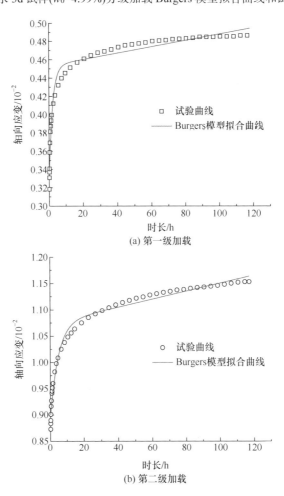

(a) 第一级加载

(b) 第二级加载

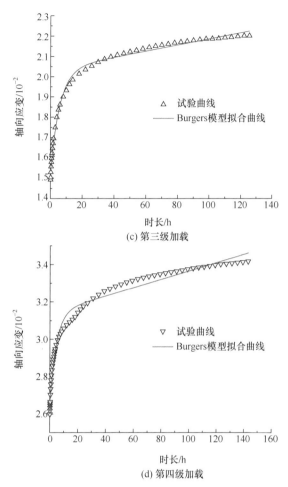

图 4-31 泡水 5d 试样(w_0=7.27%)分级加载 Burgers 模型拟合曲线和试验曲线对比

表 4-10 不同含水状态泥岩 Burgers 模型拟合参数

试样状态	$\Delta\sigma$/kPa	E_M/MPa	η_M/(GPa·h)	E_K/MPa	η_K/(GPa·h)	R^2
干燥 (w_0=0)	300	678.87	105.51	386.97	0.47	0.978
	600	92.02	119.23	825.12	0.98	0.983
	900	76.93	215.30	829.97	1.35	0.983
	1200	72.56	172.58	737.57	1.56	0.989
天然 (w_0=3.51%)	300	230.70	89.57	387.49	1.44	0.975
	600	79.68	76.97	875.12	2.40	0.986
	900	63.62	158.25	974.57	2.48	0.980
	1200	54.85	192.32	1180.47	3.50	0.984

续表

试样状态	$\Delta\sigma$/kPa	E_M/MPa	η_M/(GPa·h)	E_K/MPa	η_K/(GPa·h)	R^2
泡水 3d (w_0=4.99%)	300	89.59	42.34	178.28	0.19	0.995
	600	60.52	62.45	202.21	0.26	0.990
	900	50.03	132.93	726.05	3.23	0.988
	1200	49.85	119.49	753.17	3.48	0.986
泡水 5d (w_0=7.27%)	300	45.00	43.25	125.31	0.27	0.980
	600	33.42	39.40	169.43	0.84	0.988
	900	29.44	29.69	88.95	0.52	0.995
	1200	22.58	26.82	123.65	0.58	0.984

注：实际应力水平按$\Delta\sigma=\sigma_1(1-\lambda)$计算，取侧压力系数$\lambda$=0.5。

图 4-32 为基于 Burgers 模型识别的不同含水状态试样蠕变参数与含水率的关系，其中，各级轴向压力下 E_M 与含水率 w_0 呈指数函数关系，相关系数均大于0.988(图 4-32(a))，Burgers 模型中 E_M 反映岩石在受载后产生的瞬时变形，即随着含水率的增大，红层泥岩的瞬时变形呈指数增大，这与前述全过程蠕变曲线反映的变形特征一致；其余三个参数并未表现出与含水率的显著相关性，但是总体上随着含水率的增大，E_K 和 η_M 逐渐减小，在泡水 5d 试样中获得的 4 个蠕变参数均取得最小值。表明随着含水率的增大，总体上红层泥岩在特定轴向压力下产生的蠕变应变将随之增大，衰减蠕变速率减小，相对而言，稳定蠕变速率的变化规律并不显著，但在含水率显著增大后，稳定蠕变速率也将显著增大。基于识别的蠕变参数获得的泥岩蠕变特征与含水率和轴向压力的关系特征，与全过程蠕变曲线分析结果一致。

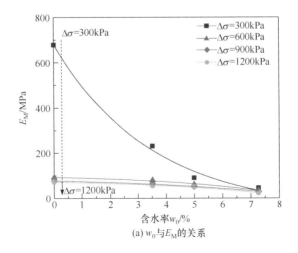

(a) w_0 与 E_M 的关系

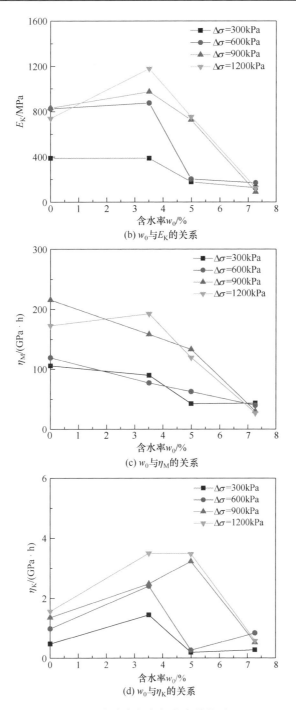

图 4-32　含水率与各蠕变参数的关系

4.9　泥岩非线性蠕变模型及参数识别

软岩在长期应力作用下的变形随时间而增长，从而变形具有时效性。同时，在此过程中，岩石本身力学性能也在发生改变，表现为力学性能指标的时效性。Tang 等[125]对红砂岩开展不同水环境下的脆性蠕变试验，认为水的入渗使浸水条件下红砂岩的最小蠕变应变率增大而破坏时长缩短，同时预先浸水不同时长的试样，再次干燥状态和浸水条件下的蠕变性能也不同。泥岩不同含水率下的单轴压缩蠕变试验也有类似的现象，随着含水率的增大，蠕变应变和稳定蠕变阶段的蠕变应变率均增大[126]。蠕变现象与时间的相关性也说明了岩石流变理论模型不再是线性的，许宏发[127]、陈卫忠等[53]、高文华等[55]根据岩石蠕变过程中强度、弹性模量、黏滞系数等参数随时间的变化规律及其损伤过程，建立了多种非线性的蠕变损伤本构模型。

目前，构建岩石非线性蠕变模型的途径主要有以下四种：

(1) 基于蠕变试验结果，通过回归分析拟合出经验方程，例如，针对岩石蠕变非线性黏弹性问题，可采用幂函数型的经验公式：

$$\dot{\varepsilon} = A\sigma^n t^m \tag{4-21}$$

式中，$\dot{\varepsilon}$ 为蠕变速率；σ 为加载应力水平；t 为加载时间；A、n、m 为与加载应力水平、时间等因素相关的参数，可根据蠕变试验结果拟合得到。通过经验公式方法建立非线性蠕变模型具有很大的局限性，普适性较差，并且不能反映岩石流变的内在机理。

(2) 基于现有的线性流变模型，通过串联或并联一个非线性黏性元件或非线性黏塑性模型[53,55,128]，构建一个可以描述岩石非线性蠕变特征的模型。

(3) 把线性元件组合模型中的线性元件替换为非线性元件，或者将线性元件的流变参数改为与加载应力水平、时间、应变或应变速率等相关的非定常参数，来研究岩石的非线性蠕变特征。

(4) 结合损伤力学、断裂力学及内时理论等方法，在线性蠕变模型中引入损伤变量，来构建岩石的非线性蠕变本构模型。

4.9.1　考虑含水损伤效应的非线性蠕变模型

国内外众多学者研究了水对岩石力学特性的影响[129-131]，并且构建了许多考虑水作用的岩石蠕变本构模型。但是在现有的考虑含水损伤效应的蠕变本构模型中，通常将蠕变参数视为定常，不考虑流变参数随时间变化。但实际上，岩体在风化、温度或水等外部因素影响下，力学参数随时间变化较为显著。例如，高速铁路泥岩路基开挖后，随着场地地形的改变，地下水赋存环境改变，加上地表水的缓慢入渗，泥岩的物理力学性能将随着时间的推移而缓慢变化，这其中就包括流变性能的改变，流变性能随时间的改变本质就是流变参数随时间的改变过程。如果能够建立一种既考虑到含水状态对岩石流变力学参数的影响，又考虑到岩石流变力学参数随时间变化的本构关系，就能够更加准确地反映岩石的非线性蠕变力学特性。

基于此，根据室内蠕变试验结果，在研究泥岩的非线性蠕变特征时主要考虑含水劣化的影响及泥岩流变力学参数的时间效应，建立一个基于 Burgers 模型的考虑含水损伤效应的非定常参数蠕变模型。

根据老化理论，岩石流变的总变形被认为是瞬时弹性变形与随时间增长的蠕变变形之和，即

$$\varepsilon = \varepsilon_0 + \varepsilon(t) \tag{4-22}$$

式中，ε 为总应变；ε_0 为瞬时弹性应变；$\varepsilon(t)$ 为随时间增长的蠕变应变。

如果要考虑损伤对岩石变形的影响，可以将其分为瞬时弹性损伤与长期蠕变损伤，建立的红层泥岩的非线性蠕变模型也将考虑这两者的影响。

根据损伤力学理论，定义损伤变量主要有两类方式[132]：第一类是几何损伤中根据结构有效承载面积定义的损伤变量，这种方式认为材料有效承载面积的减小是引起损伤的主要原因，即

$$D = 1 - \frac{A_{\mathrm{W}}}{A} \tag{4-23}$$

式中，A_{W} 为材料有效承载面积；A 为材料表观截面积。

第二类是基于能量损伤中弹性模量的改变定义的损伤变量，认为损伤源自材料弹性性能的劣化。在此，采用第二种方式定义不同含水条件下岩石的损伤变量。

考虑含水损伤效应对岩石蠕变性质的影响，主要是建立岩石的蠕变参数与含水率的关系，从而体现在岩石的蠕变方程中。根据前述蠕变参数与泥岩含水率的关系特征描述，模型中瞬时弹性模量和蠕变模型与含水率表现出较强的相关性。为此，在定义红层泥岩含水损伤变量时，主要考虑含水率对初始瞬时弹性模量及蠕变模量的影响。基于应力加载初始弹性模量的变化定义瞬时弹性损伤变量，基于蠕变模量的变化定义长期蠕变损伤变量。

1) 瞬时弹性损伤

根据红层泥岩的蠕变试验结果，可发现不同含水状态岩样在同一加载应力水平下的瞬时弹性模量(E_{M})有显著差异，含水率越高的岩样的瞬时变形越大，在蠕变模型中体现为瞬时弹性模量呈指数降低。瞬时弹性损伤变量定义如下：

$$D_1(w) = \frac{E_1(0) - E_1(w)}{E_1(0)} \tag{4-24}$$

式中，$E_1(0)$ 为干燥状态岩样的弹性模量；$E_1(w)$ 为任意含水状态岩样的弹性模量。

　　从式(4-24)可以看出，随着岩样含水率的增加，瞬时弹性损伤变量 $D_1(w)$ 也会逐渐变大，由于饱和状态的岩石仍具有一定的变形模量，$D_1(w)$ 始终小于 1。在分析过程中，为了反映含水状态改变引起的瞬时弹性模量的损伤效应，将干燥岩样的损伤定义为零。随着含水率的增加，损伤逐渐增大，且损伤随含水率的变化是连续的。

　　把不同含水率红层泥岩相应的平均弹性模量 $E_1(w)$ 代入式(4-24)，计算出不同含水状态岩样的瞬时弹性损伤变量 $D_1(w)$ (表 4-11)，根据前面的分析，两者呈指数函数关系，通过数学回归分析得到瞬时弹性损伤变量随含水率变化的演化方程，即

$$D_1(w) = 1.006\left[1 - \exp(-0.247w)\right] \tag{4-25}$$

式中，w 为岩样含水率，%。

　　式(4-25)对 w 求导可得到瞬时弹性损伤变化率 $\dot{D}_1(w)$，即

$$\dot{D}_1(w) = 0.248\exp(-0.247w) \tag{4-26}$$

表 4-11　不同含水状态岩样的瞬时弹性损伤

含水率/%	0	3.51	4.99	7.27
$E_1(w)$ /MPa	230.10	107.21	62.50	32.61
$D_1(w)$	0	0.534	0.728	0.858
$\dot{D}_1(w)$	0.248	0.115	0.074	0.036

　　从表 4-11 可以看出，随着含水率的提高，岩样的瞬时弹性损伤也不断增大，瞬时弹性损伤变化率呈现指数衰减趋势。

　　2) 长期蠕变损伤

　　根据岩石试样在不同含水状态下的蠕变模量(E_K)的变化来定义长期蠕变损伤，其原理与瞬时弹性损伤相同。缪协兴等[133]研究发现，随着蠕变时间的推移，泥岩的等时应力-应变曲线不断下偏，曲线斜率逐渐减小，将等时应力-应变曲线上直线段的斜率定义为弹性模量已经没有意义了，称为蠕变模量。巨能攀等[46]通过红层泥岩蠕变试验研究发现，在未达到加速蠕变阶段之前，红层泥岩主要表现为黏弹性变形的蠕变特性，黏弹性变形对应等时应力-应变曲线中的近线性段。因此，将等时应力-应变曲线的斜率定义为蠕变模量，用 E_2 表示，将长期蠕变损

伤变量定义如下：

$$D_2(w) = \frac{E_2(0) - E_2(w)}{E_2(0)} \tag{4-27}$$

式中，$E_2(0)$ 为干燥状态岩样的蠕变模量；$E_2(w)$ 为任意含水状态岩样的蠕变模量。

同样认为干燥状态岩样的长期蠕变损伤为 0，随着含水率的提高，岩样的蠕变模量会逐渐减小，由于试样达到饱和状态时仍具有一定变形模量，蠕变模量并不会减小到 0，所以 $D_2(w)$ 同样小于 1。

基于等时应力-应变曲线求得不同含水状态岩样各时刻的平均蠕变模量 $E_2(w)$ 并代入式(4-27)，计算出不同含水状态岩样的长期蠕变损伤变量 $D_2(w)$(表 4-12)，通过数学回归分析得到长期蠕变损伤变量随含水率变化的演化方程，即

$$D_2(w) = 0.413\big[\exp(0.113w) - 1\big] \tag{4-28}$$

式中，w 为岩样含水率，%。

式(4-28)对 w 求导可得到长期蠕变损伤变化率 $\dot{D}_2(w)$，即

$$\dot{D}_2(w) = 0.047\exp(0.113w) \tag{4-29}$$

表 4-12　不同含水状态岩样的长期蠕变损伤

含水率/%	0	3.51	4.99	7.27
$E_2(w)$ /MPa	53.92	43.24	37.88	21.52
$D_2(w)$	0	0.198	0.297	0.601
$\dot{D}_2(w)$	0.047	0.067	0.082	0.114

从表 4-12 可以看出，随着含水率的增加，岩样的长期蠕变损伤也会变大，并且长期蠕变损伤变化率也呈现递增趋势。

4.9.2　考虑流变力学参数时间效应的非线性蠕变模型

大量试验已经证实，岩石的弹性模量、黏滞系数等参数都会随时间的增长而变化[127]。如果能够将蠕变本构模型中的定常参数替换为非定常参数，可以从本构方程的角度来表征岩石的损伤演化和力学特性劣化过程，能够更加直观地体现岩石的非线性流变过程。

根据泥岩蠕变试验结果，发现泥岩的蠕变模量会随着时间逐渐衰减。许宏发[127]基于泥质板岩的单轴压缩蠕变试验认为强度和弹性模量都随时间增长呈负指数衰减。丁志坤等[134]改进了广义 Kelvin 模型，认为 Kelvin 体中的黏弹性

模量参数 E_K 与时间有关，假定 E_K 为与时间呈指数函数关系的非定常参数，构建了页岩的黏弹性非定常蠕变方程，通过蠕变试验值和理论计算值的比较，发现相对于定常蠕变模型，非定常黏弹性蠕变模型能更好地反映页岩的黏弹性变形性能。

基于此，将 Burgers 模型中 Kelvin 体的线性弹性元件改进为与时间相关的非线性弹性元件，假定其蠕变参数 E_K 为与时间呈负指数关系的非定常参数，具体形式如下：

$$E_K(t) = p_1 + p_2 e^{-p_3 t} \tag{4-30}$$

式中，p_1、p_2、p_3 为改进非线性弹性元件的蠕变参数，可由蠕变曲线拟合得到，其中 p_3 为不小于 0 的常数；t 为蠕变加载时间。

由此可得改进非线性弹性元件的本构方程为

$$\sigma = (p_1 + p_2 e^{-p_3 t})\varepsilon \tag{4-31}$$

在岩石蠕变加载期间，岩石的非线性蠕变特征主要在衰减蠕变与加速蠕变阶段比较突出，即岩石材料硬化与软化的变化过程。在本节试验条件及加载应力水平下，泥岩只经历了瞬时弹性变形、衰减蠕变及稳定蠕变阶段，没有进入加速蠕变阶段，因此这里主要研究泥岩的硬化过程。

基于硬化理论，岩石流变的状态方程可以由应力、应变与应变速率三者之间的关系表示，即

$$\dot{\varepsilon} = f(\sigma, \varepsilon) = \frac{F(\sigma)}{\phi(\varepsilon)} \tag{4-32}$$

从式(4-32)可以看出，在恒定加载应力下，岩石的蠕变速率随着应变的增大不断降低，也可以理解为随着蠕变加载时间的延长，岩石的蠕变速率逐渐降低，岩石表现出类似硬化的特征。

范庆忠等[135]认为岩石蠕变过程中损伤软化与蠕变硬化并存，通过引入损伤变量与硬化函数，建立了软岩非线性蠕变方程。杨珂等[136]认为岩石的黏滞系数并不是恒定不变的，而是随着加载应力和时间变化的，他们改进了牛顿体的线性黏滞系数，将其修正为与加载应力和时间相关的非定常参数。因此，基于前人的研究经验，根据内江北站红层泥岩衰减蠕变阶段的非线性特征，参考徐达[137]对贵州红层泥岩、砂质泥岩和砂岩非线性蠕变特征的研究，改进 Burgers 模型中 Kelvin 体与蠕变衰减速度相关的线性黏性元件，替换为黏滞系数随时间变化的非线性黏性元件，其中非线性黏滞系数满足

$$\eta_{\mathrm{K}}(t) = \eta_2\left[1 + \frac{(\alpha-1)t}{t+\alpha}\right] \tag{4-33}$$

式中，η_2 为初始黏滞系数；t 为蠕变时间；α 为材料常数，满足 $\alpha > 0$。

从式(4-33)可以看出，当 $t = 0$ 时，$\eta_{\mathrm{K}}(t) = \eta_2$；当 $t \to \infty$ 时，$\eta_{\mathrm{K}}(t) \to (\alpha-1)\eta_2$，即趋向于初始黏滞系数 η_2 的 $\alpha-1$ 倍。可将函数关系式进一步写为

$$\eta_{\mathrm{K}}(t) = \eta_2\left[\alpha - 1 + \frac{\alpha(1-\alpha)}{t+\alpha}\right] \tag{4-34}$$

可以发现，当 $0 < \alpha < 1$ 时，黏滞系数 $\eta_{\mathrm{K}}(t)$ 随着时间的增加而逐渐变小；当 $\alpha = 1$ 时，黏滞系数 $\eta_{\mathrm{K}}(t)$ 保持不变；当 $\alpha > 1$ 时，黏滞系数 $\eta_{\mathrm{K}}(t)$ 随着时间的增加逐渐变大。

由此可得非线性黏性元件的本构方程为

$$\sigma = \eta_2\left[1 + \frac{(\alpha-1)t}{t+\alpha}\right]\dot{\varepsilon} \tag{4-35}$$

4.9.3　改进的 Burgers 非线性蠕变模型

基于 Burgers 蠕变模型，对其中的 Maxwell 体与 Kelvin 体进行修正，加入考虑含水损伤的影响及流变参数的时间效应，改进的考虑含水损伤效应的非定常参数 Burgers 蠕变模型如图 4-33 所示。

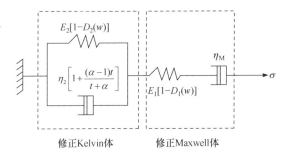

图 4-33　改进的考虑含水损伤的 Burgers 非线性蠕变模型

改进的 Burgers 模型主要是用 $E_1[1-D_1(w)]$、$E_2[1-D_2(w)]$ 与 $\eta_2\left[1 + \frac{(\alpha-1)t}{t+\alpha}\right]$ 分别代替原 Burgers 模型中的 E_{M}、E_{K} 和 η_{K}，其中 $E_2 = p_1 + p_2 \mathrm{e}^{-p_3 t}$。将改进的蠕变参数分别代入 Burgers 模型的本构方程，得到改进的 Burgers 非线性蠕变模型的本构方程，即

$$\ddot{\sigma} + \left\{ \frac{E_1[1-D_1(w)]}{\eta_M} + \frac{E_1[1-D_1(w)]}{\eta_2\left[1+\dfrac{(\alpha-1)t}{t+\alpha}\right]} + \frac{\left(p_1+p_2\mathrm{e}^{-p_3t}\right)[1-D_2(w)]}{\eta_2\left[1+\dfrac{(\alpha-1)t}{t+\alpha}\right]} \right\}\dot{\sigma}$$

$$+ \frac{\left(p_1+p_2\mathrm{e}^{-p_3t}\right)[1-D_2(w)]E_1[1-D_1(w)]}{\eta_2\left[1+\dfrac{(\alpha-1)t}{t+\alpha}\right]\eta_M}\sigma \tag{4-36}$$

$$= E_1[1-D_1(w)]\ddot{\varepsilon} + \frac{E_1[1-D_1(w)]\left(p_1+p_2\mathrm{e}^{-p_3t}\right)[1-D_2(w)]}{\eta_2\left[1+\dfrac{(\alpha-1)t}{t+\alpha}\right]}\dot{\varepsilon}$$

在蠕变试验中，荷载 $\sigma = \sigma_0$ 恒定，则 $\dot{\sigma} = \ddot{\sigma} = 0$，代入式(4-36)整理得到改进的 Burgers 非线性蠕变模型的蠕变方程，即

$$\varepsilon = \frac{\sigma_0}{E_1[1-D_1(w)]} + \frac{\sigma_0}{\eta_M}t + \frac{\sigma_0}{\left(p_1+p_2\mathrm{e}^{-p_3t}\right)[1-D_2(w)]}$$

$$\times\left(1-\exp\left\{-\frac{\left(p_1+p_2\mathrm{e}^{-p_3t}\right)[1-D_2(w)]}{\eta_2\alpha}[t+(\alpha-1)\ln(t+1)]\right\}\right) \tag{4-37}$$

式中，$D_1(w)$、$D_2(w)$ 分别为瞬时弹性损伤变量与长期蠕变损伤变量，参见式(4-25)与式(4-28)。

4.9.4　蠕变模型的参数识别

与前面 Burgers 模型参数识别相同，对改进的 Burgers 非线性蠕变模型参数识别同样根据室内单轴压缩蠕变试验结果，基于 Origin 软件自定义拟合函数，利用 L-M 优化算法拟合蠕变试验曲线，可获得不同含水率泥岩相关的蠕变模型参数，以及改进的 Burgers 非线性蠕变模型针对不同含水状态泥岩蠕变特征的适用性。

在进行系统参数识别时，令 $E_M = E_1[1-D_1(w)]$，$E_K = E_2[1-D_2(w)]$，其中 $E_2 = p_1 + p_2\mathrm{e}^{-p_3t}$，所以需要识别的蠕变参数有 E_M、η_M、p_1、p_2、p_3、η_2 和 α，由于参数比较多，拟合收敛较难，基于前面求得的 Burgers 模型蠕变参数，给定其中部分参数初始近似值范围，然后在此基础上迭代，经过反复迭代，使其满足所需的精度。不同含水状态泥岩蠕变试验曲线和改进的 Burgers 非线性蠕变模型拟合曲线对比如图4-34～图4-37所示。拟合所得的蠕变参数如表4-13所示。

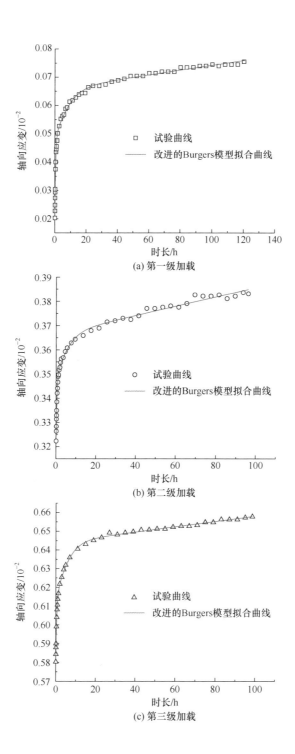

(a) 第一级加载

(b) 第二级加载

(c) 第三级加载

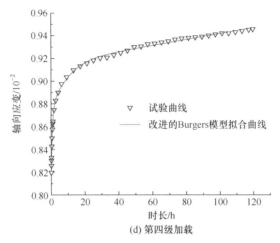

(d) 第四级加载

图 4-34　干燥试样蠕变试验曲线和改进的 Burgers 非线性蠕变模型拟合曲线对比

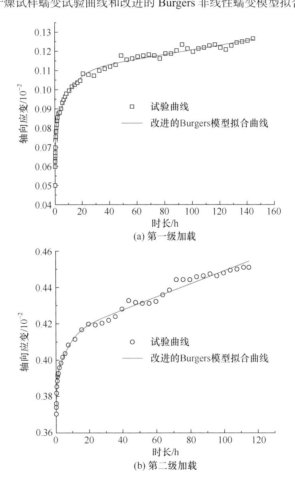

(a) 第一级加载

(b) 第二级加载

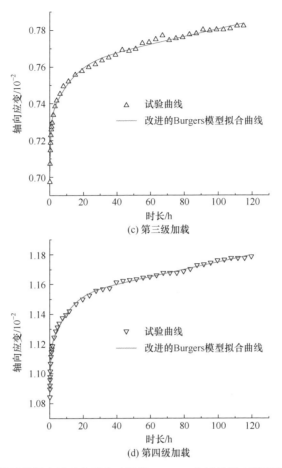

(c) 第三级加载

(d) 第四级加载

图 4-35　天然试样蠕变试验曲线和改进的 Burgers 非线性蠕变模型拟合曲线对比

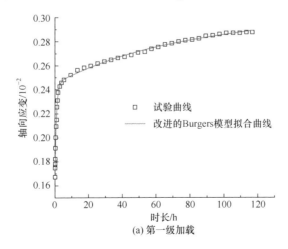

(a) 第一级加载

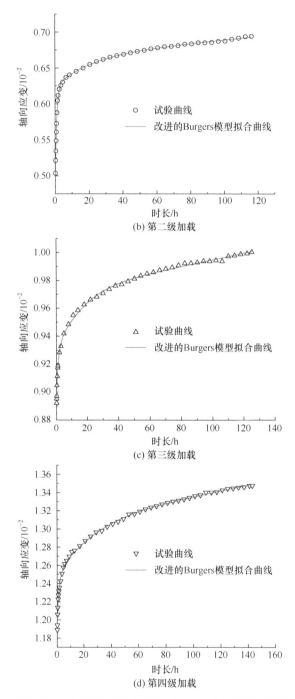

图 4-36　泡水 3d 试样蠕变试验曲线和改进的 Burgers 非线性蠕变模型拟合曲线对比

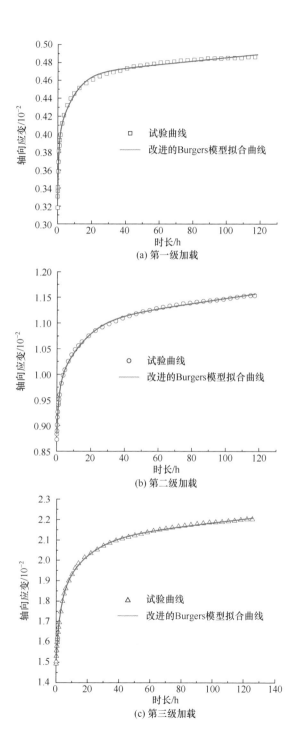

(a) 第一级加载

(b) 第二级加载

(c) 第三级加载

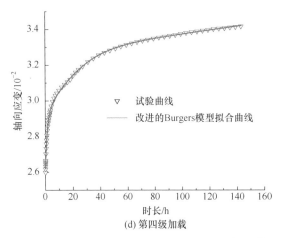

(d) 第四级加载

图 4-37　泡水 5d 试样蠕变试验曲线和改进的 Burgers 非线性蠕变模型拟合曲线对比

表 4-13　不同含水状态泥岩改进的 Burgers 模型蠕变参数

w_0/%	$\Delta\sigma$/kPa	E_M /MPa	η_M /(GPa·h)	p_1 /MPa	p_2 /MPa	p_3 / h^{-1}	η_2 /(GPa·h)	α	R^2
0	300	959.30	176.40	299.56	157.07	0.143	0.20	1.52	0.998
	600	94.45	156.51	614.40	347.67	0.213	0.33	1.65	0.996
	900	78.30	317.17	650.79	479.54	0.225	0.46	1.66	0.999
	1200	73.35	230.38	613.47	381.40	0.123	0.74	1.56	0.998
3.51	300	277.77	123.53	275.07	251.62	0.120	0.25	2.31	0.994
	600	81.82	83.87	641.85	577.44	0.178	0.45	1.52	0.994
	900	64.75	217.33	692.87	486.68	0.111	0.67	2.56	0.997
	1200	55.42	245.01	883.08	756.79	0.134	0.80	2.06	0.998
4.99	300	90.78	106.08	137.77	49.89	0.027	0.16	1.34	0.998
	600	61.51	121.73	169.57	47.96	0.055	0.21	1.23	0.999
	900	50.46	190.58	567.04	490.20	0.078	1.16	1.81	0.998
	1200	50.37	189.34	532.56	433.47	0.051	1.27	1.76	0.999
7.27	300	47.68	77.78	98.94	73.23	0.140	0.10	1.80	0.998
	600	34.27	61.07	134.34	128.00	0.093	0.30	1.42	0.999
	900	30.03	49.91	75.56	51.07	0.068	0.31	1.15	0.999
	1200	23.05	56.72	89.94	86.69	0.061	0.24	1.31	0.999

注：实际应力水平按 $\Delta\sigma = \sigma_1(1-\lambda)$ 计算，取侧压力系数 $\lambda = 0.5$ 。

由表 4-13 可以发现，改进的 Burgers 非线性蠕变模型参数的变化同样与加载应力水平及岩样含水状态有一定的相关性。拟合所得的参数 E_M 整体上随着应力和含水率的增加呈衰减趋势；在同一加载应力水平下，η_M 也随着含水率的增加呈递减趋势，这与泥岩的稳态蠕变速率随含水率的增加呈递增趋势相吻合。p_3 均大于 0，说明 E_K 随着时间的增长呈衰减趋势；α 均大于 1，说明黏滞系数随着时间的增长逐渐变大，这符合硬化理论的机制，以上两者揭示了泥岩蠕变参数的时间效应。在同一含水状态下，η_2 随着加载应力的增加整体上呈增大趋势，这是由于在分级加载过程中，岩石应变硬化是连续的，即上一级应力产生的硬化效应会延续至后续各级应力下的蠕变。然而，在分别拟合每一级应力下的蠕变曲线时，时间都是从加载后算起的，但实际的黏滞系数 η_2 应从上一级加载末算起，因此 η_2 随应力增加是合理的[53]。

从图 4-34~图 4-37 可以看出，改进的 Burgers 非线性蠕变模型拟合曲线和蠕变试验结果非常吻合，相关性系数 R^2 均大于 0.994。对比图 4-28~图 4-31 可以发现，改进的 Burgers 非线性蠕变模型比原 Burgers 模型对蠕变试验值拟合的相关性要高很多，表明改进的 Burgers 非线性蠕变模型能够很好地反映泥岩的衰减蠕变和稳定蠕变过程。

4.10　多级卸载-干湿循环耦合蠕变特征

对于红层等易风化软岩工程开挖，浅表层大气急剧影响层和大气影响层深度范围内岩体的物理力学性能将随时间产生显著的变化。为揭示红层软岩路基开挖后浅层岩体受剧烈大气环境改变对路基长期变形特征的影响，本节将通过卸载-干湿循环耦合岩样的长期变形特征试验，分析反复干湿循环作用下，不同上覆荷载岩石的长期变形及劣化特征。

与以往的卸载蠕变和干湿循环变形试验不同，本次试验首先对受侧向约束岩样施加 200kPa 轴向压力，并记录试样在荷载作用下的压缩变形，直至变形稳定，模拟原状岩体在天然场地中受上覆压力作用变形稳定的初始状态。然后分别对编号为 11#、12#和 13#的三个试样轴向卸除 1 个砝码、2 个砝码和 3 个砝码，即轴向剩余 150kPa、100kPa 和 50kPa 压力。在此轴向应力状态下，对岩样进行多次干湿循环作用，此时岩样将产生由卸荷引起的回弹变形及由吸水和失水引起的胀缩变形，并且随着干湿循环作用，岩样物理力学性能劣化，在稳定的轴向压力作用下引起的变形也将产生差异，在此过程中记录反复干湿循环过程中试样轴向变形特征，获得试样在卸荷-反复干湿循环耦合作用下的蠕变曲线。

图 4-38 为三个泥岩试样在不同卸荷量前 16 次干湿循环作用下的胀缩变形曲线，与第 3 章无应力作用下试样的干湿循环胀缩变形特征相同，在每次吸水和失水过程中，泥质岩膨胀和收缩变形速率均是在起始较短时间内大，随后变小并趋于稳定。除此之外，由于上覆压力的存在，试样表现出不同的变形特征：

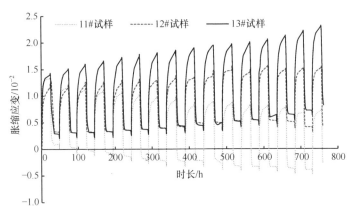

图 4-38 卸载-干湿循环耦合蠕变曲线

(1) 试样在经历反复干湿循环过程中的胀缩变形曲线与上覆压力大小直接相关,上覆压力的存在抑制了试样在吸水后产生的膨胀变形,与无上覆压力干湿循环试验相比,最大应变减小近 80%。

(2) 反复干湿循环下试样的胀缩变形特征与上覆压力大小相关,随着干湿循环次数的增加,上覆压力最小的 13#试样(50kPa)膨胀和收缩包络线总体上升(图 4-39);12#试样膨胀包络线则几乎水平,即在反复干湿循环作用下未产生累积膨胀变形;上覆压力增大到 150kPa 后(11#试样),随着干湿循环次数增加,膨胀变形反而逐渐减小,从第 3 次干湿循环开始即已出现明显的压缩变形(图 4-40)。

可以看出,在上覆压力卸载量较大的情况下,随着风化进程,红层泥岩会产生缓慢的膨胀变形,而上覆压力卸载量较小时,则出现收缩变形现象。因此,对于大气急剧影响范围的红层泥岩,受开挖卸荷量不同,将表现出膨胀或者收缩两种不同的变形趋势,即路基表层岩体将可能产生缓慢上拱或者沉降变形趋势。

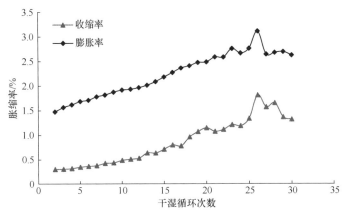

图 4-39 上覆 50kPa 的 13#试样干湿循环胀缩曲线

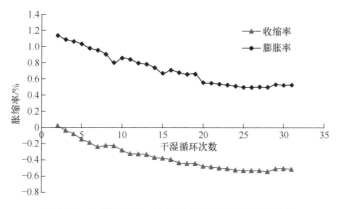

图 4-40　上覆 150kPa 的 11#试样干湿循环胀缩曲线

4.11　深路堑路基上拱变形机理初步分析

需要说明的是，室内岩石试样的卸载蠕变试验与实际工程中深路堑开挖后地基岩体的卸载蠕变应力特征并不是对应的，室内岩石试样的卸载是应力在竖向的卸载，此时岩石试样侧向也相应卸载，监测的试样竖向变形随时间的变化规律应该是岩石的瞬时弹性回弹变形及滞后性的蠕变恢复变形(也称为弹性后效变形)；工程现场深路堑的卸载表面上是开挖卸除上覆压力，但是从实际地基岩体所处的应力状态来看，竖向应力卸载后，水平应力却增大，也就是说，工程岩体开挖卸荷实质上是竖向卸载+水平加载状态，并且水平压应力大于竖向压应力，最大压应力方向从竖向转换成水平向(图 4-41)。室内试验验证了在单向加载和卸载下岩石的蠕变性能，对应于实际工程岩体，开挖后短期内应该是地基岩体的卸荷回弹变形和滞后性弹性后效变形，水-力耦合卸载蠕变试验已经证明在此情况下的弹性后效变形具有显著的时效性，产生的上拱变形大、时间长；随着地基岩体应力调整，水平应力不断增大且大于竖向压应力，此时地基岩体处于水平加载，引起竖向膨胀蠕变变形，试验也证明了水-力耦合加载状态下红层软岩具有显著的蠕变特性，并且已有研究表明，具有低应力流变特性的岩石在压缩荷载作用下的侧

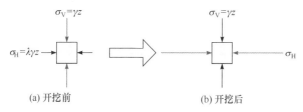

图 4-41　深路堑开挖前后地基岩体应力变化(灰色箭头为最大主压应力)

向蠕变变形显著。为此，地基岩体将在较长时间内出现水平加载引起的竖向膨胀蠕变变形。无论短期的卸载蠕变还是长期的加载蠕变，最终都表现为路基的竖向上拱变形。

总的来看，内江北站泥岩在较低应力水平下即表现出显著的流变特性，水-力耦合作用下加载和卸载蠕变应变较大且变形达到稳定的时间较长。

对内江北站红层砂泥岩试样在多种不同水环境、应力状态下的蠕变试验结果显示，红层泥岩的时效性变形受空气湿度、地下水、上覆压力加卸载等因素影响。首先，这表明内江北站红层泥岩的吸水性较强，可以从潮湿空气中吸收水分，开挖后路基一定范围内泥岩含水率随时间增长，从而产生缓慢的时效性膨胀变形，并且产生较大的膨胀力，但是此时效膨胀变形较小；其次，受施工开挖影响，路堑边坡及基底岩体应力重分布，红层泥岩在加载作用下产生的蠕变变形和持续时长均显著大于卸载效应，并且低应力下泥岩的蠕变效应显著强于砂岩；最后，对于路基以下浅部大气急剧影响层内红层泥岩，在裸露或者剧烈的干湿、冷热循环情况下将产生急剧的风化变形，不同深度处受上覆压力和水汽交换过程影响，产生渐进性胀缩变形，力学性能快速劣化；同时，处在地下水位以上、大气影响层以下的部分，非饱和泥岩同样可以吸收下部蒸发水分，泥岩含水率随时间改变，从而产生非线性的时效性变形。也就是说，对于红层泥岩，宏观的大气影响层应该包括整个地下水位以上部分。初步地，可以将基底红层泥岩分为大气影响层、水汽影响层和地下水位以下的多年浸水饱和层(图 4-42)。

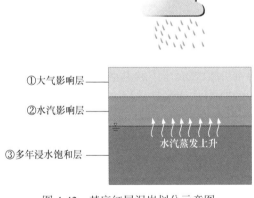

图 4-42　基底红层泥岩划分示意图

对于最底下的多年浸水饱和层，若上覆条件不改变(没有进行施工开挖卸荷、地下水分布不改变等)，则膨胀变形处于平衡状态，但是大开挖卸荷使上覆压力减小、闭合裂隙张开，深路堑边坡坡脚应力分异产生较大的切向应力，将会出现新的膨胀变形空间，从而产生吸水膨胀耦合蠕变的综合时效性变形。但是，由于泥岩依然处于完全浸水状态,这种饱和吸水膨胀在一定时间后将重新达到平衡状态,表现为时效性变形趋于稳定。最顶部的大气影响层与传统膨胀岩大气影响的机理相同,该层位厚度较小,受大气降雨及温湿度改变而改变,同时也是泥岩性质劣化最为显著的层位,在路基建设过程中会采取相应的工程措施,避免岩体过度劣化产生的影响。然而,对于大气影响层以下、地下水位以上的水汽影响层,由于上覆存在一定的压力、没有浸没在水中,往往被认为是较为稳定的岩层而被忽视。实际上,红层泥岩的吸水能力较强,靠近地下水位部分岩体极易吸收水分,而这种吸水速度缓慢,产生的时效性膨胀变形更为显著,泥岩在吸水→膨胀→劣化→进一步吸水→进一步膨胀→进一步劣化……的过程中表现出缓慢的膨胀变形,达到平衡状态的过程也就更长。

因此,从泥岩吸水的时效膨胀性角度来看,实际深路堑开挖后产生的基底持续上拱变形,除卸荷回弹变形在短时间内完成外,还将产生如下变形。

变形 1:大气影响层泥岩由于卸荷及大气温湿度循环改变,出现快速的风化过程,风化过程中泥岩力学性能劣化,开始阶段出现膨胀变形,随着完全风化,泥岩崩解又出现压缩变形;由于红层泥岩极易风化、崩解,在没有工程保护措施的情况下,此阶段在开挖后较短时间内即完成并稳定。

变形 2:处于地下水位以下的泥岩层,开挖卸荷使得部分原本闭合的裂隙张开,裂隙面亲水性黏土矿物吸水产生膨胀变形。由于上覆存在较大的压力,饱水层岩体吸水产生的时效性膨胀变形将不会持续很长时间。当然,由水-力耦合加卸载蠕变试验结果可知,饱水状态下泥岩卸荷蠕变变形将明显大于无水卸荷回弹变形,也就是说,此阶段变形时长及变形量将显著大于卸荷回弹及大气影响层泥岩的变形,变形时长可能持续数月,最后逐渐趋于稳定。

变形 3:位于大气影响层和多年浸水饱和层之间的红层泥岩处于典型的非饱和状态,由于其较强的吸水能力,将缓慢吸收地下水上升的水汽;同时,此层岩体由于开挖卸荷产生的卸荷裂隙,将比地下水位岩体更加发育,这也更加有利于其吸湿膨胀。从而,该层岩体将产生显著的时效性变形。同时,只要地下水位保持稳定,有稳定的水汽补充,该层岩体也将产生稳定的蠕变膨胀变形。这也可以解释内江北站路基持续上拱变形规律与降雨、季节没有表现出较强的相关性,而是呈稳定的持续上拱。因为短期(卸荷回弹、大气影响层膨胀变形)或者中期(饱水层岩体吸水膨胀)的时效膨胀变形结束后,水汽影响层岩体的蠕变膨胀变形是受地下水上升影响的,泥岩的渗透率极低,该层岩体受大气降雨入渗影响很小,从而呈现出持续线性蠕变上拱现象。

在上拱量值及阶段方面,路基表面监测的总上拱变形包含基底下各层岩体在不同机理下的膨胀变形总和。中、短期时间内,膨胀变形是由卸荷瞬时回弹变形、卸荷滞后性回弹变形、泥岩饱水时效性膨胀变形组成的,膨胀变形速率较快,变形总量较大；长期来看，在前述变形稳定后，主要以水汽影响层泥岩的吸湿蠕变膨胀变形为主，变形速率显著减小，最终产生的总膨胀变形量也小得多，但是变形持续的时间长得多。理论上，长期上拱变形主要是由泥岩吸湿水-力耦合作用下产生的时效性膨胀变形总量，该值应为泥岩自由膨胀量，但是由于上覆荷载的存在，在工程期内不可能发挥出理想状态下的自由膨胀率量值，而将在一定时间内达到平衡，变形也将进入稳定阶段。

第5章 红层软岩深挖路堑地基变形理论研究

5.1 深路堑场地应力环境分析

应力场是引起工程岩体产生异常变形的重要外因，特别是深埋地下工程中，围岩的大变形往往与高地应力相关，这种高应力场大多由特定区域的地质构造特征引起。为查明引起内江北站深挖路堑长期上拱变形的应力场因素，首先有必要对工程区构造应力环境进行分析。

四川盆地地貌类型主要包括中山、低山及丘陵。盆地边缘岩性坚硬，形成山地地貌，向盆地中部过渡为台状低山、深丘和浅丘地貌，岩性软弱。侏罗纪~白垩纪以来，四川盆地内沉积了一套湿热气候下形成、分布广泛、厚度巨大的河、湖相红色碎屑岩，即红层。四川盆地内除成都平原、华蓥山等地区外，全部为红层出露区。四川盆地属中生代内陆拗陷为主的大型沉降盆地，燕山运动使其发生全面褶皱，形成了川中褶带，以一系列新华夏系的北东向和北北东向构造形迹为主。龙泉山、华蓥山间的川中地区构造变动轻微，形成开阔、平缓的东西向褶曲，喜山运动迭加形成了类型多样的旋扭构造。两期构造运动使四川盆地地质构造类型多样，褶曲、断裂、构造裂隙展布方向受其控制，可分为盆地西部的新生代断陷、川中褶皱带、川东褶皱带等地质构造分区[138]。

内江市处于四川盆地腹心地带川中地区，地貌以浅丘和缓丘为主，地质构造较简单，地壳相对稳定，区内出露地层主要受资威穹窿背斜、圣灯穹窿背斜和螺观山背斜三大地质构造影响，内江北站所在的内江市东兴区位于四川沉降带中部、威远背斜北翼，无大的断层发育[139]。构造上，川中刚性基底受新构造运动影响较小，地壳隆升程度低，盆地上侏罗统岩层属于水平构造，受地壳运动影响较轻微，这种条件下外动力作用占优势，地表被剥蚀降低，丘陵顶部为粉砂岩、泥岩类岩石时，因风化作用呈浑圆形态，顶部为厚层砂岩时则形成方山丘陵[18]。从地质构造上，内江北站所在区域不受水平构造作用影响，原始状态以竖向自重应力为最大主应力，水平应力为在竖向自重应力作用下产生的被动压力。

　　从图 5-1 可以看出，地貌上内江地区主要以构造剥蚀浅、中丘陵为主，占97.6%，以泥岩地层分布的浅丘和缓丘为主，相对高差为数十米至 100m。当丘顶为疏松的泥岩组成时，呈馒头形、浑圆状丘顶地貌，切割深度仅 30～50m，总体地层产状平缓，没有明显的强烈构造作用痕迹，可不考虑区域构造应力作用。

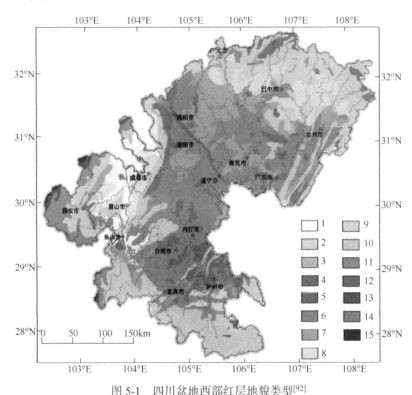

图 5-1　四川盆地西部红层地貌类型[92]

1. 冲洪积平原及山间河谷平坝；2. 冰水-冰碛Ⅰ级台地；3. 冰碛-冰水Ⅱ～Ⅲ级台地；4. 构造剥蚀缓丘；5. 构造剥蚀浅丘；6. 构造剥蚀中丘；7. 构造侵蚀深丘；8. 构造侵蚀低山；9. 侵蚀构造低山；10. 侵蚀溶蚀低山；11. 剥蚀侵蚀中山；12. 构造溶蚀中山；13. 构造侵蚀中山；14. 构造剥蚀山间盆地；15. 构造侵蚀高山

5.2　深路堑边坡与地基地应力特征分析

　　在宏观区域内无显著构造应力影响的情况下，进一步将研究缩小到工程区尺度范围，研究范围在工程开挖前为稳定的岩体自重应力场，工程开挖后局部应力场调整，尤其是坡脚附近为应力集中区，影响范围以外则趋于原始自重应力场状态。

　　岩体地应力状态是影响路基开挖卸荷变形的另一重要因素，特别是流变性显著的红层软岩，深路堑开挖后岩体应力重分布，为软岩流变提供了应力环境条件。

为查明工点区段岩体应力状态,2018 年 8 月分别对上拱变形段路基及邻近边坡坡顶进行了不同深度地应力的水压致裂法测试。路基地应力测试孔布置两个,其位置和孔深如图 5-2 所示,坡顶地应力测试孔距离边坡水平距离为 50m,孔深 93.6m,坡脚路基地应力测试孔距离路堑边坡坡脚约 30m,孔深 52m。通过水压致裂测试,获得了开挖路堑坡顶及路基底层岩体的水平最大主应力 σ_H、最小主应力 σ_h 和最大主应力方向;计算竖向自重应力时,由试验资料取岩体平均容重为 26.5kN/m³。

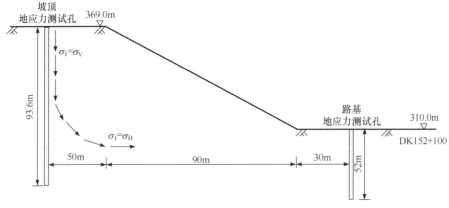

图 5-2　地应力测试孔布置

地应力测试结果如图 5-3 所示。从图 5-3(a)可以看出:

(1) 处于原始应力状态的路基面标高以上及以下一定深度岩体水平应力小于竖向自重应力,侧压力系数 σ_H/σ_v 约为 0.7。结合工点所在川中构造特征分析,上拱区段不受水平构造应力影响,在坡体未开挖情况下,以竖向自重应力为最大主应力。

(2) 路基面高程处水平应力增大,侧压力系数增大,直到距坡顶 73.5m(距路基面标高以下约 14.5m)处岩体水平应力显著增大,σ_H 大于竖向自重应力 σ_v,侧压力系数约为 1.02;随着深度的增大,水平应力有所减小并趋于原始应力状态。

从图 5-3(b)可以看出:

(1) 测试的 44.7m 范围内基底岩体最大水平应力 σ_H 和最小水平应力 σ_h 均明显大于竖向自重应力,特别是基底 29.1m 范围内侧压力系数甚至达到 5.0,应力差 $\Delta\sigma(\Delta\sigma=\sigma_H-\sigma_v)$ 最大达到 2.36MPa。

(2) 路基面 29.1m 以下岩体水平应力有所减小,侧压力系数小于 2.0,应力差 $\Delta\sigma$ 几乎在 1.0MPa 以内。

(3) 基底浅层水平应力在 14.5m 和 20.1m 出现突增现象,对比钻孔岩芯显示,分别对应厚度为 0.5m 和 1.5m 的砂岩层,其余为泥岩,即基底浅层在砂岩层出现水平应力集中现象。

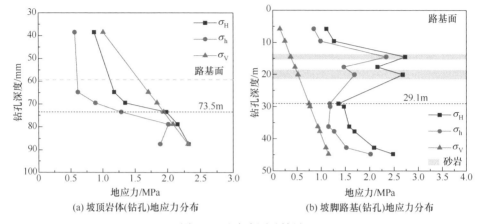

(a) 坡顶岩体(钻孔)地应力分布　　　(b) 坡脚路基(钻孔)地应力分布

图 5-3　地应力测试结果

综合路堑边坡顶部和基底应力分布特征，可得：

(1) 上拱区段原始地应力以竖向自重应力为最大主应力，无水平构造应力影响，进一步验证了前面对工程区宏观区域构造环境的分析结论。

(2) 深路堑开挖后，坡体应力重分布，表现为随深度增大，岩体最大主应力由竖向自重应力向水平应力过渡，使得坡脚以及基底岩体水平应力显著增大，尤其是力学性能更好的砂岩层，水平应力集中明显。

(3) 路基所在位置处基底 29.1m 深度范围内红层软岩水平应力显著大于竖向自重应力，应力差大于 1.0MPa，在此较大水平应力作用下，岩体将可能产生竖向蠕变变形。

地应力方向上，使用钻孔自动定向仪对坡顶钻孔选取有明显破裂压力的 78.6～79.2m 和 87.2～87.8m(路基面高程以下 20～30m 位置)两个测段进行压裂缝印模测定试验(图 5-4(a))，确定两个测段处的最大水平主应力方向分别为 N40°E 和 N42°E。同样的方法，对坡脚路基位置钻孔深度分别为 28.71m 和 35.84m 的两个位置进行压裂缝印模测试(图 5-4(b))，确定其最大主应力方向分别为 N40°E 和 N46°E。两处钻孔地应力方向测试均显示，最大水平主应力方向为 N40°E～N46°E。同时，测点位置处开挖路堑走向(线路走向)为 N40°W，也就是说，最大水平主应力方向与线路近似垂直，基底岩体承受垂直于线路方向、向坡脚外侧挤压的水平应力。

根据现场地质调查及地应力测试成果，对地基一定深度范围内的岩层建立图 5-5 所示的红层软岩地基场地赋存环境概化模型。首先，地层岩性方面，地基以红层泥岩为主，夹部分薄层砂岩，泥岩物理力学性质明显比砂岩差，为简化分析，仅考虑地基为红层泥岩层。其次，地下水环境方面，地基稳定地下水位在路基面以下 4.3～5.1m，表层岩体将受大气降雨及气温的影响。最后，地应力方面，水平应力与竖向应力差值 $\Delta\sigma$ 随深度的增大先增大后减小，最终趋于原始应力状态，存在临界应力差值 $\Delta\sigma_{cr}$，当 $\Delta\sigma \geqslant \Delta\sigma_{cr}$ 时，红层泥岩将在水平应力作用下产生

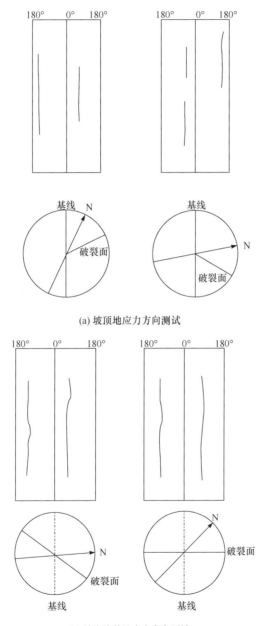

(a) 坡顶地应力方向测试

(b) 坡脚路基地应力方向测试

图 5-4　钻孔地应力方向印模测试

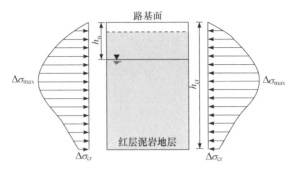

图 5-5　红层软岩地基场地赋存环境概化模型

竖向上拱变形，此时对应地基岩层临界深度 h_{cr}；当 $\Delta\sigma < \Delta\sigma_{cr}$，即岩层深度大于 h_{cr} 时，深部岩体受开挖扰动影响较小，上覆压力较大，现场钻探岩芯显示岩体节理裂隙发育程度低，处于近似封闭稳定的环境，地基变形将不再受应力及地下水作用影响。根据实测应力状态，内江北站地基 h_{cr} 约为 29m。

5.3　红层软岩路基分层变形机理模型

本书第 3 章和第 4 章通过室内膨胀性和蠕变试验，分析了在不同应力和水环境下红层泥岩的时效性变形特征，据此可以在图 5-5 所示红层软岩地基所处的实际应力和水环境状态的基础上，将地基应力影响范围 h_{cr} 深度内岩体按不同变形机理划分为 4 层，依次为大气影响层(C1)、水汽-力耦合变形层(C2)、水-力耦合变形层(C3)、水-力耦合封闭层(C4)，如图 5-6 所示。图中 $\Delta\sigma_u$ 和 $\Delta\sigma$ 为水-力耦合变形层上、下边界对应的应力差值，$\Delta\sigma_{max}$ 为地基岩体最大水平应力差值，$\Delta\sigma_{cr}$ 为引起地基上拱变形的临界应力差值；h_{C1}、h_{C2}、h_{C3}、h_{C4} 和 h_{cr} 分别为地基 C1、C2、C3、C4 变形层对应厚度及变形层总厚度。

据此可以从定性上分析各层位岩体的变形机理，具体如下。

(1) C1：大气影响层。由于红层软岩，特别是泥岩、粉砂质泥岩、泥质粉砂岩等的抗风化能力差，工程开挖揭露后，在降雨、温度变化等大气环境干湿、冷热循环作用下，岩体力学性能显著劣化，短时间内即风化为松散碎屑。由第 3 章红层泥岩多级干湿循环胀缩变形试验结果可知，不考虑上覆荷载情况的干湿、冷热循环作用下，泥岩膨胀变形累积，但是膨胀速率逐渐减小，趋于恒定的膨胀量峰值。该层厚度 h_{C1} 与红层泥岩抗风化能力有关，可参考传统膨胀岩大气急剧影响层厚度确定。由于该层厚度较小，上覆压力及水平应力对岩体的变形不产生影响，变形全部由红层软岩的膨胀及崩解作用引起，在大气降雨补给充足的情况下，

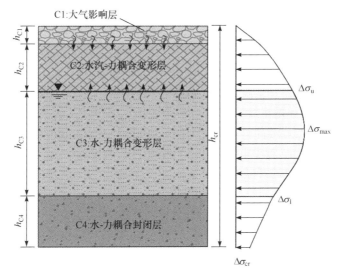

图 5-6　红层泥岩地基分层变形机理示意图

该过程随着完全风化在短时间内就结束，与地基临界深度 h_{cr} 范围内岩体的瞬时卸荷回弹变形共同组成地基短期上拱变形；但是，随着路基封闭施工，水分补给受限，上覆压力增大(基床填料、列车荷载等)，由第 4 章卸载耦合多级干湿循环蠕变试验结果可知，胀缩变形表现出时效性特征，随着上覆荷载的增大，累积膨胀量减小，随着时间的增长，膨胀率减小而收缩率增大，由此产生的时效性膨胀变形也将持续较长时间。

(2) C2：水汽-力耦合变形层。4.7 节红层泥岩水汽-力耦合蠕变试验结果显示，大气影响层以下、稳定地下水位以上厚度为 h_{C2} 的岩体处于上层地表水缓慢入渗和下层地下水蒸发上升水汽的环境，加上竖向较小的自重应力，在水汽和水平应力差$\Delta\sigma$共同作用下，将产生竖向水汽-力耦合蠕变变形。由于存在上覆压力，且岩体没有完全浸没在水中，往往被认为是较为稳定的岩层。实际上，红层泥岩的吸水能力较强，该层岩体受开挖卸荷影响明显，裂隙张开度较大，极易吸收环境中的水汽，而这种吸水速度与裂隙发育特征和岩石本身黏土矿物含量有关，吸水十分缓慢。随着岩体不断吸水，岩石的含水率也随时间改变，从而引起流变变形的非线性特征，由第 4 章不同含水率泥岩蠕变试验结果可知，蠕变变形与含水率相关，此层位岩体产生的时效性膨胀变形更为显著。泥岩在反复吸水和失水过程中逐渐劣化并产生蠕变上拱变形，其过程为：吸水→膨胀→劣化→进一步吸水→进一步膨胀→进一步劣化……。此过程中岩体的流变特性也发生改变，蠕变上拱变形缓慢发展，地应力场也随之调整，经过较长时间的变形和应力动态调整后，最终达到稳定状态(图 5-7)。因此，C2 层岩体的蠕变变形是实际工程中地基长时间缓慢上拱变形的主要原因。

(3) C3：水-力耦合变形层。地下水位以下随着深度的增大，水平应力逐渐增大，直到 20m 左右，应力差达到最大值$\Delta\sigma_{max}$，此后应力差迅速减小。另外，岩体受开挖卸荷影响产生的损伤随着深度的增大而减小，当应力差达到红层泥岩水-力耦合蠕变阈值$\Delta\sigma$ 时，岩体卸荷损伤也很小。该层岩体处于较大的水平应力差作用下，在饱水环境下初始卸荷损伤岩体将产生典型的水-力耦合蠕变变形。由第 4 章红层泥岩水-力耦合蠕变试验结果可知，蠕变应变比δ将随着上覆压力的增大而减小，同时深部岩体受卸荷影响程度小，因此该层岩体蠕变变形随着深度的增大而逐渐减小。根据依托工点地质钻孔及地应力测试成果分析，h_{C3}将不超过 25m。与 C2 层岩体相比，C3 层岩体处于稳定浸水条件，在较大的水平应力差作用下产生的水-力耦合蠕变变形机理与之类似(图 5-7)，但是蠕变稳定时间相对更短、蠕变变形更大，该部分变形是地基出现中～长期上拱变形的主要原因。

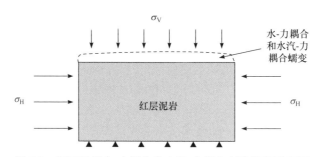

图 5-7 红层泥岩水-力耦合及水汽-力耦合变形机理示意图

(4) C4：水-力耦合封闭层。在 C3 层以下临界深度范围内深部岩体完整，虽然水平应力依然大于竖向自重应力，但是岩体初始损伤极小，上覆压力较大，水平应力差也较小，并且处于稳定的水-力环境中，水-力耦合蠕变变形小、时间短，已不会对路基的宏观上拱变形产生影响。

因此，从红层软岩吸水时效膨胀及蠕变角度分析，根据变形时期及对应地基变形层位，实际深路堑开挖后产生的基底持续上拱变形分为以下 4 个阶段(图 5-8)。

(1) 变形阶段Ⅰ。C1 层岩体由于卸荷及大气温湿度循环改变，出现快速的风化过程，风化过程中泥岩力学性能劣化，伴随着产生不均匀的循环累积膨胀变形；

由于红层泥岩极易风化、崩解，在没有工程保护措施的情况下，此阶段在开挖后数天的短时间内即完成并稳定。同时，由开挖卸荷引起的地基临界深度范围内岩体的卸荷回弹变形也在此期间完成。此阶段处于高速铁路深路堑开挖施工过程中，因此也不会对后期路基稳定性产生影响。

(2) 变形阶段Ⅱ。高速铁路路基施工将表层岩体封闭，限制了 C1 层岩体快速吸水膨胀，而转化为缓慢的时效性膨胀变形；与之相比，C2 层岩体开始受水汽影响产生蠕变上拱，但此层岩体的变形较小；受开挖卸荷影响的 C3 岩层在水-力耦合作用下产生蠕变上拱变形，这是引起地基中期上拱变形的主要因素。由于上覆存在较大的压力，饱水层岩体吸水产生的时效性上拱变形将持续较长时间。另外，C4 层岩体在水-力封闭状态下产生的有限蠕变变形也将在此阶段完成。当然，饱水状态下泥岩卸荷蠕变变形将明显大于仅卸荷作用下的弹性后效变形，也就是说，此阶段变形时长及变形量将显著大于变形阶段Ⅰ，变形时长可能持续数月，甚至 2～3 年，最后逐渐趋于稳定。

(3) 变形阶段Ⅲ：随着 C1 层岩体在剧烈温湿度变化下胀缩变形稳定，C4 层岩体在饱水和较小的水平应力差下蠕变稳定，C3 层岩体在水-力耦合作用下也在变形阶段Ⅱ基本达到稳定，这三层岩体的变形基本稳定。此时，C2 层岩体处于典型的非饱和状态，由于其较强的吸水能力，将缓慢吸收环境中的水汽。同时，此层岩体由开挖卸荷产生的卸荷裂隙密度比 C3 层大，这也更加有利于其不断吸水、含水率增大、流变性增强。从而，C2 层岩体将产生显著的非线性时效变形。同时，只要地下水位保持稳定，有稳定的水汽补充，C2 层岩体也将产生稳定的蠕变上拱变形。这也可以解释依托工点路基持续上拱变形规律与降雨量、季节没有表现出较强的相关性，而是呈稳定的持续上拱。这是因为短期(卸荷回弹及 C1 层岩体上拱变形)或者中期(C3 和 C4 层岩体上拱变形)的时效上拱变形结束后，水汽影响层岩体的蠕变上拱变形是受地下水上升影响的，路基封闭后，此层岩体受大气降雨等地表水入渗影响极小，从而呈现出长期持续线性的上拱变形现象，上拱变形量与 C2 层岩体厚度、岩体流变特性以及水平应力差大小和调整过程有关。此阶段变形将持续数年的时间，变形量总体明显比变形阶段Ⅱ小。

(4) 变形阶段Ⅳ。经过前期地基临界深度范围内岩体的短期、中期和长期上拱变形后，地基临界深度范围内岩体应力在此期间表现为先集中增大，后随变形松弛，最后调整达到稳定状态，此时地基不再产生明显的上拱变形，路基变形基本稳定。

需要说明的是，红层软岩高速铁路深挖路堑上拱变形的另一个特点是变形与开挖深度没有显著的相关性，且类似的红层软岩区域、开挖深度相似的不同路基仅部分区段出现持续上拱现象。根据本节路基分层-分时变形机理模型，这是由于路基上拱与否、上拱速率、上拱量是由路基下一定深度范围内岩体的力学性能、地应力场和水环境三个主要因素决定的，路堑开挖深度仅是影响地应力场特征的其中一个因素，当开挖岩体为砂岩层，或者砂岩为主夹泥岩层时，岩体流变性较弱，且受水汽的影响非常小，即 C2 层岩体产生的长期时效性变形并不明显，即使开挖深度更大，运营期也不会出现持续上拱变形现象。同样，受微地形地貌影响，若开挖边坡坡脚水平应力集中不明显，尽管基底岩体为厚层泥岩，在没有有利的应力场条件下，同样不会产生蠕变变形。因此，对于红层软岩地区深挖路堑长期变形的评估及预测，应该是在本节概念模型的基础上，结合实际工点的工程地质及水文地质条件、岩体物理力学性能等，再结合不同层位岩体的变形机理，最后分析路基是否会出现时效性上拱变形及上拱变形的特征。

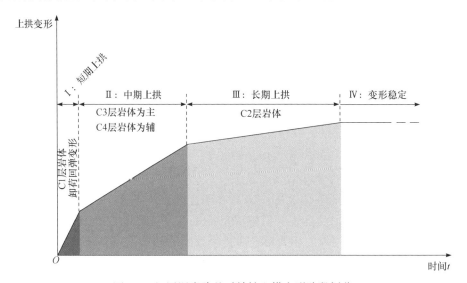

图 5-8　红层泥岩路基时效性上拱变形阶段划分

5.4　红层软岩地基长期变形计算理论

　　根据 5.3 节建立的红层软岩地基分层变形机理模型及其在服役期内的变形规律特征，可以得到在服役期内路基上拱变形量是与时间相关的函数，即

$$S(t) = S_{C1}(t) + S_{C2}(t) + S_{C3}(t) + S_{C4}(t) \tag{5-1}$$

路基顶面在任一时刻的变形由地基四层岩体变形产生。由前述分析可知，大气影响层产生的时效变形 $S_{C1}(t)$ 在短时间 t_1 内即稳定；水汽-力耦合变形层岩体变形稳定时间 t_2 最长；水-力耦合变形层岩体变形稳定时间 t_3 次之，但是在 t_3 时间

内产生的变形较大；水-力耦合封闭层岩体产生的变形小，但变形稳定时间 t_4 比 t_1 长。即

$$t_1 < t_4 < t_3 < t_2 \tag{5-2}$$

另外，由对不同岩层开挖卸荷后长期变形机理的分析可知，影响路基在服役期内变形量大小的外部因素主要为地基岩体赋存应力状态(σ)及水环境特征(w)，在此外部因素作用下，岩体的蠕变特征(特征参数 K、η)决定了路基的变形量及稳定时长，并且由第 4 章泥岩非线性蠕变模型可知，地基岩体蠕变特征参数本身也是与时间相关的函数，即 $K(t)$ 和 $\eta(t)$。从而式(5-1)可以写为以时间 t 为变量，含应力参数 σ、水环境参数 w 及表征岩体蠕变特征的体积模量 K 和黏滞系数 η 的函数，即

$$S(t) = f(\sigma, w, K, \eta; t) \tag{5-3}$$

显然，式(5-3)右侧函数由不同层位岩体的时效性变形特征方程决定。作为一种蠕变变形理论计算模型，可以将水的作用反映到蠕变参数 K 和 η 中，也就是说，蠕变参数是一个包含了水环境影响的力学参数。从而，式(5-3)改写为

$$S(t) = f(\sigma, K, \eta; t) \tag{5-4}$$

从而得到实际路基表面总变形量随时间的变化方程，式中需要确定的参数包括应力状态 σ、蠕变模型及其与岩石含水率相关的参数 K 和 η。为此，以下将结合实际工程情况，进一步完善路基变形计算模型。

5.5 深路堑应力场时空演化分析

岩体的蠕变作用是在应力作用下随时间变化的变形过程，因此计算任意时刻地基岩体的变形首先需要确定相应的应力状态。对于无显著构造应力影响的场地，在某特定时刻，地基应力分布特征为

$$\begin{cases} \sigma_V = \gamma h \\ \sigma_H = g(z, t) \end{cases} \tag{5-5}$$

式中，σ_V 和 σ_H 为地基岩体竖向应力和最大水平主应力。其中，竖向应力为由地基上覆岩土自重产生的自重应力，由岩体容重 γ 和所处深度 h 计算得到；对于深挖路堑，基底最大水平主应力为与邻近路堑边坡岩土体力学参数、开挖高度、倾角等相关的、随地基深度变化的函数 $g(z)$，z 为路基面以下深度。

如图 5-9 所示，基底竖向应力 σ_V 和最大水平应力 σ_H(压为正，拉为负)在不

同施工阶段的状态组合不同，即开挖后不同时间的分布特征不同，表现为：

(1) 原本稳定的岩体，深路堑开挖卸荷后短时间 t_c 内，边坡蠕变作用尚未开始，卸荷使地基岩体在竖向自重应力作用下产生竖向压缩变形。此时，最大主应力 $\sigma_1 = \sigma_V$，最大水平主应力为 $\sigma_H = \lambda \sigma_V$，除快速释放的卸荷回弹变形外，地基岩体主要在竖向压应力作用下产生极小的压缩变形(图 5-9(a))。

(2) 随着开挖的结束，边坡岩体产生蠕变作用，使坡脚地基岩体水平应力逐渐增大，并将显著大于竖向自重应力，此时，最大主应力 $\sigma_1 = \sigma_H$，基底岩体在较大的水平应力作用下产生水平压缩、竖向膨胀变形。根据 5.2 节对内江北站基底地应力测试结果，内江北站路基变形即处于此阶段。直到 t_s 时刻，边坡及地基岩体变形和应力动态调整稳定，蠕变变形趋于稳定(图 5-9(b))。

(3) 随着基底应力差调整至小于蠕变阈值，基底岩体不再产生蠕变变形，路基变形稳定，此时最大主应力回归到 $\sigma_1 = \sigma_V$，最大水平主应力为 $\sigma_H = \lambda' \sigma_V$，并且通常 $\lambda' \geqslant \lambda$ (图 5-9(c))。

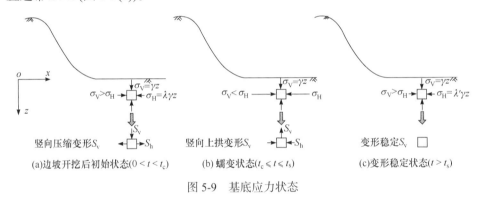

图 5-9　基底应力状态

路堑边坡开挖结束后的一段时间内，边坡蠕变变形启动，此时基底最大主应力 $\sigma_1 = \sigma_V$，最小主应力 $\sigma_3 = \sigma_H$，即以竖向压应力为最大主应力，此时产生竖向压缩蠕变变形；随着边坡蠕变变形的推进，坡体内应力调整，以水平向应力调整最为显著，造成基底水平应力逐渐增大，竖向应力不变，此时水平应力将大于竖向应力，从而最大主应力 $\sigma_1 = \sigma_H$，最小主应力 $\sigma_3 = \sigma_V$，地基岩体在较大的水平压应力作用下产生竖向蠕变变形。因此基底应力状态为

$$\begin{cases} \begin{cases} \sigma_1 = \sigma_V = \gamma h \\ \sigma_3 = \sigma_H = g(z,t) \end{cases}, & 0 < t < t_c \\ \begin{cases} \sigma_1 = \sigma_H = g(z,t) \\ \sigma_3 = \sigma_V = \gamma h \end{cases}, & t_c \leqslant t \leqslant t_s \end{cases} \tag{5-6}$$

式中，t_c 为竖向蠕变上拱开始时刻；t_s 为蠕变变形稳定时刻。最大水平主应力是随深度 z 和时间 t 变化的时空函数 $g(z,t)$。由现场地应力测试结果及边坡应力场分析，最大水平主应力随深度变化先显著增大后减小，直到趋于原始应力状态。最大水平主应力由竖向自重应力引起的原始水平应力 $\lambda\gamma z$ 与由路堑开挖卸荷引起的附加应力 $\Delta\sigma$ 叠加：

$$g(z,t) = \Delta\sigma + \lambda\gamma z \tag{5-7}$$

式中，λ 为岩体在原始应力状态下的侧压力系数；γ 为基底岩体平均容重。

引起地基岩体蠕变变形的是附加应力部分，附加应力应满足两个初始条件：①任意时刻 t，当 $z = 0$ 时，水平应力 $\Delta\sigma = 0$；②当 $z = h_{cr}$（h_{cr} 为基底岩体水平应力受蠕变影响的临界范围深度）时，$\Delta\sigma \to 0$。基于以上特征，根据水平应力随深度的变化规律，采用指数函数进行描述：

$$\Delta\sigma(z) = az^2 \exp(-bz) \tag{5-8}$$

式中，a、b 为未知参数。将两个已知初始条件代入式(5-8)，第一个条件自动满足。

同样地，在时间维度上，随着蠕变的发展，基底水平应力不断调整并趋于稳定。从变化趋势上看，蠕变开始阶段水平应力快速增大，当达到最大值后，开始逐渐减小，减小速率小于增大速率，直到最后应力状态低于岩体产生蠕变的临界应力阈值，蠕变停止，应力调整也停止。同样，该变化规律可以采用指数函数进行描述：

$$\Delta\sigma(t) = ct^2 \exp(-dt) \tag{5-9}$$

式中，c 和 d 为未知参数。

根据水平应力的时空分布特征，得到水平附加应力的时空分布函数：

$$\Delta\sigma = \left[az^2 \exp(-bz) \right]\left[ct^2 \exp(-dt) \right] \tag{5-10}$$

实际最大水平应力为

$$\begin{aligned} g(z,t) &= \Delta\sigma + \lambda\gamma z \\ &= \left[az^2 \exp(-bz) \right]\left[ct^2 \exp(-dt) \right] + \lambda\gamma z \end{aligned} \tag{5-11}$$

式(5-11)中含有 a、b、c、d 四个未知参数，可以通过特定时刻 t 的实际地应力测量结果拟合得到。图 5-10 为式(5-11)所表达的基底最大水平应力的时空分布特征示意图，x 轴为时间，z 轴为路基在空间上的深度延伸，y 轴为最大水平应力。

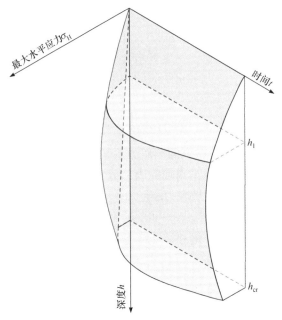

图 5-10　基底最大水平应力的时空分布特征示意图

5.6　地基分层变形计算方法

5.6.1　C1 层岩体变形计算

根据第 3 章对红层泥岩时效变形特性的研究结果及地基分层变形机理模型，可知 C1 层岩体在大气影响下产生快速吸水膨胀变形，由红层泥岩时效膨胀变形研究成果得到其膨胀变形与时间的关系为

$$\varepsilon_1 = K_1\left(1 - \mathrm{e}^{-\eta_1 t}\right) \tag{5-12}$$

式中，K_1 和 η_1 为极限膨胀变形应变和膨胀变形黏滞系数。由于 C1 层岩体处于表层，岩体厚度较小(考虑大气急剧影响层厚度约取 h_1=2.0m)，可不考虑上覆压力的影响，假设变形在 h_1 厚度范围内为均匀的，则在 t_1 时间内，其膨胀变形量为

$$S_1 = K_1\left(1 - \mathrm{e}^{-\eta_1 t_1}\right)h_1 \tag{5-13}$$

可以看出，当 $t_1 \to \infty$ 时，$\displaystyle\lim_{t_1 \to \infty} S_1 = \lim_{t_1 \to \infty}\left[K_1\left(1 - \mathrm{e}^{-\eta_1 t_1}\right)h_1\right] = K_1 h_1$。另外，由 5.4 节分析可知，C1 层岩体变形稳定时长最短，这与红层泥岩极易风化、崩解的特性有关，对于实际工程，完全有可能在线路运营前该层岩体产生的时效性膨胀变形就达到稳定。

5.6.2 C2 层岩体变形计算

C2 层岩体是在水汽及上覆压力、水平应力共同作用下的蠕变变形，此层岩体蠕变时长最长。根据室内蠕变试验结果，可采用 Burgers 模型对红层泥岩在不同外部环境下的蠕变规律进行描述。假定岩石体积变化是弹性的，流变性质主要由偏应力引起，则三维应力状态下 Burgers 模型的蠕变方程为

$$e_{ij}(t) = \frac{S_{ij}}{2G_{2\text{-}1}} + \frac{S_{ij}}{2\eta_{2\text{-}1}}t + \frac{S_{ij}}{2G_{2\text{-}2}}\left[1 - \exp\left(-\frac{G_{2\text{-}2}}{\eta_{2\text{-}2}}t\right)\right] \tag{5-14}$$

式中，e_{ij} 为偏应变张量；S_{ij} 为偏应力张量；$G_{2\text{-}1}$ 为瞬时剪切模量，反映岩石在剪应力作用下的瞬时变形特征；$G_{2\text{-}2}$ 为黏弹性剪切模量，反映岩石在剪应力作用下第一蠕变阶段(衰减蠕变)的最终变形量；$\eta_{2\text{-}1}$ 为黏滞系数，反映岩石在剪应力作用下进入第二蠕变阶段(匀速蠕变)的应变速率，$\eta_{2\text{-}1}$ 越大，蠕变速率越小；$\eta_{2\text{-}2}$ 为黏滞系数，反映岩石在衰减蠕变阶段的衰减速率。

在三向应力条件下，偏应力张量分量为

$$s_{11} = \sigma_1 - \sigma = \sigma_1 - \frac{1}{3}(\sigma_1 + 2\sigma_3) = \frac{2}{3}(\sigma_1 - \sigma_3) \tag{5-15}$$

$$s_{33} = \sigma_3 - \sigma = \sigma_3 - \frac{1}{3}(\sigma_1 + 2\sigma_3) = \frac{2}{3}(\sigma_3 - \sigma_1) \tag{5-16}$$

将式(5-15)和(5-16)代入式(5-14)得到

$$\begin{cases} \varepsilon_1(t) = \dfrac{1}{9K_2}(\sigma_1 + 2\sigma_3) + \left\{\dfrac{\sigma_1 - \sigma_3}{3G_{2\text{-}1}} + \dfrac{\sigma_1 - \sigma_3}{3G_{2\text{-}2}}\left[1 - \exp\left(-\dfrac{G_{2\text{-}2}}{\eta_{2\text{-}2}}t\right)\right]\right\} + \dfrac{\sigma_1 - \sigma_3}{3\eta_{2\text{-}1}}t \\[4mm] \varepsilon_3(t) = \dfrac{1}{9K_2}(\sigma_1 + 2\sigma_3) - \left\{\dfrac{\sigma_1 - \sigma_3}{3G_{2\text{-}1}} + \dfrac{\sigma_1 - \sigma_3}{3G_{2\text{-}2}}\left[1 - \exp\left(-\dfrac{G_{2\text{-}2}}{\eta_{2\text{-}2}}t\right)\right]\right\} - \dfrac{\sigma_1 - \sigma_3}{3\eta_{2\text{-}1}}t \end{cases} \tag{5-17}$$

结合式(5-17)和式(5-6)可以得到：

(1) 当 $0 < t < t_c$ 时，为竖向压应力作用下的压缩蠕变，压缩变形量随时间的变化规律为

$$S_{2\text{-}1} = \int_{h_1}^{h_2} \varepsilon_1(K_2, G_{2\text{-}1}, G_{2\text{-}2}, \eta_{2\text{-}1}, \eta_{2\text{-}2}; z, t)\mathrm{d}z \tag{5-18}$$

(2) 当 $t_c \leqslant t \leqslant t_s$ 时，为水平压应力作用下的上拱蠕变，上拱变形量随时间的变化规律为

$$S_{2\text{-}2} = \int_{h_1}^{h_2} \varepsilon_3(K_2, G_{2\text{-}1}, G_{2\text{-}2}, \eta_{2\text{-}1}, \eta_{2\text{-}2}; z, t)\mathrm{d}z \tag{5-19}$$

在蠕变时长内，C2 层岩体产生的总变形为初始的竖向压缩变形及后来的竖向上拱变形叠加，令压缩变形为正，膨胀变形为负，结合式(5-17)的特征，可不计竖向应力和水平应力的相对大小，直接令 $\sigma_1 = \sigma_V$，$\sigma_3 = \sigma_H$，计算竖向变形，当 $\sigma_H > \sigma_V$ 时(即 $\sigma_3 > \sigma_1$)，计算得到 ε_1 也为竖向上拱变形，可以得到

$$S_2(t) = \begin{cases} \int_{h_1}^{h_2} \varepsilon_1(K_2, G_{2-1}, G_{2-2}, \eta_{2-1}, \eta_{2-2}; z, t)\mathrm{d}z, & 0 \leqslant t < t_c \\ \int_{h_1}^{h_2} \varepsilon_3(K_2, G_{2-1}, G_{2-2}, \eta_{2-1}, \eta_{2-2}; z, t)\mathrm{d}z, & t_c \leqslant t \leqslant t_s \end{cases} \quad (5\text{-}20)$$

$$\Rightarrow S_2(t) = \int_{h_1}^{h_2} \varepsilon_{v2}(K_2, G_{2-1}, G_{2-2}, \eta_{2-1}, \eta_{2-2}; z, t)\mathrm{d}z, \quad 0 \leqslant t \leqslant t_s$$

其中，

$$\varepsilon_{v2}(t) = \frac{1}{9K_2}(\sigma_V + 2\sigma_H) + \left\{\frac{\sigma_V - \sigma_H}{3G_{2-1}} + \frac{\sigma_V - \sigma_H}{3G_{2-2}}\left[1 - \exp\left(-\frac{G_{2-2}}{\eta_{2-2}}t\right)\right]\right\} + \frac{\sigma_V - \sigma_H}{3\eta_{2-1}}t$$

需要说明的是，由于 C2 层岩体处于水汽影响环境中，由第 4 章红层泥岩在复杂水-力环境下的蠕变试验结果可知，除应力差外，该层岩体的蠕变过程是与岩体含水率随时间的变化过程有关的非线性函数，即蠕变模型中剪切模量 G 和黏滞系数 η 是与含水率 w 和时间 t 相关的函数。

5.6.3　C3 和 C4 层岩体变形计算

与 C2 层岩体类似，C3 和 C4 层岩体的蠕变变形可采用 Burgers 模型描述，但是由于两层岩体所处的应力环境和受扰动程度不同，它们的蠕变参数不同，表现为 C3 层岩体最终蠕变变形大(G_{3-2} 较小)，蠕变持续时间较短(η_{3-2} 较小)，结合式(5-20)可知

$$\begin{cases} S_3(t) = \int_{h_2}^{h_3} \varepsilon_{v3}(K_3, G_{3-1}, G_{3-2}, \eta_{3-1}, \eta_{3-2}; z, t)\mathrm{d}z \\ S_4(t) = \int_{h_3}^{h_4} \varepsilon_{v4}(K_4, G_{4-1}, G_{4-2}, \eta_{4-1}, \eta_{4-2}; z, t)\mathrm{d}z \end{cases} \quad (5\text{-}21)$$

式中，K_3、G_{3-1}、G_{3-2}、η_{3-1}、η_{3-2} 和 K_4、G_{4-1}、G_{4-2}、η_{4-1}、η_{4-2} 分别为 C3 和 C4 层岩体对应的蠕变参数。与 C2 层岩体不同，C3 和 C4 层岩体处于地下水位以下的饱和状态，并且由于埋深较大，风化作用不明显，其蠕变变形特征近似与第 3 章浸水条件下水-力耦合蠕变试验描述吻合，蠕变模型中的蠕变参数与含水率无关。

5.6.4　地基总变形计算

根据以上对 C1～C4 层岩体变形的计算，叠加可以得到路基表面在达到蠕变

稳定的时间 t_s 内的总变形量，即

$$S = S_1 + S_2 + S_3 + S_4$$

$$= K_1 h_1 \left(1 - e^{-\eta_1 t}\right) + \int_{h_1}^{h_2} \varepsilon_{v2}(z,t)\mathrm{d}z + \int_{h_2}^{h_3} \varepsilon_{v3}(z,t)\mathrm{d}z + \int_{h_3}^{h_4} \varepsilon_{v4}(z,t)\mathrm{d}z \qquad (5\text{-}22)$$

式(5-22)即为红层软岩地基分层变形计算理论模型。可以看出，该模型包含 C1 层岩体的变形参数 K_1 和 η_1 以及 C2～C4 层岩体的蠕变力学参数，总共 17 个力学参数。另外，需要确定地基岩体水平应力时空分布特征的 a、b、c、d 4 个未知参数，以及 C2 层岩体非线性流变模型中与含水率和时间相关的 4 个未知系数。从而，准确计算红层软岩地基时效性变形至少需要获得 25 个未知参数，这 25 个参数依赖于现场测试及室内膨胀性和蠕变试验。

红层软岩地基分层变形理论模型虽然含有 25 个未知参数，对于实际工程应用并不是一个理想的模型，但是通过对地基岩体变形层位的划分及不同层位岩体变形机理的分析，有效揭示了红层软岩地区深挖路堑持续上拱变形的机理及理论依据，可以为进一步的工程应用提供理论支撑。

5.7　理论模型的简化应用

红层软岩地基分层变形理论计算模型中含有 21 个与岩体膨胀和蠕变特性相关的力学参数，理论上，可以通过采集研究区域现场不同层位岩石，在室内模拟相应水力环境开展蠕变试验，而后通过相应的流变模型拟合获得全部 21 个参数。但是，红层泥岩现场取样困难，很难获得理想的原状试样；室内蠕变试验很难准确还原其真实水力环境条件，获得的试验结果很难直接用于理论分析。为便于实际工程应用，需根据现场实际情况，对上述理论模型进一步简化应用。

(1) 现场深路堑开挖并非瞬时完成，而是在数月内才能完成，深路堑开挖完成后，涉及岩体的瞬时弹性变形已经在施工开挖、线路铺轨前完全结束，对于线路运营期变形，可不考虑理论模型中瞬时变形的影响，即原理论模型中可不考虑 $t=0$ 时刻对应的瞬时变形，而仅保留与时间有关的变形，则岩体蠕变应变可简化为

$$S'(t) = S(t) - S(0) \qquad (5\text{-}23)$$

代入各变形分量得到

$$S'(t) = \left[K_1 h_1 \left(1 - e^{-\eta_1 t}\right) + \int_{h_1}^{h_2} \varepsilon_{v2}(z,t)\mathrm{d}z + \int_{h_2}^{h_3} \varepsilon_{v3}(z,t)\mathrm{d}z + \int_{h_3}^{h_4} \varepsilon_{v4}(z,t)\mathrm{d}z \right]$$
$$- \left[\int_{h_1}^{h_2} \varepsilon_{v2}(z,0)\mathrm{d}z + \int_{h_2}^{h_3} \varepsilon_{v3}(z,0)\mathrm{d}z + \int_{h_3}^{h_4} \varepsilon_{v4}(z,0)\mathrm{d}z \right] \tag{5-24}$$

从而，原地基变形理论模型可减少与瞬时变形有关的 K_2、$G_{2\text{-}1}$、K_3、$G_{3\text{-}1}$、K_4、$G_{4\text{-}1}$ 这 6 个蠕变参数，剩下 15 个膨胀和蠕变参数。

(2) 红层软岩地基分层变形计算模型是以不同层位岩体的蠕变变形为基础推导得到的，C2~C4 三个层位岩体所处的水力环境不同，但是均可以采用 Burgers 模型或者改进的 Burgers 模型进行模拟，仅是 Burgers 模型中三层岩体对应的蠕变参数存在差异，以及不同层位岩体所处的应力状态存在差异。为便于实际工程应用，并验证本理论模型的正确性，在此将 C2~C4 三层岩体合并为一层，开展单层岩体的蠕变计算，通过单层岩体的综合蠕变参数考虑三层岩体的蠕变效应，这样获得的结果是可靠的，并且可以有效减小模型的未知蠕变力学参数。采用组合元件模型描述地基变形(图 5-11)，从而得到

$$S = K_s h_1 \left(1 - e^{-\eta_s t}\right) + \int_{h_1}^{h_{cr}} \left[\varepsilon_v(G_2, \eta_1, \eta_2; z, t) - \varepsilon_v(G_2, \eta_1, \eta_2; z, 0) \right]\mathrm{d}z$$
$$= K_s h_1 \left(1 - e^{-\eta_s t}\right) + \int_{h_1}^{h_{cr}} \left\{ \frac{\sigma_V - \sigma_H}{3G_2} \left[1 - \exp\left(-\frac{G_2}{\eta_2} t \right) \right] + \frac{\sigma_V - \sigma_H}{3\eta_1} t \right\}\mathrm{d}z \tag{5-25}$$

式中，K_s 和 η_s 为 C1 层岩体膨胀性参数。从而可以采用由类 Kelvin 体描述的膨胀体和 Burgers 体描述的流变体串联构成的组合元件模型对地基长期变形机理进行表示。

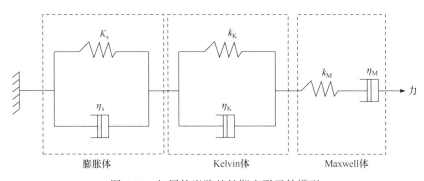

图 5-11　红层软岩路基长期变形元件模型

式(5-25)中，K_s、G_2、η_s、η_1、η_2 为基底蠕变层岩体的膨胀系数和综合蠕变参数。从而，红层软岩地基蠕变变形计算模型中仅剩 5 个综合蠕变参数及 4 个水平应力时空分布特征参数共 9 个未知参数。该模型得到极大的简化，将利于实际

工程中对路基长期变形特征的分析与预测。

5.8 内江北站路基长期变形分析与预测

采用上述红层软岩地基长期变形计算模型，基于在内江北站收集的地层岩性、地应力特征、地下水分布、红层砂泥岩物理力学性能试验结果等数据，对内江北站典型上拱路基开展变形特征分析及后续变形趋势预测。

5.8.1 基底水平应力时空演化特征

5.2 节已经详述了在内江北站典型上拱路基处开展的地应力测试，选取路基位置最大水平地应力测试结果，分析其时空分布特征。由于内江北站基底红层泥岩中夹有部分薄层砂岩，根据最大水平应力与基底岩层特征对比分析，发现砂岩层应力集中明显，在砂岩层测得的水平应力显著增大。本节计算仅考虑单一红层泥岩层的变形特征，因此对于实测地应力数据，剔除砂岩层突变数据，取泥岩层水平应力测试结果，并做适当的光滑过渡修正。

根据现场实际情况，取初始侧压力系数 $\lambda=0.5$，岩体平均容重 $\gamma=25000\text{N/m}^3$，根据内江北站施工时间节点，将地应力测试时刻取为 $t=4$ 年。将数据代入式(5-11)，利用实测不同深度水平应力值，通过 Origin 软件开展拟合分析，拟合结果如图 5-12 所示。得到 4 个参数拟合值为：$a=83$，$b=0.09$，$c=83$，$d=0.30$。将拟合得到的参数回代入式(5-11)得到基底水平应力分布的时空模型方程：

$$g(z,t)=\left[83z^2\exp(-0.09z)\right]\left[83t^2\exp(-0.30t)\right]+\lambda\gamma z \tag{5-26}$$

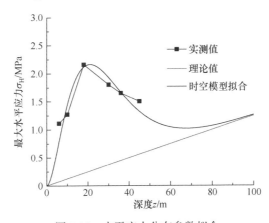

图 5-12 水平应力分布参数拟合

从式(5-26)可以看到，内江北站基底岩体最大水平应力是与基底深度 z 和时

间 t 相关的三维函数，进一步可以在 Origin 中通过 New Matrix—Plot—3D Function，采用上述函数绘制水平附加应力的三维空间曲面。图 5-13 为在深度 $z = 0 \sim 100\text{m}$、时间 $t = 50$ 年以内绘制的基底最大水平应力时空分布三维曲面，可以看到其具备如下特点：

(1) 空间上，基底水平应力影响的临界深度 h_{cr} 是随着时间的变化而变化的，z 越大，$\Delta\sigma$ 越趋近于 0，理论上，当 $z \to \infty$ 时，$\sigma_H \to \lambda\gamma z$ 即原始地应力状态，并且随着时间的变化，临界深度也是先增大后减小，在任意时刻可以取临界深度 $h_{cr} = 80\text{m}$。

(2) 时间上，随着时间的增长，附加水平应力先迅速增大，而后减小并趋近于 0，理论上，当 $t \to \infty$ 时，$\sigma_H \to \lambda\gamma z$ 即原始地应力状态，在任意深度 $t > 20$ 年后附加水平应力基本趋近于 0，即恢复到原始地应力状态。

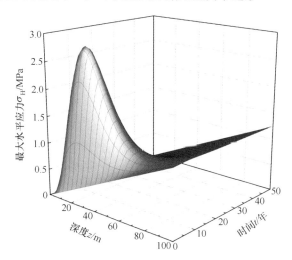

图 5-13　基底最大水平应力的时空分布三维曲面

5.8.2　内江北站地基蠕变模型

地基蠕变模型需要确定 3 个蠕变参数，虽然前期在室内开展了大量的红层泥岩蠕变试验，但是由于采样扰动及试验水-力路径与实际工程的差异，试验拟合得到的参数直接用于理论模型计算将会带来较大的误差。因此，采用反分析的方法，利用现场路基顶面实时变形监测数据开展拟合分析。首先，将 5.8.1 节获得的地基水平应力时空分布模型(5-26)代入地基变形计算模型(5-25)，则任意时刻 t_m，路基由蠕变产生的变形为

$$S(t_m) = K_s h_1 \left(1 - e^{-\eta_s t}\right) + \int_{h_1}^{h_{cr}} \varepsilon_V(z,t)\mathrm{d}z$$

$$= K_s h_1 \left(1 - e^{-\eta_s t}\right) + \int_{h_1}^{h_{cr}} \left\{ \frac{\gamma z - g(z,t)}{3G_2} \left[1 - \exp\left(-\frac{G_2}{\eta_2}t\right)\right] + \frac{\gamma z - g(z,t)}{3\eta_1} t \right\} \mathrm{d}z \tag{5-27}$$

式中，$g(z,t) = \left[83z^2 \exp(-0.09z)\right]\left[0.83t^2 \exp(-0.30t)\right] + \lambda\gamma z$。

式(5-27)计算结果为压缩变形，压缩变形为正值，上拱变形为负值。即在变形起始阶段，由于最大水平主应力 $\sigma_H = g(z,t) < \sigma_V = \gamma z$，产生竖向压缩蠕变变形，而后随着附加水平应力的增大，当 $\sigma_H = g(z,t) > \sigma_V = \gamma z$ 后开始产生竖向上拱蠕变变形。

由上述分析，取计算临界深度 h_{cr}=80m，实际临界深度会小于该值，取较大值仅会增加 C4 层岩体的厚度，而该层岩体对长期上拱变形的贡献有限，且与水平应力差大小相关，因此取较大的临界深度不会对最终计算结果带来误差。另外，首层大气影响层厚度 h_1=2.0m，式(5-27)中第二部分并没有考虑 C1 层岩体的膨胀变形，因此深度积分范围为 2.0m～h_{cr}。利用 MATLAB 解上述积分方程，获得任意时刻 t，路基竖向变形的表达式，其中含有 K_s、η_s、G_2、η_1、η_2 共 5 个未知膨胀性和蠕变参数，为获得这些参数，结合现场实测路基顶面上拱变形随时间的变化数据，以 K152+790 断面Ⅱ线、3 线和 4 线路基上拱变形监测数据为例，通过 Origin 软件进行数据拟合，获得未知膨胀性参数 K_s、η_s 和蠕变参数 G_2、η_1、η_2，如表 5-1 所示。拟合过程中，考虑到现场路基变形监测的起始时刻并非基底岩体蠕变的起点，实际变形监测起始时间为 2015 年 7 月，结合实际施工时间节点，假设监测数据相对于蠕变起始的时刻为 1 年，也就是说开始监测时岩体已经持续了 1 年的蠕变变形，而这 1 年的时间内由于水平应力调整还未超过竖向应力，路基是以沉降变形为主的。将修正后的实际监测数据用于曲线拟合分析，得到三组拟合结果。

表 5-1　蠕变参数理论模型拟合结果

位置	蠕变参数			膨胀性参数	
	G_2/ Pa	η_1/ (Pa · 年)	η_2/ (Pa · 年)	K_s	η_s/年$^{-1}$
Ⅱ线	2.25×10^9	8.13×10^9	1.75×10^9	0.021	0.07
3 线	2.64×10^9	8.08×10^{10}	1.30×10^7	0.021	0.07
4 线	5.25×10^9	7.96×10^9	2.23×10^9	0.021	0.07

从表 5-1 可以看到，三组监测数据拟合得到的泥岩膨胀性参数相同，流变参数也基本一致，表明同一横断面三处监测数据拟合结果基本吻合。路基上拱变形

实测数据拟合结果如图 5-14～图 5-16 所示，拟合曲线相关系数 R^2 均大于 0.92，表明拟合结果较好。从图中拟合曲线可以看到，变形起始阶段(约 1.0 年)路基上拱变形缓慢，这是由于开挖完成后的短期内，基底水平应力小于竖向自重应力，

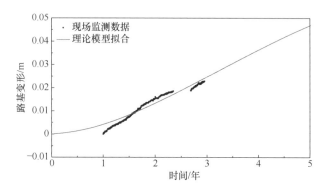

图 5-14 K152+790 断面 Ⅱ 线路基变形实测数据拟合结果

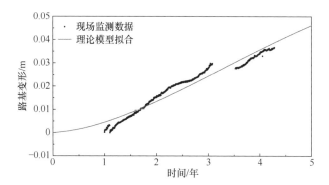

图 5-15 K152+790 断面 3 线路基变形实测数据拟合结果

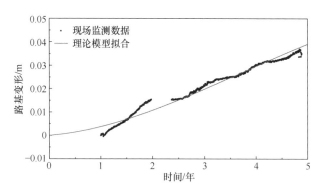

图 5-16 K152+790 断面 4 线路基变形实测数据拟合结果

在竖向自重应力作用下岩体产生压缩蠕变变形，而上拱变形主要由 C1 层岩体

的膨胀作用产生,由此叠加上拱变形缓慢。而后,随着时间的推移,水平应力逐渐调整并开始大于竖向应力,从而在较大的水平应力作用下,路基产生竖向上拱变形。该变形规律与前述变形机理分析特征吻合,也证明了理论模型的可靠性。

5.8.3　路基时效性变形趋势预测

无论研究涉及的软岩路基还是隧道(洞)工程、边坡工程、基坑工程等与岩体开挖相关的岩体工程,人类工程活动扰动后造成原始应力、水文等环境平衡的破坏,引起的岩体变形均不是瞬时完成的,而是随着时间增长的,只是由于工程岩体物理力学性能的差异、工程结构对于变形的敏感性等因素,被关注的时效性变形特征的显著性也就不同。根据实际监测的变形数据分析工程岩体变形演化规律并预测其发展趋势,已成为重要岩体工程设计、施工和运营的基本任务。目前主要有两种预测方法:黏弹性位移反演分析与位移-时间序列分析[140, 141]:

(1) 黏弹性位移反演分析依据位移量测信息确定地层时效特征参数,进而预测岩体的变形。在反演和预测过程中明确考虑了岩土结构中的力学过程与机制,可以进行长期的预测,但是需要对复杂的应力、位移边界条件及地应力场进行假定与简化,既增加复杂程度,又引入误差。

(2) 位移-时间序列分析依据变形-时间数据序列,在不了解变形产生机制的情形下,直接建立时序,估计模型中的参数,利用模型进行变形预测。这种方法给影响因素众多、机制复杂、随机性强的问题提供了一种预测途径,但由于所得规律不是基于机制分析,时序模型只适用于短期预测。

本节采用黏弹性位移反演分析方法,基于对红层软岩地基变形机理的分析,建立地基分层变形理论模型,通过监测数据获得理论模型参数,进而开展后期变形趋势预测分析。

通过获得的曲线拟合结果参数及路基蠕变变形随时间的关系方程,可以对路基后续变形趋势进行预测。图 5-17～图 5-19 给出了基于内江北站 K152+790 断面Ⅱ线、3 线和 4 线近 3 年的监测数据,通过建立的红层软岩地基长期变形理论模型,预测的 20 年内路基竖向变形趋势。可以看出,路基将继续出现近似线性的上拱变形,直到第 10 年左右上拱变形趋于稳定,最大上拱变形量为 63.3～69.7mm,而后开始出现缓慢的沉降变形。这是由于随着地基的上拱变形,基底应力场也在不断调整而逐渐趋于稳定,表现为水平应力逐渐减小,从而引起竖向上拱变形量逐渐减小,但是这种类似于软岩的卸荷弹性后效变形有限,即峰后沉降有限且时间较长。

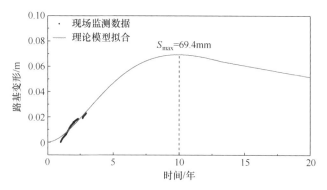

图 5-17　K152+790 断面 II 线路基变形趋势预测

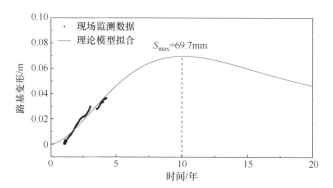

图 5-18　K152+790 断面 3 线路基变形趋势预测

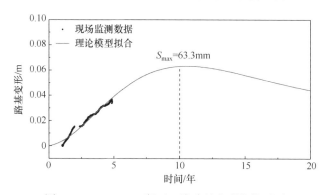

图 5-19　K152+790 断面 4 线路基变形趋势预测

　　根据表 5-1 所示的基于红层泥岩膨胀性和流变性理论及现场实测数据推导获得的相关参数结果，在路基上拱变形达到峰值时(第 10 年)，由于地基 C1 层岩体时效性膨胀变形产生的上拱变形约为 21mm，路基上拱变形峰值约为 70mm，则由时效性膨胀作用引起的上拱变形约占总变形的 30%，其余 70%上拱变形是由 C2～C4 层岩体的流变作用引起的。因此可以认为，红层泥质岩地区深路堑开挖后路基长期变形主要是由地基岩体的水-力耦合蠕变作用引起的。

5.9　基于流变的红层软岩路基时效变形预测方法

通过本章前述分析，从红层软岩分层变形模型角度揭示了红层软岩深挖路堑持续上拱变形的内在机理及其变形特征，证明了流变作用是引起路基持续上拱变形的主要原因。基于此概念模型建立的地基长期变形计算理论模型充分考虑了不同层位岩体的时效性变形机理，但是该理论模型过于复杂，需要确定的物理力学参数过多，不利于实际工程应用。为此，基于现场工程实际情况，在复杂理论模型的基础上，通过一定的简化，获得了实用的地基长期变形计算理论模型及方法。本节将对前述理论研究成果做系统梳理，建立红层软岩深挖路堑路基长期变形特征预测方法，以方便实际工程应用。

红层软岩由于具有一定的膨胀性及显著的流变性，工程施工使得原本稳定的岩体产生长期持续的上拱变形。此过程存在一个"灰色系统"，系统中红层软岩特殊的物理力学性能(膨胀性及流变性)为内因，基底岩体赋存环境(水环境及应力环境)的改变为外因，岩体物理力学性能劣化(卸荷损伤、膨胀和流变特征参数演化)为过程。如图 5-20 所示，高速铁路路基施工及运营期间地基岩体内外因的动态相互作用表现为：赋存环境改变使岩体劣化并产生膨胀和流变耦合变形，而劣化作用又将改变岩体的物理力学性能(膨胀性参数、流变参数及模型的改变)，使得岩体变形特性发生改变，进一步产生膨胀和流变耦合变形，随着岩体变形的发展，地应力也将不断调整重分布，如此动态变化的过程就是路基持续变形的过程，直至最后变形系统稳定。

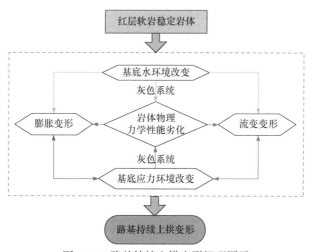

图 5-20　路基持续上拱变形机理图示

在这个复杂的动态调整系统中，伴随着岩体应力调整及岩体损伤和变形的累积，这在工程设计阶段仅通过有限的勘察资料是很难做到准确预测的，要减小路基运营期上拱变形对列车运行安全的风险，应该遵循如下分析预测流程(图 5-21)：

(1) 在工程勘察阶段，采集深挖路堑工点钻孔岩芯，在室内开展不同水-力环境下的蠕变试验，通过蠕变试验初步判断地基岩体是否具备显著的流变性。对于本身不具备流变性，或者在低应力状态下不会产生流变变形的工程，可排除后期持续上拱变形风险；对于具备显著流变性的岩体，则应重点关注。

(2) 对于存在上拱风险的工点，在勘察设计阶段应开展详细的场地构造应力场及开挖前后路基所在位置的地应力场分析和测试，调查清楚基底地层岩性、地下水和地表水分布特征等基础工程地质和水文地质信息。

(3) 设计阶段可根据岩芯的室内蠕变试验结果，采用基于流变的数值模拟手段，对路基运营期可能的变形开展模拟分析，为路基工程设计提供基础数据，确定预留变形空间或者采取相应的工程控制措施。

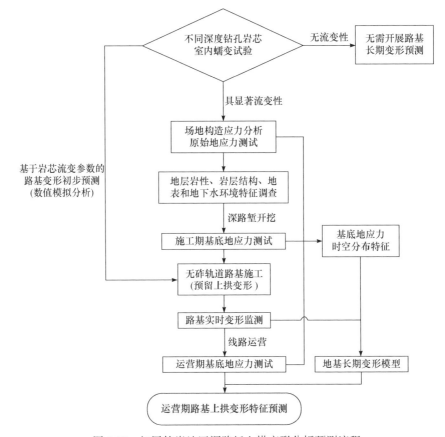

图 5-21　红层软岩地区深路堑上拱变形分析预测流程

(4) 线路运营后，对高风险路基开展长期持续的变形监测，并将变形监测数据与基底地应力时空分布特征相结合，利用建立的理论模型开展持续的上拱变形预测。进一步，可以结合人工智能方法，通过实时更新监测数据开展路基实时上拱变形预测及修正，以提高预测的准确性。

(5) 通过以上不同阶段采取的不同分析手段，可以有效提高路基长期变形预测的准确性，降低上拱变形灾害风险。

综上所述，对于高速铁路红层软岩地基上拱变形的风险识别、预测及控制措施的制定，应该遵循如下步骤：

(1) 根据开挖规模对岩体应力环境的影响规律，建立地基岩体应力场模型，初步判断地基变形临界深度范围。

(2) 基于现场地质调研，获得地基岩体卸荷损伤范围以及地表、地下水变化过程及分布特征，根据岩体物理力学性能，对地基变形层位进行划分。

(3) 综合岩体物理力学性能及赋存环境特征，对不同层位岩体的上拱变形时长及量值进行预测，开展路基上拱变形风险评估。

(4) 在此基础上，针对中期及长期上拱变形层位岩体，制定上拱控制措施，并根据岩体物理力学性能及预测的上拱变形量、时间，开展上拱控制措施的设计。

软岩路基上拱变形是近年来高速铁路建设过程中发现的新问题，研究成果十分有限，王剑[90]、程康等[89]、王鹏程等[142]、王冲等[87]、戴张俊等[63, 143]均从单一泥岩膨胀性角度分析引起高速铁路无砟轨道路基上拱的原因。杨吉新等[144]和吴沛沛[145]则认为软岩流变性是引起路基持续上拱变形的主要原因。这些研究仅通过现场调查、数值模拟或者结合室内膨胀性试验结果，从单一角度分析路基上拱的原因，而没有系统地揭示引起路基持续上拱的内在机理。本章基于前述对红层软岩大量膨胀性和蠕变试验结果、现场地应力测试、地层岩性及地下水发育特征，从红层软岩时效膨胀和流变角度，综合现场调查、地应力测试及室内试验结果，系统建立红层软岩地基分层变形模型，据此揭示不同时期路基上拱变形的机理，并推导得到地基长期变形初步理论计算模型，该模型将为后续路基上拱变形理论模型优化、路基上拱变形风险评估、控制措施设计等奠定基础。

5.10　本　章　小　结

本章在总结前述对内江北站红层软岩地基工程地质与水文地质环境、地层岩性特征、红层泥岩膨胀性和流变性特征的基础上，首先分析了场地构造应力环境，并结合现场地应力测试，分析了内江北站基底应力分布特征。综合以上研究成果，提出了红层软岩地基的分层、分时变形机理概化模型，并基于 Burgers 模型，建立了时效性变形理论计算模型，最后将理论模型应用于内江北站路基变形分析，验证了理论模型的合理性，初步预测了路基后续变形可能的发展趋势。主要获得了以下结论：

(1) 基于红层泥岩在不同水力环境下的变形机理，将红层泥岩地基划分为 4 个主要变形层，自上而下依次为大气影响层(C1)、水汽-力耦合变形层(C2)、水-力耦合变形层(C3)和水-力耦合封闭层(C4)。地基岩体的瞬时卸荷回弹及 C1 层岩体的吸水膨胀变形是地基短期上拱变形的主要原因；地基中期上拱变形主要由 C3 层岩体在水-力耦合作用下产生的蠕变变形引起，同时 C1、C2 和 C4 层岩体也产生有限的时效膨胀及蠕变上拱变形；C2 层岩体受开挖卸荷影响明显，损伤岩体吸收水汽能力强，在较低的应力作用下产生长期蠕变上拱变形。

(2) 由于深路堑开挖卸荷作用，路堑边坡压缩蠕变引起基底水平应力随着时间的推移先增大后逐渐减小，为基底岩体竖向蠕变上拱提供了应力条件；同时，基底水平应力是随地基深度 z 和时间 t 变化的三维函数，基于内江北站实测地应力数据，建立了基底水平应力的时空分布模型。

(3) 基于时效膨胀变形模型和红层软岩非线性流变模型，考虑红层软岩基底不同层位岩体变形机理的差异，建立了红层软岩地基分层变形计算理论模型，该模型包含了与红层软岩时效膨胀性和蠕变特征相关的多个力学参数。

(4) 根据深路堑实际工程情况，对分层变形理论计算模型进行简化，获得了红层软岩地基长期变形实用计算方法，并采用该方法对内江北站 K152+790 路基断面上拱变形特征及后期发展趋势进行了预测。分析结果显示，理论模型与路基实测变形数据拟合效果较好。

(5) 基于红层软岩地基长期变形模型及其理论对内江北站路基的变形分析表明，路基在开挖结束后的短期内(约 1 年)基底岩体膨胀上拱和压缩蠕变共同作用使得上拱变形缓慢，而后地基岩体在水平压应力作用下产生竖向上拱变形，上拱变形速率将在第 10 年左右趋于稳定，最大上拱变形量将超过 63mm，其中由基底岩体蠕变作用产生的变形量占比超过 70%。

当然，通过本章理论模型对路基后续变形预测的准确性依赖于现场地应力测试数据的准确性和地应力随时间发展规律的预测，这是地基水平压应力时空发展规律的决定性因素，应开展地应力长期监测，或者至少通过施工开挖前、施工开挖后、运营期间的三次地应力测试分析求得；另外，现场路基上拱变形监测数据的准确性也直接影响最终理论模型的可靠性，可以通过持续的监测数据，不断优化完善理论拟合参数，并提高预测结果的准确性。

第6章 红层软岩深挖路堑长期变形
数值模拟研究

6.1 引　言

红层泥岩是一种典型的软弱沉积岩,强度低、遇水软化、失水崩解,抗风化能力弱,具有一定的膨胀性和流变性。在我国,尤其是西南地区广泛分布的红层泥岩,是众多高速公路和高速铁路等交通工程大量穿越的地层[146]。

随着我国基础设施建设的快速发展,在泥岩地区交通工程建设中普遍遇到路堑边坡风化剥落、失稳,路基沉降变形,膨胀变形等工程病害。为此,大量的学者针对泥岩特殊的物理力学性能及其工程特性开展了卓有成效的研究[13, 14, 18, 20, 21, 24, 46, 49, 61, 63, 95, 147, 148]。泥岩路基变形特性研究方面,崔晓宁等[112, 149]和程康等[89]分析了泥岩膨胀性对高速铁路路基变形的影响特征及规律;近年来,高速铁路建设过程中开始推广将泥岩作为路基填料,胡安华等[94]、蒋关鲁等[6]和王智猛[30]基于红层泥岩的物理力学特性,研究了不同荷载作用下泥岩作为路基填料的变形特性及其改良方法。这些研究分析了泥岩的崩解、风化、膨胀、压缩变形等物理力学特征及其引发的工程病害特征。对于服役期上百年的高速铁路等重大工程,工程建设扰动后由泥岩流变性引起的边坡变形失稳和路基工后沉降等时效性变形,将是影响工程结构长期稳定与安全的重要因素。

前述研究已经通过内江北站红层泥岩室内不同工况下的时效性变形试验证明了川中红层泥岩具有显著的流变性。然而,由于岩石流变变形的复杂性,并且对于路基工程等地表开放式开挖工程,由岩石流变产生的变形往往很小,不足以造成严重的工程病害,因此当前鲜有关于泥岩路堑流变变形的相关研究。

本章以新建成渝客运专线内江北站典型上拱区段 K152+790 断面为模型,采用 FLAC3D 有限差分程序,基于弹塑性模型及黏弹塑性模型,分析路堑开挖后基底岩体时效性应力场及变形场特征,与现场长期变形监测数据进行对比,并对深路堑长期变形规律进行预测分析。研究方法和成果可为高速铁路等变形敏感的重大工程长期稳定性评价提供参考。

6.2　数值模型建立

数值模拟选取成渝客运专线内江北站典型上拱区段里程 K152+790 深挖路堑边坡模型,该断面为病害段开挖高度最大且上拱变形显著的断面。为减小边界效应对计算结果的影响,模型取 x 方向长度为 493m, z 方向左侧边界高度 64m,右侧边界高度 50m,作为平面应变模型,取 y 方向 1.0m,以减小模型边界对计算结果造成的偏差。计算断面最大挖深 48m,开挖后路基宽度为 62m。首先在 ANSYS 中建立几何模型,采用四面体单元划分网格,并对路基面附近网格加密,共划分 59574 个单元,然后导入 FLAC3D 中进行模拟分析。模型采用位移边界,左右两侧边界约束水平向变形,底部为固定边界,全模型约束 y 方向变形(图 6-1(b))。

实际工程施工过程中,在成渝客运专线深路堑开挖完成后,由于邻近川南城际铁路的引入,又对路堑边坡进行二次开挖(图 6-1(a))。为此,在模拟计算过程中坡体分两次开挖完成,首先开挖 Cutting-1 组岩体,即成渝客运专线开挖边坡,然后开挖 Cutting-2 组岩体,即川南城际铁路开挖边坡。具体模拟流程如图 6-2 所示。

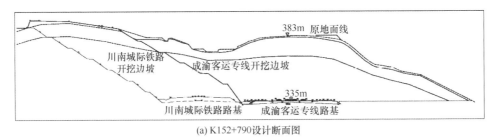

(a) K152+790设计断面图

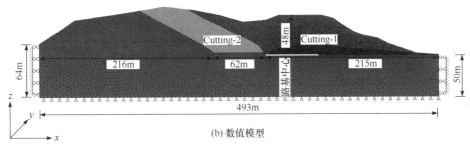

(b) 数值模型

图 6-1　内江北站 K152+790 断面及数值模型

岩体力学模型方面,路堑开挖前坡体自重应力场平衡及开挖后弹塑性变形分析采用 Mohr-Coulomb 模型,两组岩体开挖后,为考虑路基的时效性变形,采用 CVISC 黏弹塑性模型计算开挖结束后 10 年内坡体和基底岩体的蠕变变形。CVISC 模型中的黏弹性、黏性和塑性蠕变体以串联的方式发生作用,其中黏弹性、黏塑性蠕变体

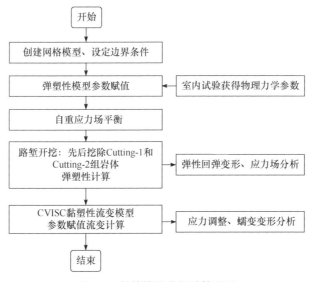

图 6-2　数值模拟分析计算流程

是由 Kelvin 体与 Maxwell 体串联构成的 Burgers 黏弹性模型,而塑性体的力学行为采用 Mohr-Coulomb 模型来表征,Burgers 模型和 Mohr-Coulomb 模型串联实现软岩的黏弹塑性特性表征,适用于泥岩、砂岩等软岩流变特性的模拟(图 6-3(a))。

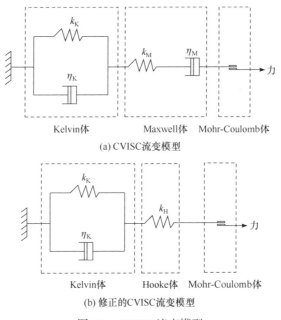

图 6-3　CVISC 流变模型

根据前期地勘结果，该区域以弱风化泥岩为主，局部夹极少泥质砂岩，覆盖层较薄。坡体开挖后覆盖层大多被挖除，不会对卸荷变形计算产生影响，因此模型全部采用同一种弱风化泥岩材料。模型弹塑性力学参数通过泥岩室内单轴和常规三轴压缩试验获得(表 6-1)。为获取 CVISC 模型的流变参数，前述泥岩室内单轴压缩蠕变试验结果显示，在较小的稳定压应力作用下，泥岩蠕变变形随着时间的增长逐渐趋于稳定，而 Burgers 模型无法模拟此类稳定蠕变过程。为此，将 Burgers 模型中 Maxwell 体的黏性元件去除，Maxwell 体退化为 Hooke 体，修正后的 CVISC 模型由 Kelvin 体、Hooke 体和 Mohr-Coulomb 体串联而成(图 6-3(b))；最后，采用修正的 CVISC 模型对蠕变试验数据进行参数识别，获得泥岩流变计算参数(表 6-2)。计算过程中监测路基中线下不同深度岩体的应力及变形特征。

表 6-1　泥岩弹塑性模型参数

岩性	K/GPa	G/GPa	c/MPa	φ/(°)	σ_t/MPa
泥岩	0.61	0.22	1.98	40	1.47

注：K 为体积模量；G 为剪切模量；c 为黏聚力；φ 为内摩擦角；σ_t 为抗拉强度。

表 6-2　泥岩修正 CVISC 黏弹塑性流变模型参数

岩性	K/GPa	k_K/MPa	η_K/(GPa·d)	k_H/GPa
泥岩	0.61	37.0	0.6	26.0

注：K 为体积模量；k_K 为 Kelvin 体剪切模量；η_K 为 Kelvin 体黏滞系数；k_H 为 Hooke 体剪切模量。

6.3　计算结果及对比分析

6.3.1　弹塑性变形分析

深路堑开挖后，由于卸荷作用，岩体将出现回弹变形，此类卸荷回弹变形与时间因素无关，采用弹塑性模型开展卸荷回弹变形计算。

第一次开挖成渝客运专线边坡岩体后，坡体整体保持稳定，没有塑性区分布。图 6-4 为深路堑开挖后弹塑性变形云图。可以看出，随着竖向开挖卸载，坡脚附近路基面变形最大，最大变形为 67.56mm，以竖向上拱变形为主，最大竖向上拱变形为 67.45mm，水平向右变形量很小，变形由路基中心向两侧和基底深部逐渐减小，呈凹型分布。

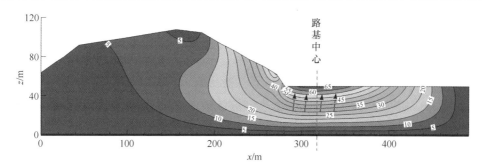

图 6-4　第一次开挖后弹塑性变形云图(单位：mm)

图 6-5 为开挖后竖向应力和水平应力分布特征。可以看出，竖向应力等值线与开挖后地面线平行，为自重应力场，水平应力与竖向应力近似平行，均匀分布。表明深路堑首次开挖后，坡体整体稳定，坡体应力分布均匀，以竖向自重应力场为最大主压应力，随着上覆荷载的卸除，路基产生近似竖向上拱回弹变形，此卸荷回弹变形在路堑开挖后短时间内即完成。

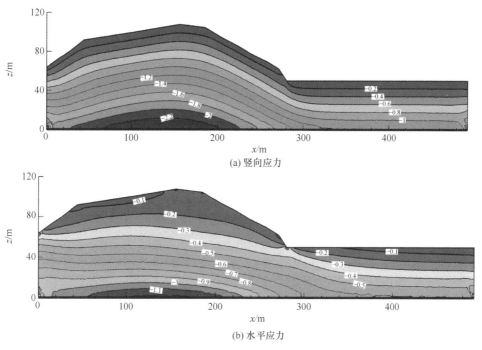

(a) 竖向应力

(b) 水平应力

图 6-5　第一次开挖后应力场(单位：MPa)

由于川南城际铁路的引入，在既有路堑边坡基础上第二次开挖川南城际铁路边坡岩体，同样在弹塑性模式下计算获得二次卸荷后坡体变形及应力场分布特征。图 6-6 为第二次开挖后坡体回弹变形云图。从图 6-6(a)可以看出，二次开挖后竖向回弹变形范围扩大，均表现为竖向上拱变形，最大上拱变形出现在开挖后坡脚附近，即川南城际铁路路基所在区域，最大竖向上拱变形为 66.05mm，而既有成渝客运专线路基位置竖向回弹变形有所减小。与竖向变形不同，水平变形以既有成渝客运专线路基左侧位置为中心，两侧向中心水平挤压变形，也就是说，此时既有成渝客运专线路基整体水平向路堑边坡一侧方向挤压，水平变形量为 −10～0mm(图 6-6(b))。

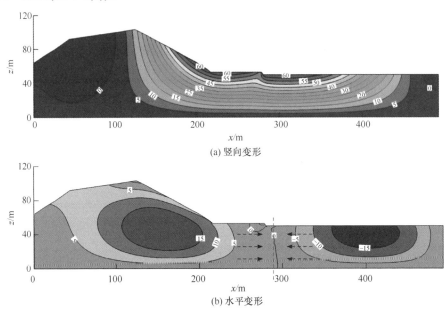

(a) 竖向变形

(b) 水平变形

图 6-6　第二次开挖后弹塑性变形云图(单位：mm)

　　第二次开挖后竖向应力和水平应力分布如图 6-7 所示。可以看出，第二次开挖后坡体依然以竖向压应力为最大主应力，竖向应力为自重应力，等值线与地面线平行，水平应力和竖向应力分布均匀。为对比两次开挖后基底不同深度应力变化规律，以路基中心以下不同深度位置水平应力与竖向应力比值作为基底侧压力系数 λ，两次开挖后基底侧压力系数随基底深度的变化曲线如图 6-8 所示。可以看出，路堑开挖后基底浅层水平应力比竖向应力大($\lambda > 1.0$)，之后随着深度的增大(图 6-8 a、b 点以后)，侧压力系数逐渐减小并趋于定值，可以将此范围定义为开挖扰动区，则第一次开挖后开挖扰动区 $h_1 = 10\text{m}$，第二次开挖后开挖扰动区 $h_2 = 4\text{m}$。也就是说，既有路堑边坡的二次扩挖使得基底应力进一步调整，开挖扰动区范围减小。

　　两次岩体开挖后基底应力及变形的变化规律分析表明，深路堑开挖卸荷后，坡体整体保持稳定，坡脚应力集中且变形量最大，基底以竖向上拱变形为主，首次开挖后最大竖向上拱变形为 67.45mm，第二次路堑边坡的扩挖使得既有路基应

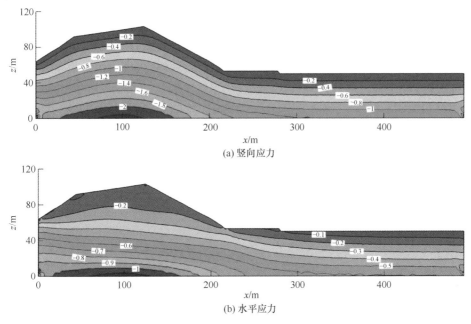

(a) 竖向应力

(b) 水平应力

图 6-7　第二次开挖后应力场(单位：MPa)

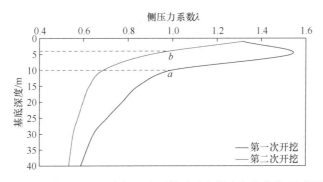

图 6-8　两次开挖后基底侧压力系数随基底深度变化曲线(见彩图)

力及变形均产生轻微调整，竖向上拱变形回落 1.4mm，两次开挖后基底水平变形均很小。根据基底水平应力与竖向应力比值定义的侧压力系数 $\lambda > 1.0$ 的区域定义为开挖扰动区，第一次开挖后由于路基位于路堑边坡坡脚位置，应力集中明显，开挖扰动区也较深(h_1=10m)，第二次扩挖后既有路基距离坡脚变远，应力集中区外移，开挖扰动区深度也随之减小(h_2=4m)。对弹塑性分析而言，变形和应力场均与时间因素无关，表征的是开挖结束后坡体弹塑性平衡后的一种状态，实际工程中认为这种平衡过程在施工期内即完成，也就是说，在不考虑时间因素的情况下，两次开挖卸荷引起的路基面上拱变形约为 66.05mm，基底 0～10m 为开挖扰动区，特别是 0～4m 范围应该重点关注。

6.3.2　蠕变变形分析

深路堑开挖后弹性回弹变形很快稳定，坡体及基底应力状态随之调整。由于泥岩显著的流变特性，坡体及基底应力场和变形场将随着时间的推移不断调整，直至稳定，此种与时间有关的基底变形一旦超限将直接影响到路基结构的稳定性及高速列车的行车安全。为此，在弹塑性分析平衡后，引入修正的 CVISC 黏弹塑性流变模型，对深路堑开挖后 30 年内坡体及基底水平和竖向应力、变形调整规律进行分析。

为分析基底的时效性变形规律，流变计算前先将弹塑性变形清除，再计算工后 30 年内坡体变形及应力变化规律。图 6-9 为蠕变 30 年内竖向变形云图。从图中可以看出，泥岩的流变性使得在大开挖卸荷下坡顶出现蠕变沉降，坡脚一定范围内则出现蠕变上拱，距离坡脚越远，蠕变上拱变形越小，最大值位于坡脚位置。另外，蠕变 5 年后，无论坡顶蠕变沉降还是基底蠕变上拱都较大，之后随着时间的增长，坡顶浅部蠕变沉降减小，深部蠕变沉降无明显变化；基底蠕变上拱变形区也有类似规律，浅部上拱逐渐减小，深部上拱无明显变化。

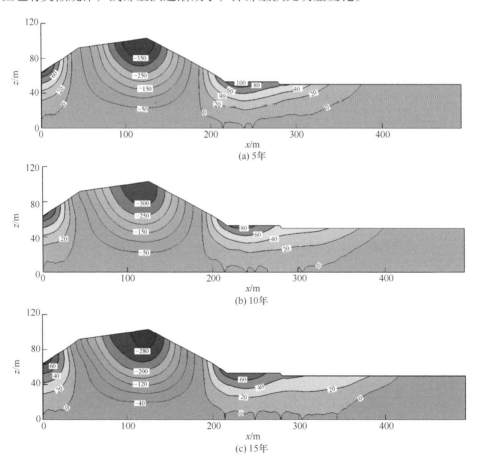

(a) 5年

(b) 10年

(c) 15年

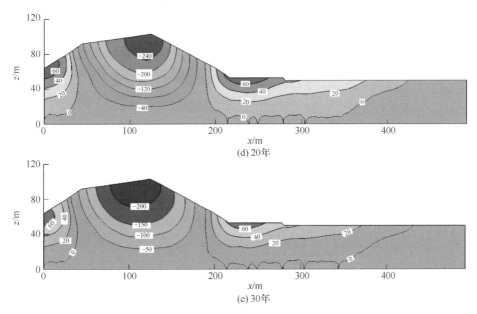

图 6-9　蠕变 30 年内竖向变形云图(单位：mm)

路基的持续上拱变形将严重威胁高速列车的安全运行，为此自 2015 年 8 月开始在路基中心两侧无砟轨道板上布设变形自动监测装置，数据采集频率为 1 次/d，数据通过无线网络实时传输至室内进行分析。图 6-10 给出了靠近路基中心左右两侧现场监测数据与本节采用泥岩流变模型计算的路基中心位置上拱变形随时间的变化曲线。可以看出，近 3 年多的现场监测数据与基于流变的深路堑开挖数值模拟结果吻合，路基初期上拱变形速率较大，1 年后进入一段缓慢增长期，约 2 年后又开始持续上拱，但上拱速率比初期小。2018～2019 年，路基依然处于持续上拱期，上拱速率约 0.7mm/月。

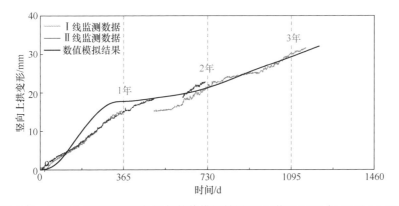

图 6-10　路基上拱变形监测数据与数值模拟结果对比(截至 2018 年 10 月 10 日)

6.3.3 蠕变扰动区分析

更进一步地，分析基底不同深度岩体竖向上拱变形随时间的变化规律。图 6-11 为路基中心线以下 40m 范围内岩体竖向上拱变形在 30 年内的变化规律，具有如下特征：

(1) 发生上拱变形的岩体主要集中在路基面以下 30m 范围内，30m 以下深度岩体上拱变形十分有限。

(2) 路基顶面上拱变形在 7 年后达到峰值(oa 段)，深度越大，上拱变形达到峰值的时间越长，路基面以下 30m 位置处上拱变形在 11 年后达到峰值。

(3) 竖向上拱变形达到峰值后随着时间的增长，变形有所回落，路基顶面在 19.5 年后停止回落(ab 段)，竖向变形稳定，最终竖向上拱变形约为 43mm。

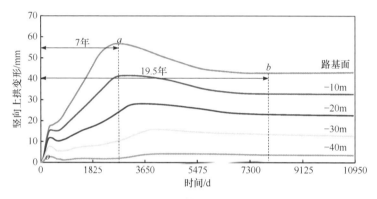

图 6-11　基底不同深度岩体竖向上拱变形规律(30 年)

基于岩体流变性数值分析获得的基底不同深度时效性变形特征与第 5 章通过流变理论建立的路基上拱变形计算结果一致，两者互相验证。另外，从基底蠕变变形特征可以看出，由于泥岩的流变性，坡顶岩体缓慢沉降，基底岩体则缓慢上拱，越靠近开挖坡脚，上拱变形越大。开挖卸荷后由岩体流变性产生的上拱变形近似呈线性增大，7 年左右上拱变形达到最大，而后进入持续 12 年的缓慢回落过程，最后变形稳定不再上拱。显著的上拱变形区出现在基底下 30m 范围内岩体。

图 6-12 为考虑时间效应后基底不同深度竖向和水平应力变化规律，图中实线为竖向压应力随时间变化规律，虚线为水平应力随时间变化规律。从图中可以看出，基底水平和竖向均为压应力，并且在前 2 年左右均处于激烈调整期内，而后 20m 范围内岩体水平应力逐渐趋于或者大于竖向应力，19.5 年后应力不再调整而趋于稳定，此时也对应于路基不再上拱变形。这表明路基上拱是随着基底岩体应力的调整而产生的，大开挖卸荷作用使得流变性泥岩应力状态缓慢调整，直至达到新的平衡状态，在此过程中，路基产生先加速后减速，最后稳定的上拱变形现象。

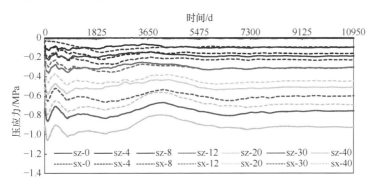

图 6-12　基底不同深度应力随时间变化规律(30 年)(见彩图)

类似地,定义蠕变过程中基底岩体侧压力系数 $\lambda > 1.0$ 的区域为开挖蠕变扰动区,图 6-13 为不同时刻基底侧压力系数随深度变化规律,可以看出:

(1) 川南城际铁路边坡开挖后(第二次开挖),基底岩体约在 4m 范围内处于水平应力大于竖向自重应力的扰动区,4m 以下岩体侧压力系数迅速减小。

(2) 考虑岩体流变性后,泥岩的蠕变作用使得开挖蠕变扰动区深度大于弹塑性状态下的开挖扰动区。并且,蠕变 10 年以内,扰动区深度约为 15m(c 点),此后随着时间的增长,在约第 15 年时减小到 12m 左右(d 点),之后扰动区深度范围不再改变。与弹塑性状态相比,蠕变状态下基底岩体水平应力显著增大,同一深度处侧压力系数显著增大。

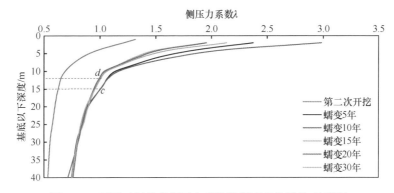

图 6-13　不同时刻基底侧压力系数随深度变化规律(见彩图)

综上可以发现,基底岩体出现持续上拱的内在机理为,大开挖卸荷后高边坡岩体侧向约束减小,在自重应力作用下产生压缩蠕变,在坡脚附近由于侧向约束作用产生应力集中,迫使坡脚及以下一定深度范围内岩体水平应力增大,基底浅部水平应力显著大于竖向应力,从而在较大水平压应力差作用下产生竖向蠕变膨胀变形,表现为路基的持续上拱。由于水平应力集中程度随着地基深度的增大而减小，水平应力差的减小使得岩体竖向上拱变形随着深度的增大而减小，存在一个临界深度，此深度以下岩体不再产生显著的蠕变上拱变形。最终，待岩体应力调整平衡后，路基上拱变形稳定。该时效性变形特征与第 5 章基于理论模型的路基长期变形分析结果一致。

6.4　本章小结

深厚软弱泥岩地区深挖路堑卸荷产生的竖向变形包括短时弹性卸荷回弹和弹性后效变形两部分，弹性卸荷回弹在施工期短时间内即可以稳定，不会对线路运营产生影响。相反，由于泥岩显著流变特性产生的基底蠕变变形具有显著的时效性，是高速铁路等对工后变形控制要求极高的工程应该特别关注的。本章以内江北站 K152+790 断面深挖路堑工程为例，引入弹塑性和黏弹塑性流变模型，对开挖后路基短时回弹变形及 30 年蠕变变形开展数值模拟研究，数值模拟结果与实际现场监测数据及理论分析结果吻合，通过基底应力场及变形场的分析，进一步探讨了基底持续上拱变形机理，并对后续竖向变形模型进行了预测，获得以下结论：

(1) 不考虑时间效应的弹塑性变形分析结果显示，两次大开挖后泥岩边坡均处于稳定状态，坡脚应力集中，影响深度约在 4m 范围以内；两次开挖卸荷引起的路基面竖向上拱变形在坡脚呈凹型分布，水平变形很小；最终，路基弹性卸荷回弹上拱变形约为 66.05mm，基底 0～10m 为开挖扰动区，特别是 0～4m 范围应该重点关注。

(2) 基于修正的 CVISC 黏弹塑性流变模型的时效性变形分析表明，具显著流变性泥岩在卸荷作用下基底岩体应力不断调整，水平应力显著增大，侧压力系数明显增大，基底 0～12m 范围的开挖蠕变扰动区大于弹性开挖扰动区范围。路基在 7 年内处于近似线性竖向上拱变形阶段并达到峰值，而后进入约 12 年的缓慢变形回落期，并逐渐趋于稳定，最终竖向不再产生变形。

实际工程建设过程中，泥岩深路堑开挖后可以在短期静置待弹性回弹变形稳定后再开展路基本体施工，避免过大卸荷回弹变形造成路基结构过早破坏。对于长期时效性蠕变变形，由于持续时间较长，不可能待其静置稳定后再进行工程结构施工。因此，一方面应加强线路运营期间基底一定深度范围内岩体变形监测，对路基蠕变变形及稳定时间进行预测，另一方面应根据预测结果增大线路变形调节空间，待变形稳定后再进行局部修复。

第7章 砂岩夹层对深路堑长期变形 影响的数值模拟研究

7.1 引 言

根据第2章对依托工程内江北站工程地质环境的详细分析，总体上，内江北站地层为巨厚红层泥岩夹薄层砂岩结构。第3章对泥岩及砂岩物理力学性能的试验分析发现，泥岩物理力学性能差，强度低，易风化、崩解，具有一定的膨胀性，而砂岩物理力学性能相对好得多，虽然同样属于软岩(单轴抗压强度小于30MPa)，但是风化速度慢得多，吸水后不易崩解，膨胀性极小。从第4章对泥岩及砂岩流变性的试验研究进一步发现，红层泥岩具有显著的流变性，在饱水、干燥和不同含水状态、受较小轴向压力作用下即产生显著的蠕变变形，相比而言，砂岩的流变性则弱得多。综合现场实际地层及系统的室内物理力学性能试验分析，物理力学性能差异较大的红层泥岩夹砂岩地层形成类似于"叠合板"结构，在地应力场中将表现出一定的结构特征，这将直接影响地基的长期变形特征。

当前，对于这种组合结构岩体地基的长期变形相关研究成果缺乏，特别是考虑不同层岩体在应力作用下的流变规律，其力学作用机理更加复杂，尚无相关研究成果。为此，本章将采用数值模拟的手段，以内江北站典型上拱变形断面为参考断面，建立层状结构地层模型，通过有限差分程序FLAC3D，考虑不同层岩体弹塑性及流变特性的差异，分析深路堑开挖后地基的应力场及变形场规律，探讨硬质夹层对地基长期变形的影响特征。

7.2 数值模型建立

数值模型同样选取成渝客运专线内江北站典型上拱区段里程K152+790深挖路堑断面，由于增加考虑砂岩层的影响，本章模型在第6章模型基础上竖向高度增加100m，即模型取x方向长度为493m，z方向左侧边界高度164m，右侧边界高度150m，y方向宽度为10m，以减小模型边界对计算结果造成的误差。计算断面最大挖深48m，开挖后路基宽度62m。模型在FLAC3D中直接建立六面体单元网格，并对路基面附近网格加密，共划分75620个单元。与第6章相同，模型采用位移边界，左右两侧边界约束水平向变形，底部为固定边界，全模型约束 *y* 方向变形(图 7-1)。

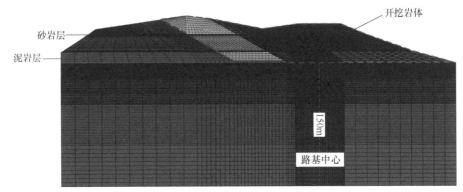

图 7-1　泥岩夹砂岩深路堑模型

首先，计算获得坡体的自重应力场；然后，挖除开挖岩体部分，开展弹塑性变形分析；最后，采用 CVISC 黏弹塑性模型计算模型应力及变形随时间的变化规律。

岩体力学模型方面，路堑开挖前坡体自重应力场平衡及开挖后弹塑性变形分析采用 Mohr-Coulomb 模型，两组岩体开挖后，为考虑基底的时效性变形，采用 CVISC 黏弹塑性模型计算开挖结束后 10 年和 20 年内坡体和基底岩体的蠕变变形。

根据前期地勘结果，在路基面以上考虑 2 层砂岩层，路基面以下考虑 3 层砂岩层，厚度均取 1.5m(图 7-1)。模型弹塑性力学参数通过砂泥岩室内单轴和常规三轴压缩试验获得(表 7-1)。采用 CVISC 黏弹塑性模型对蠕变试验数据进行参数识别，获得砂泥岩流变计算参数(表 7-2)。计算过程中监测路基中心线下不同深度岩体应力及变形规律。

表 7-1　砂泥岩弹塑性模型参数

岩性	K/GPa	G/GPa	c/MPa	φ/(°)	σ_t/MPa
泥岩	0.61	0.22	1.98	40	0.8
砂岩	1.80	0.98	2.70	57	1.50

注：K 为体积模量；G 为剪切模量；c 为黏聚力；φ 为内摩擦角；σ_t 为抗拉强度。

表 7-2　砂泥岩 CVISC 黏弹塑性流变模型参数

岩性	K/GPa	k_K/MPa	η_K/(GPa·h)	k_M/GPa	η_M/(GPa·h)
泥岩	0.61	70.1	405	6.0	2.0×10^6
砂岩	1.80	9180	2220	181.8	2.0×10^7

注：K 为体积模量；k_K 为 Kelvin 体剪切模量；η_K 为 Kelvin 体黏滞系数；k_M 为 Maxwell 体剪切模量；η_M 为 Maxwell 体黏滞系数。

作为对比，采用同样的几何模型及相关弹塑性与流变力学模型和参数，而不考虑砂岩层，整个模型仅考虑为泥岩，采用同样的方法计算获得不同情况下地基的应力及变形场特征。结果与考虑硬质砂岩夹层模型对比，分析水平状硬质砂岩夹层的存在对地基弹塑性和流变变形的影响规律。

7.3　岩体弹塑性变形特征

7.3.1　纯泥岩层路基变形特征

不考虑力学性能相对更好的砂岩层，整个坡体为纯泥岩层均质体结构。需要说明的是，由于本章的目的在于研究砂岩夹层对路基长期变形特征的影响规律，本节纯泥岩地层模型与第 6 章模型在几何及开挖分析方法上类似，但是采用的黏弹塑性模型有所不同，本节直接采用的是 CVISC 模型，不考虑加速蠕变特征阶段的模型修正，这是为了与砂岩层流变特征相对比，以获得两者的相互作用特征，采用的流变参数也就有所差异，不考虑与实际路基上拱变形监测数据的对比和反分析，直接选取一组流变参数进行砂泥岩地层模拟结果的对比分析，获得两者的变形和应力场差异特征，因此本节纯泥岩地层模型计算获得的地应力和变形与第 6 章有所差异，但基本特征一致。

深路堑开挖后，地基和坡体变形及应力分布如图 7-2～图 7-6 所示。可以看出，坡体开挖后，路堑边坡坡顶未开挖部分岩体竖向未见变形，地基岩体产生显著的竖向回弹变形，竖向上拱变形最大值在成渝客运专线路基所在位置附近，达到约 192mm，路基中心线处最大上拱变形约为 184mm；而水平变形不明显，以成渝客运专线路基为中心，两边岩体水平方向上往中心变形，路堑边坡趋于水平向右变形，路基位置水平向几乎没有变形。应力分布特征方面，坡体以竖向自重应力为最大主压应力，随深度均匀增大。

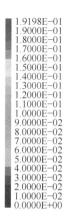
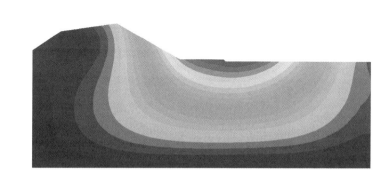

图 7-2　整体变形云图(纯泥岩层)(单位：m)(见彩图)

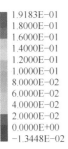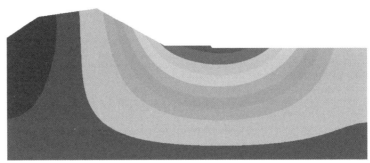

1.9183E-01
1.8000E-01
1.6000E-01
1.4000E-01
1.2000E-01
1.0000E-01
8.0000E-02
6.0000E-02
4.0000E-02
2.0000E-02
0.0000E+00
-1.3448E-02

图 7-3　竖向变形云图(纯泥岩层)(单位：m)(见彩图)

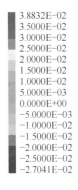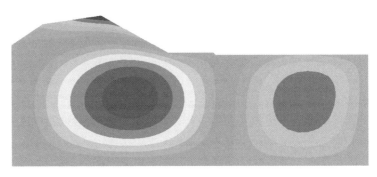

3.8832E-02
3.5000E-02
3.0000E-02
2.5000E-02
2.0000E-02
1.5000E-02
1.0000E-02
5.0000E-03
0.0000E+00
-5.0000E-03
-1.0000E-02
-1.5000E-02
-2.0000E-02
-2.5000E-02
-2.7041E-02

图 7-4　水平变形云图(纯泥岩层)(单位：m)(见彩图)

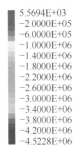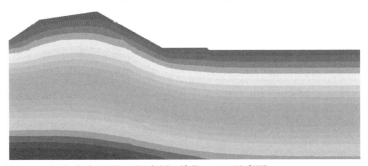

5.5694E+03
-2.0000E+05
-6.0000E+05
-1.0000E+06
-1.4000E+06
-1.8000E+06
-2.2000E+06
-2.6000E+06
-3.0000E+06
-3.4000E+06
-3.8000E+06
-4.2000E+06
-4.5228E+06

图 7-5　竖向应力云图(纯泥岩层)(单位：Pa)(见彩图)

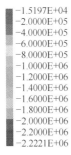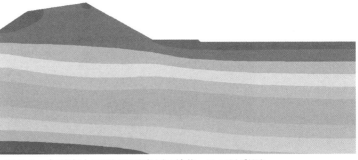

-1.5197E+04
-2.0000E+05
-4.0000E+05
-6.0000E+05
-8.0000E+05
-1.0000E+06
-1.2000E+06
-1.4000E+06
-1.6000E+06
-1.8000E+06
-2.0000E+06
-2.2000E+06
-2.2221E+06

图 7-6　水平应力云图(纯泥岩层)(单位：Pa)(见彩图)

深路堑开挖后形成的高边坡整体稳定，没有塑性区分布，地基的变形是大开挖卸荷引起的弹性回弹变形，虽然回弹变形较大，但该变形将在开挖结束后的短时间内稳定，并不会对路基的长期稳定性产生影响。

7.3.2　水平砂岩夹层路基变形特征

图 7-7～图 7-12 为考虑了含 1.5m 厚硬质砂岩夹层影响，深路堑开挖的变形及应力分布特征。可以看出，变形特征与纯泥岩模型类似，以路基位置附近竖向回弹变形为主，但是含砂岩夹层模型最大竖向回弹变形约为 185mm，路基中心线位置最大竖向回弹变形约为 180mm，比纯泥岩模型略小，水平变形特征及量值没有明显差异。图 7-13 为两种模型路基中心不同深度竖向回弹变形对比。在 20m 深度范围内，纯泥岩地层地基卸荷回弹变形略大于含砂岩夹层地层模型，20m 以下两者回弹变形并无明显差异。含砂岩夹层模型中，地基岩体中砂岩层最深位于 18m

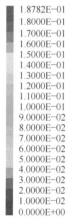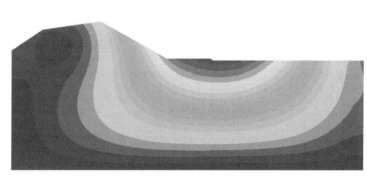

图 7-7　整体变形云图(水平砂岩夹层)(单位：m)(见彩图)

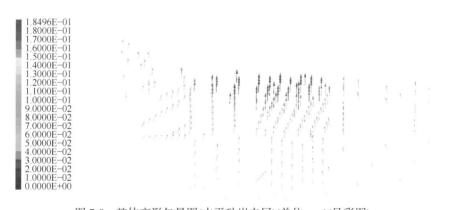

图 7-8　整体变形矢量图(水平砂岩夹层)(单位：m)(见彩图)

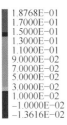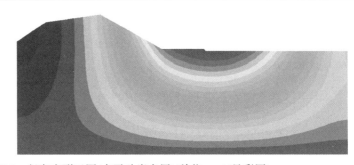

图 7-9　竖向变形云图(水平砂岩夹层)(单位：m)(见彩图)

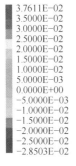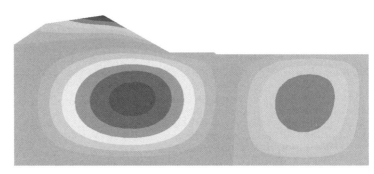

图 7-10　水平变形云图(水平砂岩夹层)(单位：m)(见彩图)

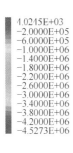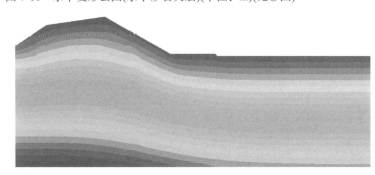

图 7-11　竖向应力云图(水平砂岩夹层)(单位：Pa)(见彩图)

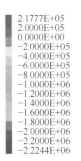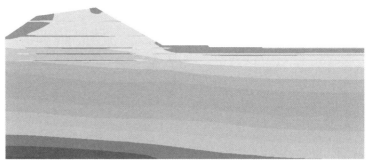

图 7-12　水平应力云图(水平砂岩夹层)(单位：Pa)(见彩图)

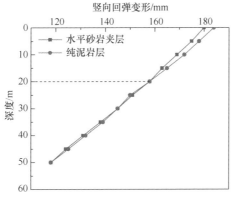

图 7-13　两种模型竖向回弹变形对比

处，也就是说，砂岩层的存在是地基回弹变形减小的原因。

　　应力场方面，竖向应力依然为自重应力场，水平应力差异明显。由于砂岩和泥岩力学性能的差异，薄层砂岩位置水平应力突变明显，表现为：①在坡体内，砂岩层所在位置水平压应力减小，局部甚至出现水平拉应力现象；②在地基岩体内，砂岩层所在位置水平压应力增大，出现压应力集中现象。这是由于硬质砂岩在岩体内部形成类似梁板结构，坡体由于一侧自由，类似于悬臂梁结构，水平向产生拉应力；地基岩体由于四周约束作用，类似于叠合板，水平向压应力集中明显。

7.4　岩体流变变形特征

7.4.1　水平砂岩夹层路基流变特征

　　深路堑开挖完成，待弹塑性回弹变形结束，采用 Burgers 模型考虑泥岩和砂岩夹层的流变作用，获得经过不同时间流变作用的坡体和地基位移场及应力场分布。以蠕变时长为 5 年、10 年和 20 年三个时刻为例，图 7-14～图 7-19 为整体变

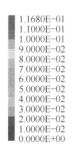
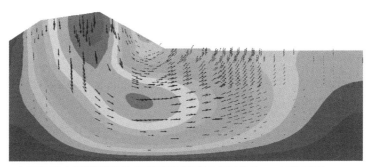

图 7-14　水平砂岩夹层模型整体变形云图(蠕变 5 年)(单位：m)(见彩图)

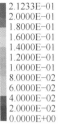
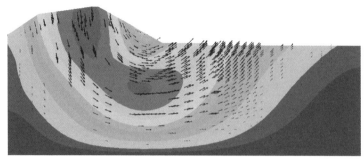

图 7-15　水平砂岩夹层模型整体变形云图(蠕变 10 年)(单位：m)(见彩图)

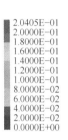
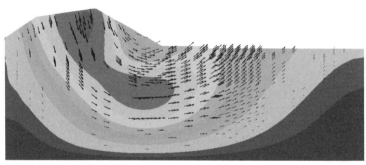

图 7-16　水平砂岩夹层模型整体变形云图(蠕变 20 年)(单位：m)(见彩图)

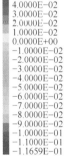
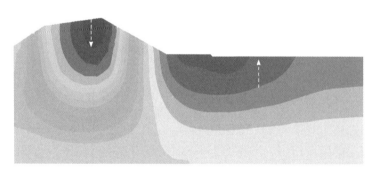

图 7-17　水平砂岩夹层模型竖向变形云图(蠕变 5 年)(单位：m)(见彩图)

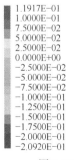
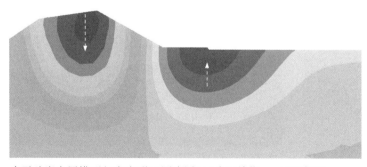

图 7-18　水平砂岩夹层模型竖向变形云图(蠕变 10 年)(单位：m)(见彩图)

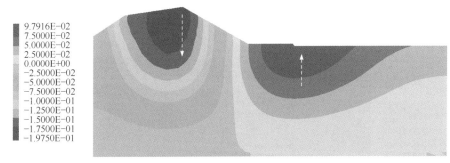

图 7-19　水平砂岩夹层模型竖向变形云图(蠕变 20 年)(单位：m)(见彩图)

形及竖向变形特征。可以看出，考虑流变作用后，路堑边坡产生压缩蠕变变形，而坡脚路基附近出现竖向上拱变形。

　　由于岩体的流变作用，在坡体大开挖卸荷后，路堑高边坡侧向卸载，在竖向自重应力作用下产生蠕变沉降，并随着时间向深部扩展，与之不同的是，仅考虑弹塑性变形的情况下，堑顶并没有竖向变形。在坡脚附近由于水平向约束作用，蠕变变形引起水平应力集中(图 7-20～图 7-22)，变形向路基临空面扩展，如图 7-14～图 7-16 所示，其变形规律类似于黏性流体的缓慢流动作用过程。高边坡区域，由于岩体中含有硬质砂岩夹层，在路堑边坡的蠕变沉降过程中，薄板状

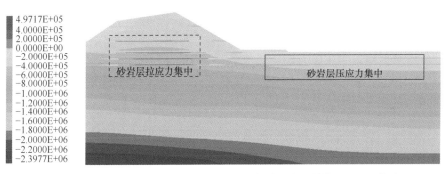

图 7-20　水平砂岩夹层模型水平应力云图(蠕变 5 年)(单位：Pa)(见彩图)

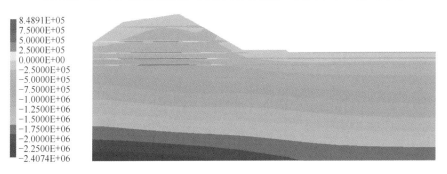

图 7-21　水平砂岩夹层模型水平应力云图(蠕变 10 年)(单位：Pa)(见彩图)

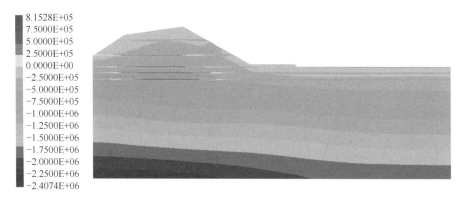

图 7-22　水平砂岩夹层模型水平应力云图(蠕变 20 年)(单位：Pa)(见彩图)

的砂岩夹层起到了屏蔽作用效果，泥岩蠕变大、砂岩蠕变小，变形差异造成砂岩层内产生拉应力集中现象(图 7-20)，从而蠕变过程减缓，并且蠕变沉降减小；路基区域，由于坡脚路基岩体对边坡蠕变变形的水平向约束作用，基底岩体在水平挤压应力作用下，砂岩层成为水平压应力集中的层位。

　　图 7-23 为基底不同深度泥岩层和砂岩层水平应力和竖向应力随时间的变化规律，基底 1m、9m 和 17m 所在的砂岩层中，蠕变起始阶段水平压应力就已经略大于竖向压应力，尤其是地基表层岩体(1m)，起始时刻水平压应力已明显大于竖向压应力。随着岩体流变作用的发展，砂岩层水平压应力逐渐开始增大，而竖向压应力几乎没有改变。直到第 10 年左右，各深度位置水平压应力趋于稳定，并且所有砂岩层水平压应力均达到竖向压应力的 2 倍以上，浅层水平压应力增大程度更加明显，这与第 5 章内江北站基底地应力测试结果显示的砂岩层水平应力显著增大的现象一致。

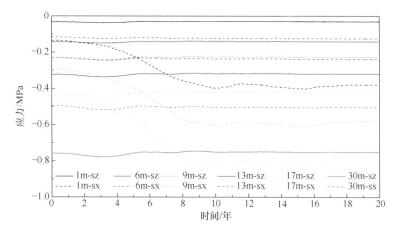

图 7-23　含砂岩夹层地基应力随时间的变化规律(见彩图)

路堑开挖后，由于砂泥岩流变作用，路基顶面竖向变形随时间的变化规律如图 7-24 所示。可以看到，蠕变变形的前 9 年路基处于持续上拱变形过程，此上拱过程可分为三个阶段。

Ⅰ阶段：0～3 年缓慢上拱变形阶段，但变形速率不断增大，对应于图 7-23 水平应力缓慢增大阶段。

Ⅱ阶段：3～7 年为加速上拱变形阶段，此时段内路基上拱变形速率基本为较大的稳定值，约为 1.3mm/月，这与现阶段内江北站路基实际监测结果吻合。

Ⅲ阶段：7～9 年为减速上拱变形阶段，此时段内路基上拱变形速率有所减小，并在约第 9 年时达到最大值 91.2mm。

经过 9 年的时间路基上拱变形达到最大值后，开始出现缓慢的沉降变形，直到第 18 年趋于稳定，沉降量约为 6.2mm，此时基底水平应力也趋于稳定。从路基顶面变形规律(图 7-24)及基底应力变化规律(图 7-23)对比可以看出，路基上拱变形与地基水平应力变化规律是吻合的，进一步证明了水平应力的增大是引起地基岩体竖向蠕变上拱变形的重要原因。

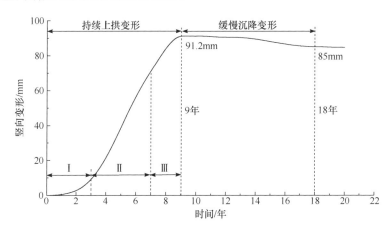

图 7-24 路基顶面竖向变形随时间的变化规律

7.4.2 纯泥岩层路基流变特性

不考虑砂岩夹层，将岩体全部视为泥岩层，在泥岩流变作用下，变形场(图 7-25～图 7-29)同样具备类似的特征。坡顶蠕变沉降，向深部扩展，坡脚处约束挤出，在路基所在位置出现竖向上拱变形。最大竖向沉降变形出现在堑顶，最大上拱变形同样出现在坡脚附近(约 129mm)，水平变形在坡脚附近最大，向路堑边坡和路基方向逐渐减小，路基最右侧边界附近无水平变形。若模型右侧边界区域减小，也就是模型右侧固定边界靠近成渝客运专线路基附近，则有可能出现路基无水平变形的情况。变形特征与第 6 章模型一致，仅在数值上有所差异。

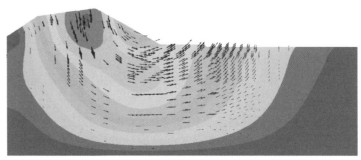

图 7-25　纯泥岩层模型整体变形云图(流变 5 年)(单位：m)(见彩图)

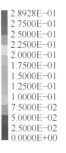
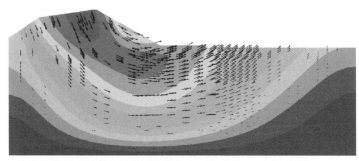

图 7-26　纯泥岩层模型整体变形云图(流变 10 年)(单位：m)(见彩图)

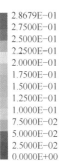
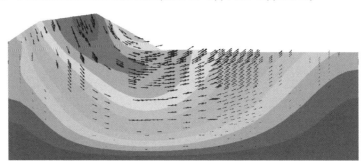

图 7-27　纯泥岩层模型整体变形云图(流变 20 年)(单位：m)(见彩图)

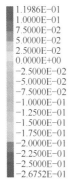
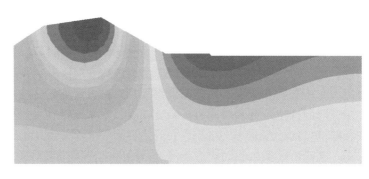

图 7-28　纯泥岩层模型竖向变形云图(流变 20 年)(单位：m)(见彩图)

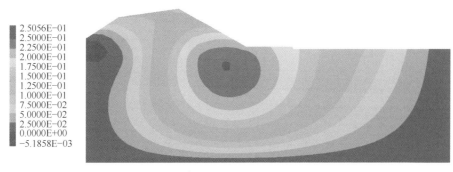

图 7-29　纯泥岩层模型水平变形云图(流变 20 年)(单位：m)(见彩图)

应力场方面(图 7-30 和图 7-31)，由于模型为泥岩均质地层，竖向为自重应力，水平应力为自重应力作用下产生的侧压力，两者沿深度均匀分布，并没有明显的应力集中现象，这与含砂岩夹层模型明显不同。图 7-32 为纯泥岩层基底应力随时间的变化规律，对比图 7-23 可以看出，纯泥岩层地基应力分布相对均匀，在蠕变初期 6 年左右，浅层岩体水平应力轻微调整，相同深度位置没有出现水平砂岩夹层模型中显著增大的情况。

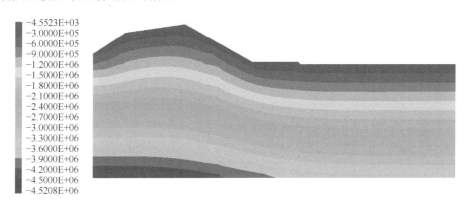

图 7-30　纯泥岩层模型竖向应力云图(流变 20 年)(单位：Pa)(见彩图)

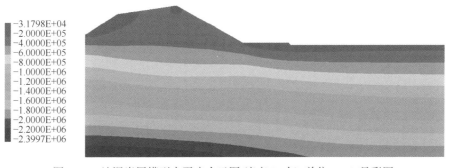

图 7-31　纯泥岩层模型水平应力云图(流变 20 年)(单位：Pa)(见彩图)

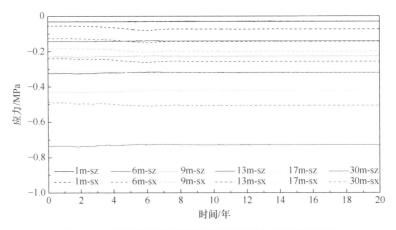

图 7-32　纯泥岩层基底应力随时间的变化规律(见彩图)

7.5　弹塑性及流变变形对比分析

在长期的沉积成岩过程中，受沉积环境差异影响，红层地区通常存在软硬互层或者夹层地层，以成渝客运专线内江北站为例，为巨厚层泥岩夹薄层砂岩构造，岩层呈近水平状。红层泥岩和砂岩均为典型的软岩，前述研究也证明，两者均具有流变性，但是流变性存在显著的差异，泥岩在低应力下即表现出显著的流变性，砂岩则相对不那么明显。但是，由于岩体流变特性对工程结构的影响特征及规律复杂，对于理论分析，在仅考虑单一岩层的情况下，理论模型就已经非常复杂，很难建立含不同性质岩体的互层或者夹层情况下的理论模型。数值模拟则效率更高，通过对比两种模型计算结果的差异，可以为理论模型的推导或者修正提供参考。

本章基于内江北站现场地质勘查资料，建立了含砂岩夹层的数值模型，采用相同的参数，开展流变作用下地基长期变形分析。图 7-33 为两种模型计算获得的路基顶面竖向变形随时间的变化曲线。可以看出：①纯泥岩层模型路基上拱变形明显比含砂岩夹层模型更大(大 41%)；②纯泥岩层模型上拱变形速率(平均1.8mm/月)明显比砂岩夹层模型(平均 0.84mm/月)更大，并且纯泥岩层模型路基在第 6 年即达到上拱变形峰值，含砂岩夹层模型则持续至第 9 年；③达到上拱变形峰值后，纯泥岩层模型产生的恢复沉降量更大。

结果表明，砂岩夹层的存在使得地基蠕变上拱变形减小、蠕变上拱变形速率减小，但是蠕变持时更长。这与砂岩作为硬质板对岩体长期变形的综合屏蔽作用是吻合的。

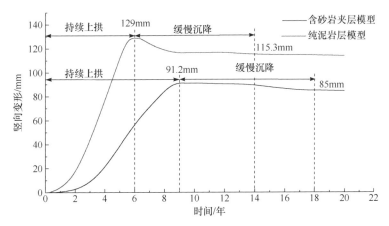

图 7-33　两种模型路基顶面竖向变形随时间的变化曲线对比(见彩图)

图 7-34 为两种模型路基面以下 1m 位置处岩体水平应力和竖向应力随时间的变化曲线。对于含砂岩夹层模型，此层位处于砂岩层中，从图中可以看出，两种模型在该深度水平应力均大于竖向应力，竖向应力均为自重应力，两者并无差别；不同的是，含砂岩夹层模型水平应力随着流变作用显著增大(增大近 2 倍)，纯泥岩层模型则没有明显增大。在路基面以下 6m 深度处(图 7-35)，两个模型均处于泥岩中，同样，两个模型竖向应力几乎相同，均为自重应力，起始阶段水平应力均小于竖向应力；但是，纯泥岩层模型水平应力出现较为明显的增大，最后趋于稳定并大于竖向应力，而含砂岩夹层模型水平应力并没有明显增大，最终水平应力依然小于竖向应力。泥岩层中这一现象的出现，同样印证了砂岩作为硬质板对泥岩应力场的屏蔽作用。

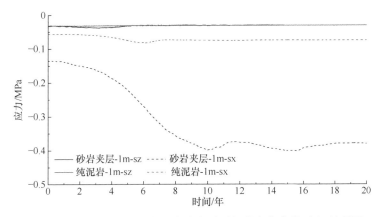

图 7-34　基底 1m(砂岩层位)深度应力随时间的变化曲线对比(见彩图)

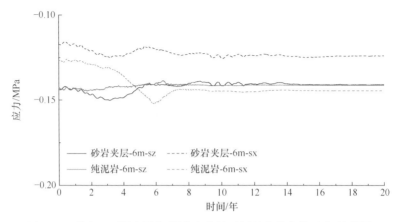

图 7-35　基底 6m(泥岩层位)深度应力随时间的变化曲线对比(见彩图)

7.6　本 章 小 结

本章采用有限差分数值分析方法，考虑红层泥岩和砂岩的差异流变特性，分析了弹塑性和流变作用下纯泥岩地层和含砂岩夹层地层深路堑位移场、应力场的特征，通过对比分析，得到以下结论：

(1) 弹塑性状态下，深路堑开挖卸荷引起的回弹变形主要为竖向上拱变形，路基位置水平变形不明显，两种模型竖向变形和水平变形特征类似；含砂岩夹层模型竖向回弹变形略大于纯泥岩层模型，但差异不明显；同时，含砂岩夹层模型在砂岩层处水平应力出现应力集中现象，这与实际基底地应力测试结果吻合。

(2) 流变作用下，堑顶出现蠕变沉降，坡脚蠕变上拱，呈类似于黏性流体流动特征；路基面以下一定深度岩体水平压应力大于竖向压应力，尤其是含砂岩夹层模型，在砂岩层中水平应力显著增大。对于含砂岩夹层模型，路基经过约 9 年时间上拱变形达到峰值 91.2mm，而后出现极少量的缓慢恢复沉降变形；对于纯泥岩层模型，路基上拱变形速率更快，达到上拱变形峰值 129mm 所需时间更短 (6 年)。表明砂岩夹层的存在对基底岩体应力和变形均起到屏蔽作用，使得蠕变速率减缓，最终蠕变量减小，但是变形持续时间显著增长。

(3) 无论纯泥岩层模型还是含砂岩夹层模型，地基变形发展规律与第 5 章理论模型推导获得的结果吻合，地基上拱变形过程由于应力的调整，表现出缓慢上拱、加速上拱、减速上拱、峰后滞后恢复沉降和最终稳定的五阶段特征，并且实际路基实时变形监测结果与数值模拟及理论分析结果吻合，进一步验证了本章对于岩体流变作用引起地基长期变形机理的解释。综合第 6 章及本章对内江北站红层软岩地基不同岩体结构特征及反演参数的模拟分析，考虑到数值模型理想状态与实际工程岩体的差异，判断路基上拱将持续 10～15 年时间，上拱变形峰值为 70～120mm。

　　自然界中的工程岩体作为一种各向异性材料，其力学性能复杂，川中红层的软硬互层或者夹层特征将对其长期变形及工程结构稳定性产生显著的影响。本章采用数值模拟手段，以成渝客运专线内江北站为例，开展了典型水平砂岩夹层岩体的弹塑性和流变作用下的变形及应力分布特征，据此总结获得一些有益的结论，可为后续对红层软岩地区路基长期变形理论模型的修正及其向实际工程应用的转化提供参考。

第8章　弧形桩板结构路基上拱变形
控制理论分析

高速铁路对上拱变形极其敏感，无砟轨道扣件可调节变形能力低(仅 4mm)，且后期整治异常困难，因此必须通过有效的工程措施控制路基的上拱变形。对于软岩深路堑上拱控制主要采用两种方法：一是挖除一定深度范围的岩土体，换填力学性能较好的岩土体，然后修筑路基；二是在基底一定深度内打入桩或者锚索、锚杆，形成复合地基结构，然后修筑路基。但是，这两种方法的设计都必须基于对基底上拱岩体深度(或者卸荷影响深度)和运营期上拱变形总量的准确预测，一旦预测失误，将面临线路运营期超限变形并返工处理的风险。

基于前述对软岩路基上拱机理的研究，高速铁路软岩路基持续上拱的内在原因是软岩的时效膨胀性和流变性，总体上看是在线路施工扰动后，原本稳定的岩体中应力场及地下水分布发生改变，在新的应力和水环境作用下软岩产生膨胀-流变耦合变形，引起路基上拱变形。目前尚无针对此类地基上拱变形的有效控制措施。为此，基于传统的埋入式桩板结构，本章提出一种能够长期有效控制软岩路基上拱变形的结构，同时兼具加固邻近边坡的功能。

8.1　桩板结构形式及加固机理

8.1.1　桩板结构形式

桩板结构作为一种加固地基的新型处理方法，在高速铁路软土路基工程中被广泛采用，其形式介于桥梁与普通填挖路基之间，主要由混凝土桩基、承台板及托梁组成。相对于传统的换填等路基加固方法，由于桩板结构整体性能好，纵横向刚度大，能够有效地与结构周围的岩土体形成桩-板-土共同作用的复合体系。上部结构的荷载以支座反力的形式传递到桩体，桩体把荷载传递到桩间土、下卧层中，通过桩土之间摩阻力和桩底稳定岩土体的端阻力承担上部荷载，从而达到控制路基沉降与变形破坏的目的。因此，桩板结构能对较深范围内的地基进行加固，对深厚软弱地基的变形有着良好的适用性。自遂渝高速铁路首次采用桩板结构以来，这种新型结构在我国高速铁路建设中已经得到了广泛的应用[150, 151]。

为适应不同施工方法、施工工艺要求等级及地质环境等条件，桩板式路基结构形式多样。目前被广泛采用的桩板结构主要有独立墩柱式、托梁式、埋入式三种。独立墩柱式桩板结构上部承载板直接与下部桩基铰接,如图 8-1(a)所示。托梁式桩板结构在上部承载板下设置托梁以提高桩板结构的横向刚度,增强整体性,同时能够减少桩基与承载板之间的应力集中,如图 8-1(b)所示。埋入式桩板结构承载板不直接与轨道板相接,而是在承载板上回填不同程度的级配碎石,能够减少温度变化引起的变形,如图 8-1(c)所示。

通常,无砟轨道路基工程中选择传统桩板结构的目的主要是减少深厚软弱土层的工后沉降。然而,对于红层软岩路堑,地基岩体在膨胀和流变作用下产生上拱变形,若采用传统桩板结构,对桩引起上拔作用,对承载板产生向上的压力,平面形承载板出现上部受拉、下部受压的弯曲变形,承载板产生的挠曲变形同样会引起轨道板的超限抬升,从而威胁列车运行的安全性及舒适性。基于此,本章引入一种基于埋入式桩板结构延伸出的新型路基加固结构,采用弧形板与抗力桩相结合的新型桩板结构埋置于路基轨道基本体下(图 8-2),其细部构造如图 8-3 所示,该

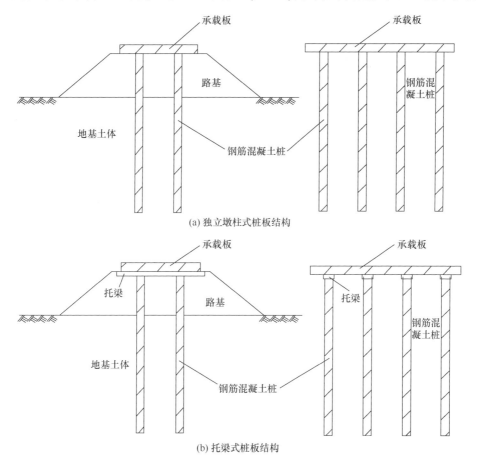

(a) 独立墩柱式桩板结构

(b) 托梁式桩板结构

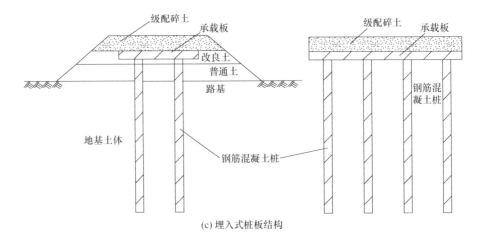

(c) 埋入式桩板结构

图 8-1　传统桩板结构形式

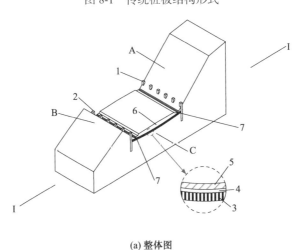

(a) 整体图

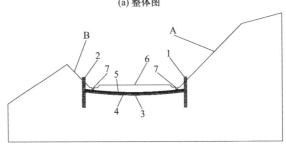

(b) I—I剖面图

图 8-2　新型弧形桩板结构路基示意图

A. 右侧坡体；B. 左侧坡体；C. 软岩基床；1. 右侧抗力桩；2. 左侧抗力桩；3. 钢筋混凝土弧形板；4. 隔水土工布；5. 中粗砂层；6. 无砟轨道路基本体；7. 排水沟

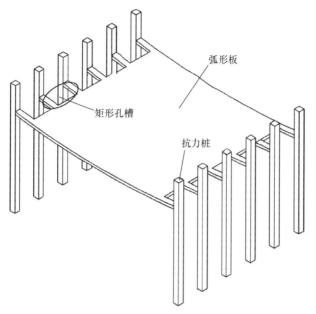

图 8-3　新型弧形桩板结构示意图

路基加固结构主要由路基面下的弧形板、分布在路基两侧的抗力桩及各个桩基之间的矩形孔槽三部分组成，其余常规排水等附属构造措施与普通桩板结构路基相同。

　　如图 8-2 所示，新型路基构造上由软岩基床、两侧邻近边坡和构筑于软岩地基上方的无砟轨道路基组成。①无砟轨道路基的两侧于右侧坡体、左侧坡体上分别沿线路方向间隔设置抗力桩，抗力桩深入基床标高以下一定深度；②软岩基床的顶面上设置沿路基中心线对称且下凹的钢筋混凝土弧形板，该钢筋混凝土弧形板的横向两侧分别与两侧抗力桩刚性连为一体；③钢筋混凝土弧形板顶面上设置隔水垫层，无砟轨道路基填筑于该隔水垫层之上；④钢筋混凝土弧形板的横向两侧呈沿线路方向延伸的梳齿状，齿端与对应的两侧抗力桩刚性连接，齿槽呈矩形，且不进入无砟轨道路基范围。

8.1.2　路基结构加固机理

　　新型桩板结构是在埋入式桩板结构的基础上改进的，该路基结构充分利用了拱形结构在受压状态下的良好工作性能，如图 8-4 所示，将传统直线型承载板改进为上凹的弧形结构，利用弧形结构将作用在承载板底部基底的上拱压力转化为向两侧扩散的轴力，轴力向两侧传递至两侧的抗力桩；对于抗力桩，一方面承受由于基底岩土体上拱变形而在抗力桩侧产生的上拔力；另一方面承受路堑边坡岩土体作用在抗力桩上的推力(欠稳定状态时)或者土压力(稳定状态时)。从而，抗力桩在弧形板传递的轴力、边坡作用推力和上拔力共同作用下处于平衡状态，弧形板传递的轴力对边坡起到加固作用，将基底上拱压力转换成路堑边坡抗力，减小路基上拱变形的同时提高了边坡的稳定性。在两侧的基桩间预留矩形槽，能够有效转移由软岩吸水膨胀和流变产生的变形，将基底岩体的上拱变形转移至无约束的矩形槽位置，允许岩体在锯齿形槽位置鼓胀，以减小基底膨胀压力和变形。与传统桩板结构用刚性结构约束岩土体变形不同，该结构允许岩土体变形，只是引导变形从路基位置转移至两侧无约束锯齿形槽，岩土体从开口槽挤出，释放变形，同时并不会对路基结构的稳定性产生影响，仅需定期清理槽口挤出岩土体即可。总而言之，该路基结构通过转移基底上拱压力和变形、调整结构受力状态的方式，能够有效降低基底岩土体上拱变形对路基结构的影响，同时提高开挖深路堑边坡的稳定性。

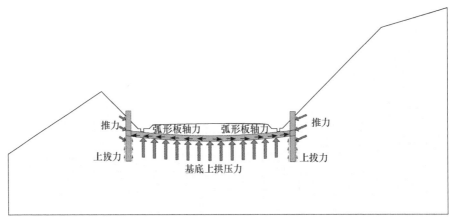

图 8-4 新型桩板结构受力机理图示

8.2 稳定边坡的桩板结构受力分析

8.2.1 模型结构概化

该结构是为控制全挖段的路基时效上拱变形而提出的，结构的受力分析涉及弧形板和抗力桩在基底上拱压力、边坡推力及上拔力等外力作用下的平衡，受力形式较为复杂，需进行适当的简化。首先，将弧形承载板与两侧抗力桩在刚接部位分离成两部分，分别对这两部分进行受力分析。其次，承载板为单向承载板，可视为超静定无铰拱。并且，由于开挖边坡稳定，无边坡下滑力作用在抗力桩上。综上所述，做出如下假设：

(1) 基底岩土体由于膨胀和流变作用产生的作用在承载板底部的上拱压力竖

向均匀分布。

　　(2) 结构各部分为弹性体。

　　(3) 结构的受力过程为基底上拱压力→承载板→桩基。

　　(4) 假设每一榀承载板所受的上拱压力通过轴力传递后集中作用在与桩刚接的中心梁上。

　　根据上述简化原则，该结构受力分析简图如图 8-5 所示。其中 Q、V、M 为弧形承载板与桩基之间的节点反力；$f(t)$ 为作用在承载板中心梁上的围岩上拱力；σ_y 为桩基所受的岩体抗力；h_0 为桩长；a、b 分别为相邻桩基之间的距离。

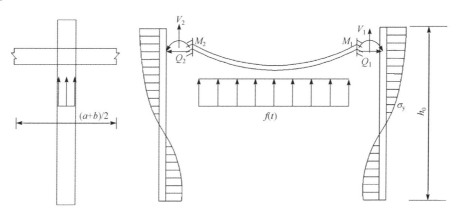

图 8-5　结构受力分析简图

8.2.2　弧形承载板受力分析

　　弧形承载板尺寸(如跨径 l、矢高 f)根据实际工程地质条件确定，图 8-6 为其计算简图。假设作用在承载板上的时效上拱力为均布力 $f(t)$，承载板上任一点径向与竖直方向的夹角为 φ。若无特别说明，后续计算均采用图中的坐标系。

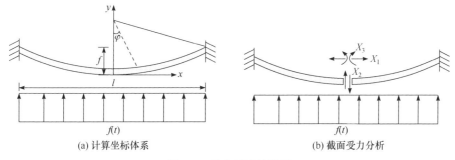

(a) 计算坐标体系　　　　　　　　(b) 截面受力分析

图 8-6　承载板计算简图

　　显然结构及荷载形式均关于中心轴对称，根据结构力学原理，将结构在拱顶截开，取一半结构进行分析，由于该结构为三次超静定结构，断口处存在三个未知力，即轴力 X_1、剪力 X_2 及弯矩 X_3。由于剪力 X_2 为反对称力，在力法方程中与剪力有关的副系数 $\delta_{12}=\delta_{21}=0$、$\delta_{32}=\delta_{23}=0$。拱形结构的力法方程组可写为

$$\begin{cases} \delta_{11}X_1 + \delta_{13}X_3 + \Delta_{1p} = 0 \\ \delta_{31}X_1 + \delta_{33}X_3 + \Delta_{3p} = 0 \\ \delta_{22}X_2 + \Delta_{2p} = 0 \end{cases} \tag{8-1}$$

式中，δ_{ij} 表示单位力 $X_j=1$ 引起的沿 X_i 方向的位移；Δ_{ip} 表示由外荷载引起的沿 X_i 方向的位移。根据弹性中心法，假设断口处存在两根长度为 $\bar{y}$ 的刚臂，将断口处的未知轴力 X_1 平移至刚臂末端，如图 8-6 所示。令副系数 $\delta_{13}=0$，得到刚臂长度 $\bar{y}$，可将力法方程组化简化为

$$\begin{cases} \delta_{11}X_1 + \Delta_{1p} = 0 \\ \delta_{33}X_3 + \Delta_{3p} = 0 \\ \delta_{22}X_2 + \Delta_{2p} = 0 \end{cases} \tag{8-2}$$

$$\bar{y} = \frac{\int \dfrac{y}{EI}\mathrm{d}s}{\int \dfrac{1}{EI}\mathrm{d}s} \tag{8-3}$$

式中，Δ_{ip}、δ_{ii} 可根据图乘法得到：

$$\Delta_{ip} = \int \frac{\bar{M}_i M_p}{EI}\mathrm{d}s + \int \frac{\bar{N}_i N_p}{EA}\mathrm{d}s + \int \frac{\bar{Q}_i Q_p}{GA}\mathrm{d}s \tag{8-4}$$

$$\delta_{ii} = \int \frac{\bar{M}_i^2}{EI}\mathrm{d}s + \int \frac{\bar{N}_i^2}{EA}\mathrm{d}s + \int \frac{\bar{Q}_i^2}{GA}\mathrm{d}s \tag{8-5}$$

式中，EI、EA、GA 分别为结构的抗弯刚度、抗压刚度、抗剪刚度。

将式(8-4)移项可求得对称轴处的三个内力 X_1、X_2、X_3。结构上任意一个截面的轴力、剪力及弯矩可由叠加法得到：

$$\begin{cases} N = X_1\cos\varphi - X_2\sin\varphi + N_p \\ Q = X_1\sin\varphi + X_2\cos\varphi + Q_p \\ M = X_1 y + X_2 x + X_3 + M_p \end{cases} \tag{8-6}$$

8.2.3　抗力桩受力分析

完成弧形板的受力分析之后，将固定端的支座反力施加在两侧的抗力桩上，采用弹性反力地基法对基桩进行分析。弹性地基法将嵌固段的桩体视为岩体内

一竖向的弹性地基梁，对桩身的每个微元段进行受力分析(图 8-7)，得到如下控制方程：

$$EI\frac{\mathrm{d}^4 x}{\mathrm{d}y^4} = -p = -CxB_p \tag{8-7}$$

式中，p 为锚固层地基抗力，kN/m；EI 为桩截面抗弯刚度，kN·m^2；y 为桩基任意一点深度，m；x 为任意点桩截面水平位移，m；B_p 为桩的计算宽度，m；C 为地基抗力系数，kPa/m。

根据地基反力系数与深度之间的关系不同，计算可以分为 K 法、m 法等。K 法假设地基反力系数在桩身范围内为常数，m 法假设地基反力系数随深度线性增加，本节采用 m 法对基桩进行受力分析。

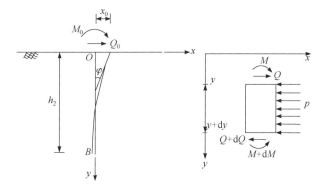

图 8-7　基桩坐标系及微元段受力简图

求解式(8-7)得到

$$\begin{cases} x = x_0 A_1 + \dfrac{\varphi_0}{\alpha} B_1 + \dfrac{M_0}{\alpha^2 EI} C_1 + \dfrac{Q_0}{\alpha^3 EI} D_1 \\[2mm] \varphi = \alpha\left(x_0 A_2 + \dfrac{\varphi_0}{\alpha} B_2 + \dfrac{M_0}{\alpha^2 EI} C_2 + \dfrac{Q_0}{\alpha^3 EI} D_2 \right) \\[2mm] M = \alpha^2 EI\left(x_0 A_3 + \dfrac{\varphi_0}{\alpha} B_3 + \dfrac{M_0}{\alpha^2 EI} C_3 + \dfrac{Q_0}{\alpha^3 EI} D_3 \right) \\[2mm] Q = \alpha^3 EI\left(x_0 A_4 + \dfrac{\varphi_0}{\alpha} B_4 + \dfrac{M_0}{\alpha^2 EI} C_4 + \dfrac{Q_0}{\alpha^3 EI} D_4 \right) \end{cases} \tag{8-8}$$

式中，x、φ、M、Q 为桩身任意一点的水平位移、转角、弯矩及剪力；x_0、φ_0、M_0、Q_0 为基桩顶点的水平位移、转角、弯矩及剪力；A_i、B_i、C_i、D_i 为 m 法影响函数值，可根据《工程地质手册(第四版)》表 8-4-46 取值；α 为桩土相对刚度。

当滑面以下的岩体完整、岩层较硬时，可将桩底视为固定端，此时桩底位移

$x_B=0$，桩底转角 $\varphi_B=0$，所对应的桩顶位移及转角为

$$\begin{cases} x_0 = \dfrac{M_0}{\alpha^2 EI}\dfrac{B_1C_2-C_1B_2}{A_1B_2-B_1A_2} + \dfrac{Q_0}{\alpha^3 EI}\dfrac{B_1D_2-D_1B_2}{A_1B_2-B_1A_2} \\[3mm] \varphi_0 = \dfrac{M_0}{\alpha EI}\dfrac{C_1A_2-A_1C_2}{A_1B_2-B_1A_2} + \dfrac{Q_0}{\alpha^2 EI}\dfrac{D_1A_2-A_1D_2}{A_1B_2-B_1A_2} \end{cases} \tag{8-9}$$

当滑面以下为土层或较为破碎的岩层，但桩端嵌入硬质岩层时，可将桩底视为铰支端，此时桩底位移 $x_B=0$，桩底弯矩 $M_B=0$，所对应的桩顶位移及转角为

$$\begin{cases} x_0 = \dfrac{M_0}{\alpha^2 EI}\dfrac{C_1B_3-B_1C_3}{B_1A_3-A_1B_3} + \dfrac{Q_0}{\alpha^3 EI}\dfrac{D_1B_3-B_1D_3}{B_1A_3-A_1B_3} \\[3mm] \varphi_0 = \dfrac{M_0}{\alpha EI}\dfrac{A_1C_3-C_1A_3}{B_1A_3-A_1B_3} + \dfrac{Q_0}{\alpha^2 EI}\dfrac{A_1D_3-D_1A_3}{B_1A_3-A_1B_3} \end{cases} \tag{8-10}$$

当滑面以下为土层或岩层较为破碎时，可将桩底视为自由端，此时桩底转角 $x_B=0$，桩端剪力 $Q_B=0$，所对应的桩顶位移及转角为

$$\begin{cases} x_0 = \dfrac{M_0}{\alpha^2 EI}\dfrac{B_3C_4-C_4B_4}{A_3B_4-B_3A_4} + \dfrac{Q_0}{\alpha^3 EI}\dfrac{B_3D_4-D_3B_4}{A_3B_4-B_3A_4} \\[3mm] \varphi_0 = \dfrac{M_0}{\alpha EI}\dfrac{C_3A_4-A_3C_4}{A_3B_4-B_3A_4} + \dfrac{Q_0}{\alpha^2 EI}\dfrac{D_3A_4-A_3D_4}{A_3B_4-B_3A_4} \end{cases} \tag{8-11}$$

8.3 欠稳定边坡的桩板结构受力分析

8.3.1 模型结构概化

该结构中抗力桩设置在开挖边坡坡脚位置，可以在控制基底岩体上拱的同时起到抗滑作用。目前，在对抗滑桩进行内力计算时，较为常用的是悬壁桩法，即将滑面以上按照悬壁桩考虑，滑面以下采用线弹性地基系数法进行计算。因此，对欠稳定路堑边坡的结构分析做出如下假设：

(1) 基底岩土体由于膨胀和流变作用产生的作用在承载板底部的上拱压力竖向均匀分布。

(2) 抗力桩采用悬臂桩法进行分析，将两侧抗力桩分为受荷段及嵌固段，且由于弧形承载板与两侧抗力桩刚接，弧形承载板与两侧抗力桩之间需要满足位移协调条件，因此假设悬臂段桩体与弧形承载板组成刚架结构。

(3) 结构各部分均为弹性体。

(4) 假设两侧抗力桩所受的滑坡推力相同且呈矩形分布[152]。

(5) 每一榀承载板所受的上拱压力通过轴力传递后集中作用在与桩刚接的中

心梁上。

根据上述条件简化后的力学模型如图 8-8 所示，图中 h_1 为受荷段桩长，h_2 为嵌固段桩长，对于欠稳定边坡，E_r 为作用在抗力桩悬臂段的推力，$f(t)$ 为作用在承载板中心梁上的围岩上拱力，σ_y 为嵌固段桩体所受的岩体抗力，其余与 8.2 节相同。

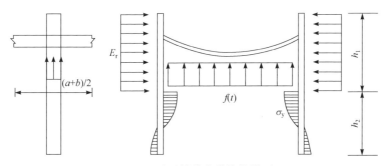

图 8-8 路基结构力学简化模型

8.3.2 承载板-悬臂段联合受力分析

弧形承载板的结构尺寸(如跨径 l、矢高 f)根据实际工程地质条件确定，承载板与悬臂段组成的刚架结构受力图示如图 8-9 所示，悬臂段桩端为刚性，假设作用在承载板上的时效上拱力为均布力 $f(t)$，承载板上任一点径向与竖直方向的夹角为 φ。若无特别说明，后续计算均采用图中的坐标系。

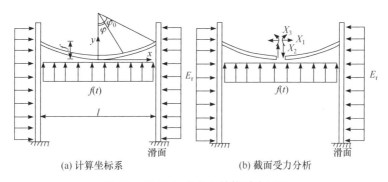

(a) 计算坐标系   (b) 截面受力分析

图 8-9 承载板-悬臂段结构受力图示

显然结构形式和荷载形式均关于中心轴对称，根据结构力学原理，将结构在拱顶截开，取一半结构进行分析，由于该结构为三次超静定结构，同样断口处存在三个未知力，即轴力 X_1、剪力 X_2 及弯矩 X_3。仍采用弹性中心法进行计算，假设断口处存在两根长度为 $\bar{y}$ 的刚臂，将断口处的未知轴力 X_1 平移至刚臂末端，如图 8-10 所示。该对称结构可以分为三部分：弧形承载板①、桩板刚接节点上部段抗力桩②、下部段抗力桩③，在未知力及外荷载作用下，结构各部分的内力计算结果如表 8-1 所示。

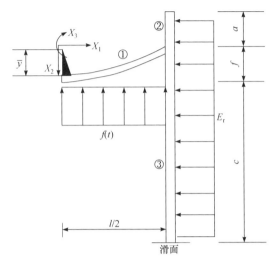

图 8-10　弹性中心法分析简图

表 8-1　结构各部分内力计算结果

内力	弧形承载板①			上部段抗力桩②			下部段抗力桩③		
	N	Q	M	N	Q	M	N	Q	M
X_1	$\cos\varphi$	$\sin\varphi$	$y-\overline{y}$	0	0	0	$\sin\varphi$	$\cos\varphi$	$y-\overline{y}$
X_2	$-\sin\varphi$	$\cos\varphi$	x	0	0	0	$\cos\varphi$	$-\sin\varphi$	x
X_3	0	0	1	0	0	0	0	0	1
p	$f(t)x\sin\varphi$	$f(t)x\cos\varphi$	$f(t)x^2/2$	0	$(a+f-y)E_r$	$(a+f-y)^2E_r/2$	$f(t)l/2$	$(a+f+c-y)E_r$	$E_r(a+f+cy)^2/2-f(t)l^2/8$

令副系数 $\delta_{13}=0$，得到刚臂长度 $\overline{y}$，可将力法方程组化简为式(8-2)，其中 $\varDelta_{ip}$、δ_{ii} 可根据图乘法得到：

$$\varDelta_{ip}=\int\frac{\overline{M}_iM_p}{EI}\mathrm{d}s+\int\frac{\overline{N}_iN_p}{EA}\mathrm{d}s+\int\frac{\overline{Q}_iQ_p}{GA}\mathrm{d}s+\int\frac{\overline{M}_iM_p}{EI}\mathrm{d}y+\int\frac{\overline{N}_iN_p}{EA}\mathrm{d}y+\int\frac{\overline{Q}_iQ_p}{GA}\mathrm{d}y \quad (8\text{-}12)$$

$$\delta_{ii}=\int\frac{\overline{M}_i^2}{EI}\mathrm{d}s+\int\frac{\overline{N}_i^2}{EA}\mathrm{d}s+\int\frac{\overline{Q}_i^2}{GA}\mathrm{d}s+\int\frac{\overline{M}_i^2}{EI}\mathrm{d}y+\int\frac{\overline{N}_i^2}{EA}\mathrm{d}y+\int\frac{\overline{Q}_i^2}{GA}\mathrm{d}y \quad (8\text{-}13)$$

联立上述公式可计算得到路基结构任一点处的内力。嵌固段基桩解析同 8.2 节。

8.4 算 例 分 析

桩板结构内力及变形的理论计算，首先应获得作用在结构上的外力。对于本章弧形桩板结构，其设置的目的在于减小路基由基底岩土体隆起产生的上拱变形。因此，考虑的外力主要为作用在弧形板底部的基底上拱压力。但是，目前尚无针对岩体流变对路基结构所产生的上拱压力方面的研究，且在线路运营过程中红层软岩的流变性及膨胀性所产生的压力会同时作用在承载板上，这种联合作用压力形成机理复杂，尚无法通过理论方法获得，而原位测试限于变形的时效性及受线路运行限制，也无法开展有效的测试工作。因此，本节算例采用岩体的综合膨胀压力作为作用在承载板上的上拱压力。

假设开挖路堑边坡处于稳定状态，作用在桩板结构上的外力仅为基底岩体上拱压力，取基底岩体的膨胀压力为 60kPa，针对本节算例，对 5 种不同矢高弧形板的新型路基结构进行分析，结构参数选取如表 8-2 所示。

表 8-2 承载板力学参数

工况	矢高 f/m	跨径 l/m	抗弯刚度 EI/(N·m²)	抗剪刚度 GA/N	抗压刚度 EA/N	计算宽度 $(a+b)/2$/m	桩径 B/m	桩长 h/m
1	0							
2	0.5							
3	1.0	18	$2.5×10^9$	$18×10^9$	$30×10^9$	5.0	1.0	20
4	1.5							
5	2.0							

根据上述稳定边坡桩板结构受力分析，求解各工况下的超静定无铰拱，得到承载板对抗力桩的反力，如表 8-3 所示。

表 8-3 支座反力

工况	1	2	3	4	5
N/kN	0	4209	3440	3850	3310
M/(kN·m)	5400	4252	2595	1540	944

可以看到，当弧形板矢高为 0，即退化为传统平板结构时，承载板作用于抗力桩上的轴力为 0，而弯矩最大；随着矢高的增大，抗力桩受到承载板传递的轴

力增大，弯矩减小。该规律与设置弧形板的定性机理吻合，一方面，说明理论计算模型是合理的；另一方面，在一定范围内，增大弧形板的矢高可以减小节点弯矩、增大轴力，更利于荷载传递即坡体稳定性。

假设工程区域岩体内摩擦角为 30°～45°，弹性模量为 0.6～1.3GPa，根据《工程地质手册(第四版)》可确定地基系数为 $120×10^6$Pa/m。

图 8-11 为承载板竖向位移及内力计算结果。可以看出：

(1) 矢跨比增大，弧形承载板竖向位移减小，矢高 f=0 时(传统平板)路基中心最大上拱变形为 22.3mm，f=1.0m 时路基中心最大上拱变形减小到 11.0mm，f=2.0m 时路基中心最大上拱变形仅为矢高 f=0 时的 22%，表明设置弧形结构板能够显著减小路基上拱变形(图 8-11(a))。

(2) 传统平板结构在基底上拱压力作用下不会产生轴力(图 8-11(b))，但是弯矩和剪力最大(图 8-11(c)、(d))，这也是引起平板结构挠度最大的原因。承载板设置为弧形后，板内轴力显著增大，f=1.0 时承载板轴力最大，并且沿横向分布均匀，同时承载板弯矩也相应减小，f=2.0m 时承载板轴力、弯矩和剪力均最小，结构内力以传递的轴力为主，并且分布均匀，对应产生的竖向位移也最小。

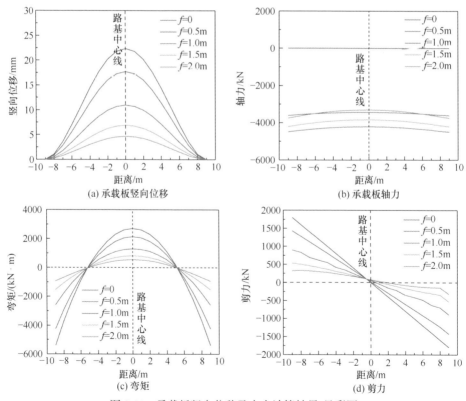

图 8-11　承载板竖向位移及内力计算结果(见彩图)

随着矢跨比的增加，承载板的竖向位移逐渐减小。将承载板设置为弧形，能够显著降低承载板内部的弯矩及剪力，轴力的增大则有效传递到两侧抗力桩，并且充分发挥了混凝土结构抗压能力强的优点，增强了结构抵抗变形的能力。

图 8-12 为承载板两侧抗力桩的水平位移及内力计算结果。可以看到，将承载板设置为弧形时，两侧抗力桩的水平位移有所增加，这是由于弧形板传递轴力作用于抗力桩上，抗力桩向边坡方向产生变形。然而，这种推挤变形对边坡起到增大抗滑力的效果，提高了桩周岩体的地基反力，提高了路堑边坡的抗滑稳定性。另外，基桩 10m 以下的水平位移、剪力和弯矩几乎不再改变，也就是说，地基岩体上拱压力作用在承载板上，并通过承载板将荷载传递到抗力桩后，10m 以上桩段发挥了抵抗作用。当然，在进一步考虑深路堑边坡下滑力(或者主动土压力)和作用在深部桩段的上拔力后，桩身内力分布也将改变。可以预见，总体上，桩身水平位移、上段剪力及弯矩都将减小，桩身轴力将增加。

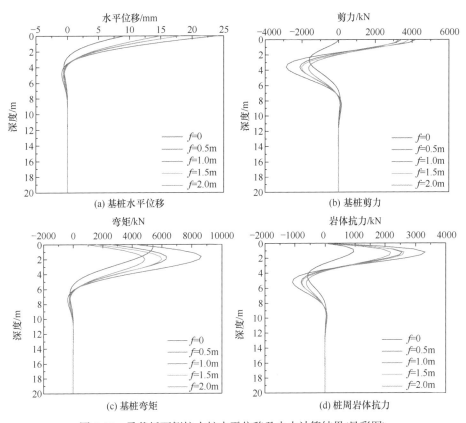

图 8-12　承载板两侧抗力桩水平位移及内力计算结果(见彩图)

8.5　本章小结

红层软岩的时效变形引起路基在运营期持续上拱，严重威胁高速铁路列车的安全运营。然而，软岩地基由膨胀性和流变性引起的变形机理复杂，且变形持续时间长，高速铁路无砟轨道上拱变形调节能力十分有限，传统的平板式桩板结构已无法有效控制路基时效性变形。针对这一工程问题，本章提出了一种新型埋入式桩板结构，该结构由弧形承载板、抗力桩及泄压孔三部分组成。

本章根据新型路基结构，采用结构力学方法，基于弹性地基反力法推导了结构内力和变形计算方法，并结合算例分析了结构受力特点及对上拱变形控制的有效性。结果表明，将传统的平板型承载板转化为拱形承载板，能够有效减小承载板因地基岩体上拱压力产生的过大弯矩及剪力，通过轴力将荷载传递至两侧抗力桩，从而有效减小路基上拱变形。同时，弧形承载板竖向位移随矢跨比的增加而减小。并且，相对于传统平板型承载板，弧形承载板会对两侧基桩施加水平方向的荷载，荷载方向与滑坡推力方向相反，能够有效提高边坡抗滑稳定性。总体来看，提出的弧形桩板结构充分利用弧形结构特殊的荷载传递特点，将基底岩体上拱压力通过轴力传递至两侧抗力桩，用于抵抗边坡下滑力，提高边坡的抗滑稳定性。而弧形板两侧预留锯齿形槽又能有效释放基底岩体上拱挤压变形，将变形转移至两侧，从而避免了路基中心过大压力及上拱变形。

当然，要准确计算本章新型路基结构的内力和变形，前提是需要准确获取基底岩体由于时效性上拱变形作用于承载板底部的上拱压力和作用于基桩的上拔力。根据前述研究，深路堑开挖后，两侧边坡坡脚应力集中，尤其是水平应力显著增大，且应力场随时间变化，因此作用于抗力桩上的下滑力或者土压力的获取也是结构计算的关键。这些作用于路基结构上的外荷载的确定是进行结构设计的关键，可以结合理论模型和必要的现场测试获得。

第9章 弧形桩板结构路基时效性变形控制特征分析

本章依托在建成自高速铁路球溪站，建立红层软岩地层及新型弧形桩板结构模型，开展弹塑性及考虑岩体流变性情况下的路基变形及结构内力、变形分析，据此进一步讨论并验证提出的新型路基结构对于控制软岩路基上拱变形的有效性。

9.1 工 程 概 况

新建成都至自贡高速铁路位于四川省境内，从成都东站引出，经成都天府站、资阳西站、球溪站和威远站，终点接在建川南城际铁路自贡东站，线路正线长度161.91km，桥隧比75.57%。球溪站为线路新建中间车站，占地面积30.3万m^2，设到发线2条，正线2条，正线按无砟轨道设计，到发线按有砟轨道设计。球溪站位于川中丘陵地貌区(图9-1)，区内多为浑圆状缓丘，自然斜坡坡度5°～30°，丘间多为宽缓沟槽，地面高程368～410m，相对高差5～20m，地形起伏较大，线路附近村庄民房零星分布。

图 9-1 球溪站原始地貌特征

地层岩性方面，工程区地表上覆第四系全新统坡洪积(Q_4^{dl+pl})软黏土、松软土、粉质黏土及坡残积层(Q_4^{dl+el})粉质黏土；下伏基岩为侏罗系中统下沙溪庙组(J_2xs)、上沙溪庙组下段(J_2s^1)砂岩夹泥岩。地层岩性分述如下：

软黏土(Q_4^{dl+pl})：褐黄色，软塑状，土质较纯，黏性一般。呈层状分布于沟槽内，厚 0～8m，属 II 级普通土，不能作为填料。

松软土(Q_4^{dl+pl})：褐黄色、褐色、灰色，软塑状，土质较纯，黏性较强。呈层状及透镜状分布于桥址区低洼沟槽内，具体分布段落详见软土、松软土分布特征表。据现场调绘，钻探揭露厚度 0～3m。

粉质黏土(Q_4^{dl+pl})：褐黄、棕红色，硬塑状，土质较纯，黏性一般。呈层状分布于沟槽底表层，厚 0～6m。

粉质黏土(Q_4^{dl+el})：褐黄色，硬塑状，含少量砂泥岩质碎石角砾。分布于测区丘包地表上，雨季随降雨入渗影响，沟槽地段硬度可能随之降低，厚 0～3m。

砂岩夹泥岩(J_2xs 和 J_2s^1)：测区基岩，泥岩呈紫红、灰褐色，泥质结构，厚层状为主，主要由黏土矿物组成，易风化剥落，具有遇水软化崩解、失水收缩开裂等特性。砂岩呈青灰、棕黄色，粉砂质结构，泥钙质胶结，中厚层状，节理较发育。

区内断裂构造不发育，地层单斜，近水平，产状变化不大，岩体较完整，岩石局部风化层较厚。附近岩层产状为 N25°～50°E/1°～2°NW，节理较发育，表层岩体风化破碎，两组主要节理产状为 N30°W/⊥、N50°W/⊥（图 9-2）。

(a) 砂岩夹泥岩   (b) 开挖路堑边坡

图 9-2 球溪站开挖揭露地层岩性

地表水不发育，局部有水田、鱼塘，雨季坡面可能形成暂时性流水，以大气降水补给为主，蒸发、下渗及向低洼处排泄。地下水主要为第四系孔隙潜水、基岩裂隙水, 地下水位埋深 3～5m, 局部陡坎地段埋深大于 10m, 地下水位受季节变化影响较大。第四系孔隙潜水主要赋存于第四系松散土层中, 主要受大气降水补给, 下渗排泄。基岩裂隙水主要分布于基岩及风化层裂隙中, 受孔隙水及大气降水补给, 向低洼处排泄。

工程区泥岩为泥质胶结, 含较多亲水矿物, 具有遇水软化崩解、失水收缩开裂等特性及膨胀性, 开挖后浅层裸露泥岩快速风化, 且砂岩和泥岩差异风化特征显著。勘察阶段取泥岩试样 29 组, 试验结果显示, 自由膨胀率为 6%～34%, 平均值为 23.588%; 饱和吸水率为 5.49%～26.1%, 平均值为 14.659%; 膨胀力为 52.7～577kPa, 平均值为 270.4kPa。根据《铁路工程特殊岩土勘察规程》(TB 10038—2012), 判定为弱膨胀岩。根据试验资料分析, 膨胀力参数离散性较大, 局部地段可能存在基底上拱变形风险。并且, 本工点为深挖方路堑工程, 尤其是 DK111+845～DK111+980、DK112+040～DK112+245、DK112+360～DK112+580 段挖方较深, 开挖量较大。岩土体开挖至设计高程后, 路基面附近原上覆土压力被解除, 有可能产生卸荷回弹及长期的蠕变变形, 对极软岩、软质岩层路基面有可能产生上拱变形。

9.2　模　型　建　立

本节选取成自高速铁路 DK111+920～DK111+980 全挖深路堑段进行研究。考虑到此段边坡分 2～5 级开挖, 最上部的开挖段横截面长度较大, 达到 140m, 为减小边界效应, 横截面宽度选取线路路基中心向外两侧 125m 范围。根据前述研究, 开挖路基深部岩体应力场逐渐恢复至初始自重应力状态, 不会对路基长期变形产生影响, 因此模型取路基下 60m 深度范围, 沿线路走向 60m 长度。

根据前期勘察报告, 从初始地面线往下地层依次为粉质黏土、强风化泥岩夹砂岩、弱风化泥岩夹砂岩。利用工程区地形图及设计开挖线建立三维模型, 对坡脚及路基部分的网格进行局部加密, 几何模型网格如图 9-3 所示。由于地质模型整体上为几何不规则形状, 模型由混合网格单元组成, 共计 387294 个单元、247388 个节点。

模型以线路走向为 x 轴, 竖直方向为 z 轴, 坡面临空方向为 y 轴。在数值计算中, 约束模型左右边界的 y 方向位移, 前后边界的 x 方向位移, 底部 x、y、z 三个方向的位移。

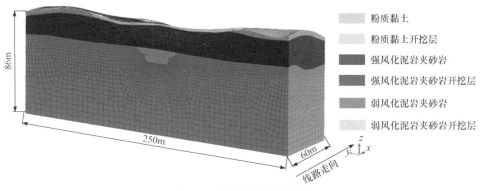

粉质黏土
粉质黏土开挖层
强风化泥岩夹砂岩
强风化泥岩夹砂岩开挖层
弱风化泥岩夹砂岩
弱风化泥岩夹砂岩开挖层

图 9-3　模型网格(见彩图)

9.3　弹塑性计算结果分析

将各岩层视为弹塑性材料，计算边坡未开挖时自重应力下的初始应力场，各层岩体满足 Mohr-Coulomb 强度准则。结合勘察阶段开展的岩土体物理力学性能试验，各层岩土体参数取值如表 9-1 所示。

表 9-1　弹塑性参数取值

岩土材料	弹性模量/MPa	内摩擦角/(°)	黏聚力/MPa	容重/(kN/m³)	泊松比
粉质黏土	50	17	0.035	2.02	0.4
强风化泥岩夹砂岩	600	40	1.8	2.2	0.3
弱风化泥岩夹砂岩	1300	50	2.8	2.4	0.35

将自重应力下的边坡位移清零，用以模拟开挖前边坡的初始状态。对开挖层的岩土体赋予空模型来模拟开挖过程，根据设计从上至下总计开挖 5 级边坡，分别为：

(1) 第 1 级开挖深度为 8m，边坡坡度为 1∶1.75，平台宽度为 3m。

(2) 第 2 级开挖深度为 8m，边坡坡度为 1∶1.5，平台宽度为 4m。

(3) 第 3 级开挖深度为 8m，边坡坡度为 1∶1.5，平台宽度为 3m。

(4) 第 4 级开挖深度为 8m，边坡坡度为 1∶1.25，平台宽度为 2m。

(5) 第 5 级开挖深度为 6m，边坡坡度为 1∶3，路基宽度为 20m。

9.3.1　弹塑性变形分析

图 9-4 为五次开挖过程中边坡位移云图及矢量图。整体来看，每次开挖完一级之后，开挖面及坡面附近由于卸荷会产生朝临空面方向较大的变形，距离开挖

位置越远的区域，受卸荷作用的影响就越小，开挖并不会对顶部的天然斜坡造成影响，在五次开挖过程中，远离坡面的岩体内部位移分布形式大致相同。

第1、2、3级边坡开挖后，两侧边坡高度相差不大，开挖面附近的位移云图分布大致对称，开挖中心位置的位移最大，位移等值线呈椭球状向内发展。在第4、5级边坡开挖后，由于右侧边坡高度较高，靠近右侧边坡的路基位置回弹变形要大于左侧。横向上，各级边坡开挖后无论路基还是边坡的变形都是以开挖中心位置为对称轴，向两边逐渐减小，变形以竖向回弹为主。

随着开挖边坡高度的增加，开挖面底部的回弹变形也逐渐增加，分别约为2.89mm、6.64mm、12.64mm、17.33mm、18.94mm。由于模型中两侧边坡的高度随着线路里程而变化，开挖面附近的岩体内部形变能与边坡高度相关，因此在边坡高度较大的位置，开挖面底部回弹变形要比边坡高度小的路基大，即深路堑开挖后路基卸荷回弹变形与开挖边坡高度相关。

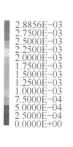
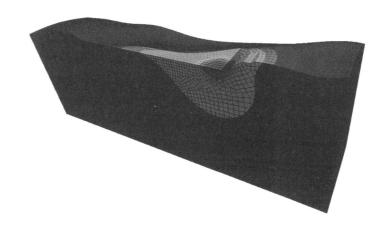

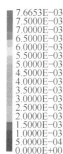
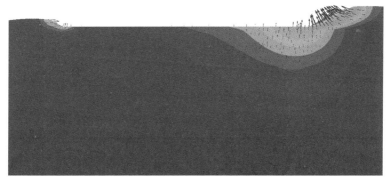

(a) 第一次开挖

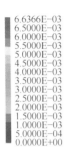
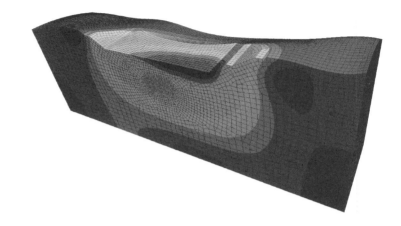

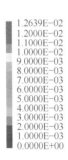
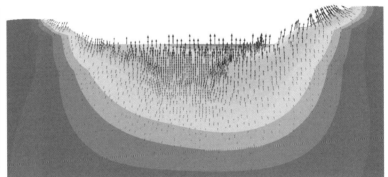

(b) 第二次开挖

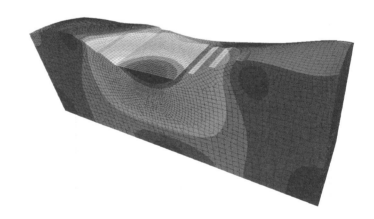

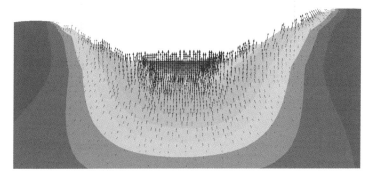

(c) 第三次开挖

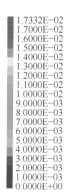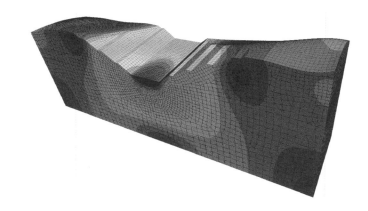

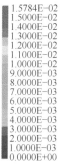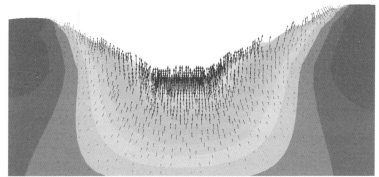

(d) 第四次开挖

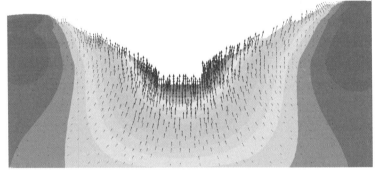

(e) 第五次开挖

图 9-4   开挖过程中边坡位移云图及矢量图(单位：m)(见彩图)

开挖完成之后边坡和路基的竖向和水平位移云图如图 9-5 所示。可以看到，竖向位移及水平位移大致呈对称分布，卸荷后路基面中心处回弹产生的竖向位移最大，达到约 18.9mm。与内江北站深路堑开挖不同，球溪站为双面路堑边坡，路基在两侧边坡的约束作用下几乎不发生水平位移。边坡在卸荷后位移矢量从上至下逐渐向路基面的方向偏转，边坡变形仍以竖向变形为主。开挖面附近的位移

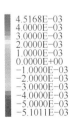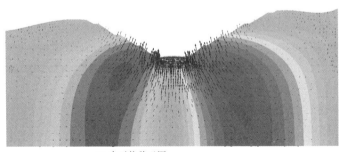

(a) 水平位移云图

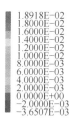
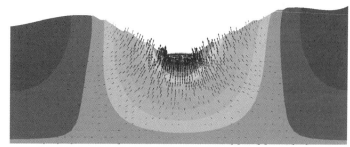

(b) 竖向位移云图

图 9-5　开挖后路堑段位移云图(单位：m)(见彩图)

矢量均指向临空面方向，符合边坡开挖的变形特征。

9.3.2　应力场分析

开挖后边坡的大小主应力云图如图 9-6 所示。开挖卸荷导致应力重分布，由于没有构造应力的作用，在自重应力作用下，总体上大小主应力均与埋深相关，呈层状分布。在靠近开挖临空面一定范围的区域，最大压应力发生偏转并近似平行于开挖面。在量值上，越靠近开挖临空面，小主应力越小，理论上甚至有可能降低为拉应力，从而产生张拉破坏，而在本节中并未出现拉应力，证明该边坡破坏模式以压-剪模式为主；大主应力(压应力)从岩体深部向临空面方向逐渐由竖直方向的自重应力转为平行于开挖面的方向，并沿着坡面方向从上至下逐渐增大。边坡开挖面附近区域常常被认为是应力降低区或者扰动区，而距离开挖面较远的区域，由于不会受到边坡开挖而产生应力调整，大小主应力在方向以及量值上与开挖之前保持一致，因此称为原岩应力区[65, 153]。

当边坡开挖至设计路基面深度时，路基面附近会出现显著的应力集中现象，表现为大主应力(压应力)沿着路基面水平方向，小主应力为竖向。随着深度的增加，由于水平应力与竖向应力的调整(图 9-7)，基底一定深度范围内，水平压应力

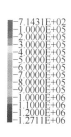
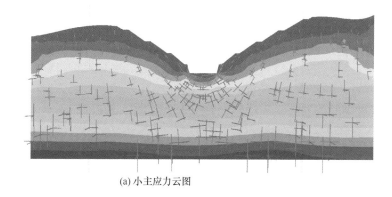

(a) 小主应力云图

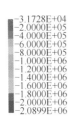
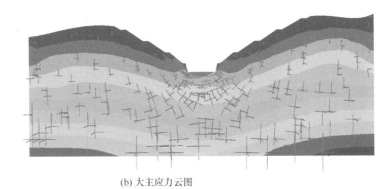

(b) 大主应力云图

图 9-6　开挖后路堑段主应力云图(单位：Pa)(见彩图)

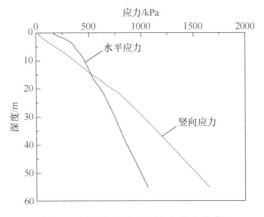

图 9-7　基底不同深度的主应力分布

会大于竖向应力，并随着深度的增加逐渐又趋于原始自重应力场，这与内江北站单面开挖路堑基底应力场特征相同。

　　路基面所在位置的应力及竖向位移随着边坡开挖级数的变化如图 9-8 所示。随着开挖深度增大，上覆岩体卸除，基底的竖向应力持续减小，最后一级边坡开挖完成之后竖向应力为 0；而受到左右两侧边坡的挤压，水平应力虽然也会随着开挖而降低，但是降低幅度很小，最后一级边坡开挖完成后，水平应力为 159kPa。因此，基底一定深度范围内岩体在竖向卸荷、水平方向的挤压下产生显著的竖向位移。在边坡开挖完成之后，竖向位移达到 15.6mm。同时，这也为后续岩体的流变变形提供了应力条件。

　　图 9-9 为开挖完成后最大剪应变增量云图。开挖面周围的剪应变相对于深部岩体的剪应变较大，最大剪应变增量主要集中于三、四级边坡的坡脚处，边坡内部没有形成贯通剪切带，可见开挖完成后的边坡处于稳定状态。在开挖卸荷作用下，路基面附近由于应力集中，水平应力远远大于竖向应力，同样会产生较大的

剪应变。

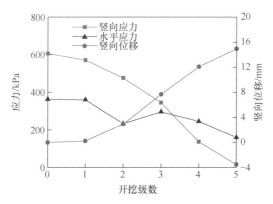

图 9-8　基底应力及竖向位移随边坡开挖级数的变化

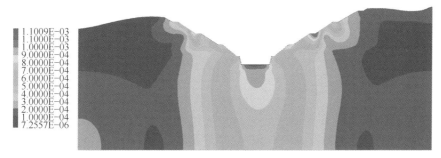

图 9-9　开挖完成后最大剪应变增量云图(见彩图)

通过强度折减法计算得到边坡的稳定性系数为 4.23，远远大于《铁路路基设计规范》(TB 10001—2016)中所要求 1.15～1.25，因此在开挖完成后，边坡处于稳定状态。图 9-10 为最大折减系数对应的剪应变增量云图。当折减系数为 4.23时，右边坡内部会形成自上而下贯通的剪应变带，进而造成边坡失稳。

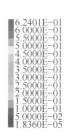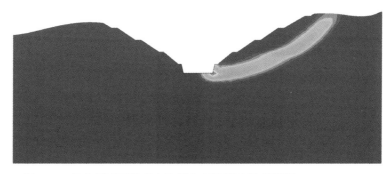

图 9-10　最大折减系数对应的剪应变增量云图(见彩图)

9.4　流变计算结果分析

在模型弹塑性计算完成后，将模型的位移清零，保持应力状态不变，与内江北站模型相同，将岩土体本构模型改为 CVISC 模型用以模拟运营阶段的时效变形，计算全路堑开挖段十年内的变形特征。由于缺乏依托工点红层软岩的蠕变试验及其流变力学参数，且本节目的在于分析弧形桩板结构对路基时效性变形控制的效果，因此综合采用相关文献[145, 154, 155]对川中红层路基上拱的反演结果，确定岩体的流变参数，岩体流变模型参数如表9-2所示。

表 9-2　岩体流变模型参数

岩体介质	η_M/(GPa·h)	E_M/GPa	η_K/(GPa·h)	E_K/GPa	c/MPa	φ/(°)	E/GPa
强风化砂岩夹泥岩	12×10^3	0.03	10.5	0.01	1.8	40	0.42
中风化砂岩夹泥岩	12×10^5	118	122	1.18	2.8	50	2

9.4.1　流变应力和位移场分析

在边坡弹塑性计算完成之后，对边坡位移清零，将岩体本构模型更改为 CVISC 模型进行黏弹塑性分析。由于岩体的流变作用，坡体及基底岩体的应力场及位移场将随之动态变化，直至最后稳定。

图 9-11 为深路堑开挖后运营阶段的位移矢量图。该地层存在中风化砂岩夹泥岩及强风化砂岩夹泥岩两种岩体，且强风化砂岩夹泥岩的流变特性要强于中风化砂岩夹泥岩，因此 2～3 级边坡的变形较为明显。总体而言，路堑边坡表现为朝向坡脚临空面的圆弧形变形趋势，远离开挖面的深部岩体位移矢量为自重作用下的压缩变形，表现为沉降。由于右侧边坡高度相对于左侧边坡较高，对路基面的挤压作用也更强，路基面的位移矢量总体朝左上方。

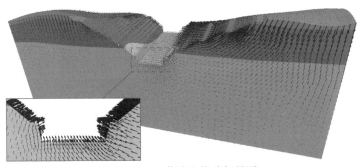

图 9-11　运营阶段位移矢量图

图 9-12(a)为线路运营 1 年的位移云图。路基面附近的竖向位移较大，第 1 年最大上拱变形达到 36.15mm，竖向位移以圆柱体的形式向内部围岩扩展，大致沿着路基中心对称；下部边坡由于卸荷产生上拱，即位移向上，上部边坡则在自重作用下发生沉降，即位移向下，在三级边坡附近竖向位移为 0。水平位移主要集中在两种岩层的交接面上，最大水平位移达到 96.44mm，路基区域的水平位移较小，占总位移的很小一部分。随着时间的改变，路堑段位移也会随着不断调整。

图 9-12(b)为之后 9 年深路堑的位移增量云图。总体上，在第 1 年末已经产生较大的流变变形，而后 9 年位移增量并不大。整体上，水平位移主要集中在两侧边坡，朝着临空面方向变形，竖向位移主要集中在坡脚路基所在位置，为竖向上拱变形。

图 9-13 为第 1 年和第 10 年深路堑横剖面的应力增量云图。可以看到，与位移类似，岩体应力也随着时间而改变，并且在坡脚处有明显的压应力集中现象，持续 10 年后坡脚应力集中程度也未见明显减缓。

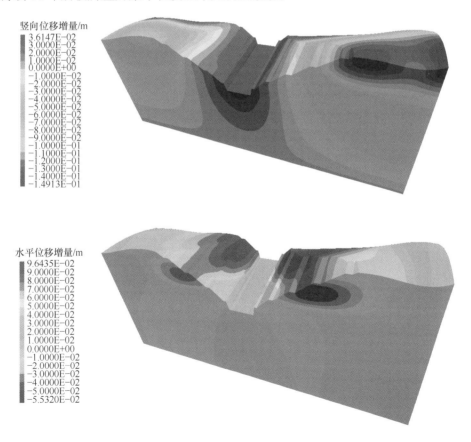

总位移增量/m

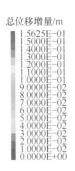
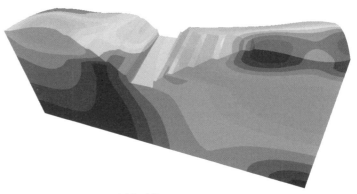

(a) 0~1年

竖向位移增量/m

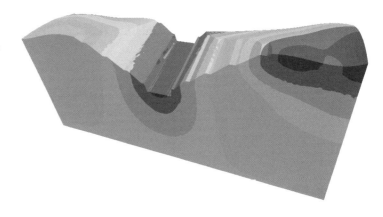

水平位移增量/m

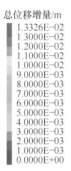
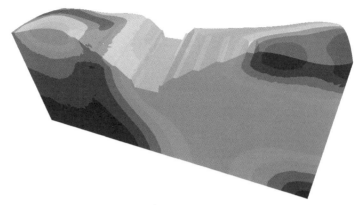

总位移增量/m

1.3326E−02
1.3000E−02
1.2000E−02
1.1000E−02
1.0000E−02
9.0000E−03
8.0000E−03
7.0000E−03
6.0000E−03
5.0000E−03
4.0000E−03
3.0000E−03
2.0000E−03
1.0000E−03
0.0000E+00

(b) 1～10年

图 9-12　不同流变阶段位移增量云图(见彩图)

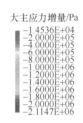
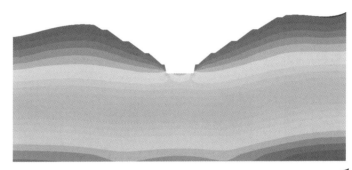

大主应力增量/Pa

−1.4536E+04
−2.0000E+05
−4.0000E+05
−6.0000E+05
−8.0000E+05
−1.0000E+06
−1.2000E+06
−1.4000E+06
−1.6000E+06
−1.8000E+06
−2.0000E+06
−2.1147E+06

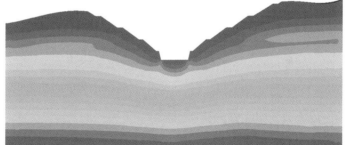

小主应力增量/Pa

−1.8601E+00
−1.0000E+05
−2.0000E+05
−3.0000E+05
−4.0000E+05
−5.0000E+05
−6.0000E+05
−7.0000E+05
−8.0000E+05
−9.0000E+05
−1.0000E+06
−1.1000E+06
−1.2000E+06
−1.3000E+06
−1.4000E+06
−1.5000E+06
−1.6000E+06
−1.7000E+06
−1.7589E+06

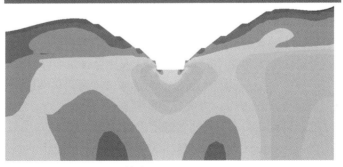

最大剪应力增量/Pa

3.4861E+05
3.2500E+05
3.0000E+05
2.7500E+05
2.5000E+05
2.2500E+05
2.0000E+05
1.7500E+05
1.5000E+05
1.2500E+05
1.0000E+05
7.7500E+04
5.0000E+04
2.5000E+04
5.4595E+03

(a) 第1年

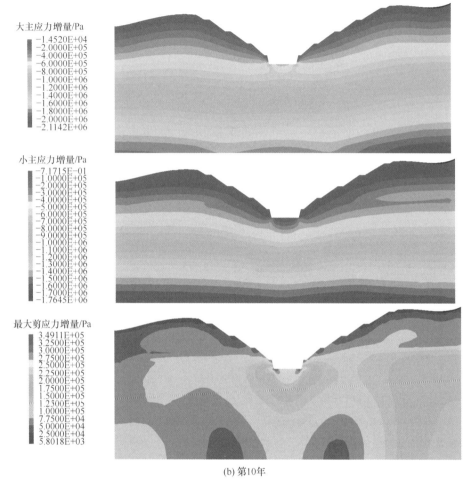

(b) 第10年

图 9-13　不同流变阶段模型应力增量云图(见彩图)

9.4.2　边坡流变稳定性分析

在边坡的弹塑性分析中，可以认为只有一个增量步，程序在这个时步内通过反复迭代使最大节点不平衡力小于一个设定的极小值。而采用 FLAC3D 软件进行流变分析时，设置的总时间为真实时间，为了得到该时间段内的边坡应力发展规律，将总时间分为很多个时间增量步，程序在计算每个增量步时并未通过不断迭代使岩土体内每一点的最大不平衡力趋于 0，因此在考虑边坡的流变性质时并不能将计算结果不收敛作为边坡失稳的判据。

目前分析流变状态下的边坡稳定性时，采用最多的方法是观察边坡是否形成贯通的塑性区。陈卫兵等[156, 157]认为，可以通过观察坡体上多个关键点的位移-时间曲线是否能够在计算时间段内达到稳定来判断边坡的稳定性。本节在这种方法的基础上，通过对 CVISC 模型中串联的 Mohr-Coulomb 模型进行强度折减，分析边坡的稳定系数。在图 9-10 弹塑性状态下的潜在滑面上布置监测点，如图 9-14 所示。

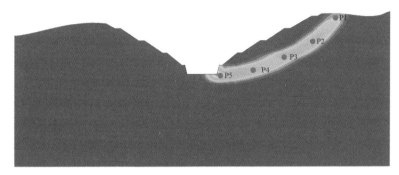

图 9-14　流变计算边坡变形监测点布置

在流变计算过程中，通过不断更新边坡折减系数，最终确定折减系数的范围为 3.7～3.75，记录这些观测点在 10 年内的水平位移，结果如图 9-15 所示。当折

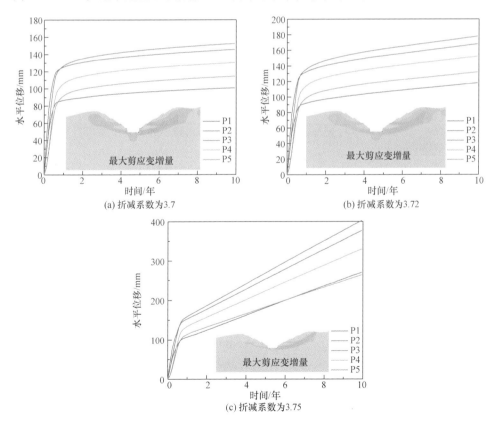

图 9-15　不同强度折减下潜在滑面水平位移随时间发展特征(见彩图)

减系数为 3.7 和 3.72 时，五个监测点的水平位移有微小差异，与其对应的最大剪应变增量云图中并未贯通；当折减系数增大到 3.75 时，监测点的水平位移迅速增大，在第 1 年末后水平位移呈较大速率的等速增大不见收敛，在第 10 年时，水平位移已达到 200～400mm，此时边坡已经失稳，塑性区贯通。

如图 9-16 所示，当折减系数小于 3.7 时，随着折减系数的增大，各监测点水平位移变化较小；此后，随着折减系数的增大，测点水平位移显著增大，边坡内塑性区贯通，产生宏观破裂失稳。与 9.3 节对比发现，在不考虑岩体流变特性时，边坡的安全系数为 4.23，而在考虑岩体流变特性之后，边坡的安全系数降为 3.75，降低了 11.3%。表明岩体的流变作用影响是边坡长期稳定性的一个重要因素，开挖后稳定的深路堑边坡，在运营期随着时间的推移，岩体产生的流变作用将降低边坡的稳定性。

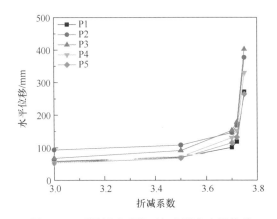

图 9-16　不同折减系数下各监测点水平位移

9.4.3　路基时效变形

对线路纵向和横向中点位置路基表面及以下 35m 内岩体的竖向变形进行分析(图 9-17)。图 9-18～图 9-20 为路基时效性变形计算结果，路基开挖后的 10 年内，基底岩体主要发生减速蠕变和等速蠕变，并未发生加速蠕变。

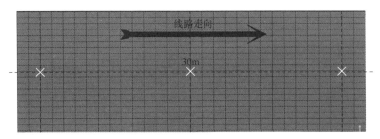

图 9-17　监测点布置图

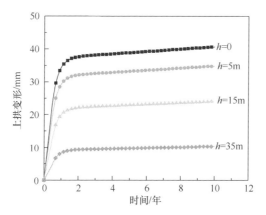

图 9-18   不同深度竖向变形与时间关系曲线

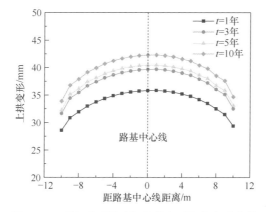

图 9-19   开挖后不同时期路基表面竖向变形曲线

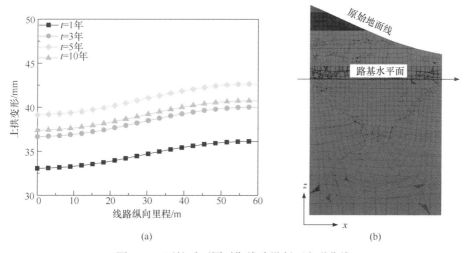

(a)   (b)

图 9-20   开挖后不同时期线路纵断面变形曲线

由图 9-18~图 9-20 可知，路基表面及基底不同深度岩体竖向变形随时间的发展趋势大致一致，运营前两年上拱变形迅速增大到较大值，但是上拱变形速率在逐渐减小，表现为减速蠕变；大致在运营两年后，岩体的流变变形转为等速蠕变阶段，蠕变速率显著下降，以稳定的速率缓慢、持续上拱，若不采取有效的措施控制变形，将可能出现路基超限上拱的病害。另外，由于深部岩体的上覆压力较大，水平应力也逐渐调整至小于竖向自重应力的初始应力场状态，限制了上拱变形，基底以下 35m 深度岩体的上拱变形已显著减小，并且在 2 年后几乎不再增长，不会对路基长期稳定性造成影响。浅层岩体受到两侧边坡挤压作用，水平应力显著增大且集中，造成 15m 深度范围内岩体上拱变形显著，且长期保持等速上拱趋势。

横向上(图 9-19)，路基中心线，也就是深路堑开挖中心线处路基上拱变形最大，向两侧逐渐减小，这是由于两侧边坡坡脚水平应力集中挤压，线路中心线处约束最小，形成中间大、两边小的"拱形"变形模式，这与单面路堑边坡有所不同。并且，长时间的这种时效变形会对路基横断面的平顺性造成影响。

纵向上(图 9-20)，总体上，沿线路里程增大方向，路基上拱变形也更大，这与原始开挖地貌特征有关。本模型中沿线路里程增大方向，路基中心的开挖深度其实是逐渐降低的(图 9-20(b))，而路基上拱变形逐渐增大。这可能是因为原始地形高低起伏使得沿线路纵向上开挖高度不同，开挖深度大的形成更高的边坡，在岩体流变作用下，高边坡岩体流变变形不仅在横向上挤压路基，同时在空间上也会在纵向上朝着约束更小的低边坡一侧变形挤压，使得开挖边坡更低位置处的基底水平应力集中更加显著，造成上拱变形量值增大。因此，路基纵向上的上拱变形特征并不是仅与所在位置处挖方高度相关，还应该考虑原始地貌的空间特征，不等高的开挖在空间上会形成线路纵向上拱变形不均匀，影响线路的平顺性。

9.5　路基弹塑性及长期变形特征小结

通过建立成自高速铁路球溪站三维模型，基于弹塑性和黏弹塑性模型，计算了开挖深路堑的短期及时效性应力场和位移场特征。与内江北站模型比较，球溪站为全路堑，右侧路堑边坡略高。弹塑性变形和应力场特征方面，两者类似，开挖后路基均出现显著的竖向回弹变形，水平位移很小，边坡一定深度范围内最大主压应力方向与坡面相切，坡脚水平应力集中，基底一定深度范围内水平应力大于竖向自重应力，并逐渐趋于原始应力状态。

考虑岩体流变后的时效性应力和变形特征两者略有不同，球溪站开挖后受两侧边坡的应力调整影响，路基面产生显著的上拱变形，尤其是起始的 2 年左右，变形量迅速增大，而后变形速率减小，但保持等速蠕变上拱。不同的是，受两侧边坡的约束作用，路基横向上产生中间大、两边小的上凸型上拱变形，纵向上受三维地貌特征影响，沿线路里程增大方向，上拱变形量增大。另外，考虑流变作用后路堑边坡总体稳定，但 10 年后稳定性系数比弹塑性状态降低了11.3%。

9.6　弧形桩板结构变形控制效果分析

本节依然采用数值模拟手段，在前述三维模型基础上，建立弧形桩板结构路基模型，进一步对路基变形特征及桩板结构内力和变形特征开展分析，以评价弧形桩板结构对软岩路基长期变形的控制效果。

9.6.1　数值模型建立

在路堑段开挖模型的基础上，采用专业三维建模软件建立新型路基结构的三维模型，并将模型导入 FLAC3D 软件开展路基的时效性分析。路基结构平面图如图 9-21 所示，弧形承载板考虑为现浇混凝土板，矢跨比为 1/20，板厚取 1m，与两侧抗力桩通过横向钢筋刚接，抗力桩采用正方形混凝土灌注桩，截面尺寸为1m×1m，桩长 20m，桩基沿线路走向间距均为 4m，承载板两侧卸压孔尺寸为4m×2m。增加弧形桩板结构的三维模型如图 9-22 所示。

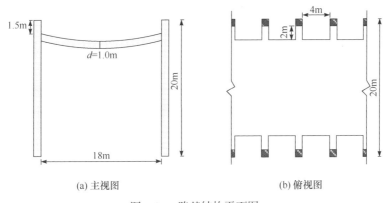

(a) 主视图　　　　　　　　　　　(b) 俯视图

图 9-21　路基结构平面图

考虑到桩板结构为钢筋混凝土结构，刚度较大，采用线弹性模型，弧形板与抗力桩按照构造配筋，根据等刚度原则，换算综合弹性模量以确定弧形板与抗力桩的弹性参数，详细参数如表 9-3 所示。

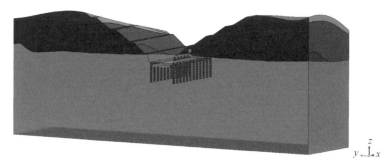

图 9-22　增加弧形桩板结构的三维模型

表 9-3　桩板结构材料参数

结构名称	弹性模量/MPa	泊松比	容重/(kN/m³)
弧形板	32500	0.167	2500
桩	30000	0.167	2400

　　岩土体与结构之间的接触属性是重要的一个环节，在 FLAC3D 程序中，通过众多无厚度的三角形单元来模拟岩土体或岩土体与结构之间的相互作用，图 9-23 为接触面单元示意图。每三个节点可以定义一个接触面单元，接触面单元通过加权平均的方式将面积分摊到每个节点上，同时接触面具有法向刚度、剪切刚度及滑动特性。

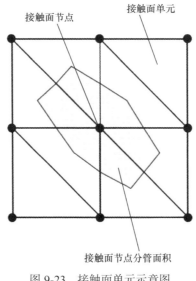

图 9-23　接触面单元示意图

　　接触面强度通过线性库仑剪切强度准则定义，在计算分析中，根据每个时间步计算得到的接触面法向刺入速度和相对剪切速度，可以得到该分析步下接触面的法向力及剪切力，当接触面单元处于理想弹性状态时，计算公式为

$$\begin{cases} F_n^{t+\Delta t} = k_n u_n A + \sigma_n A \\ F_{si}^{t+\Delta t} = F_{si}^t + k_s \Delta u_{si}^{t+\Delta t/2} A + \sigma_{si} A \end{cases} \tag{9-1}$$

式中，$F_n^{t+\Delta t}$、$F_{si}^{t+\Delta t}$ 分别为 $t+\Delta t$ 时间步的法向力与切向力；u_n 为接触面节点相对于目标面的法向位移；Δu_{si} 为接触面节点剪切位移增量；k_n、k_s 为接触面的法向刚度及切向刚度；σ_n、σ_{si} 为接触面的法向应力及切向应力；A 为接触面面积。

接触面进入塑性状态后，接触面的剪切力表达式为

$$F_s = cA + \tan\varphi F_n \tag{9-2}$$

式中，c 为接触面黏聚力；φ 为接触面内摩擦角。

根据陈育民等[158]的研究，当无法通过试验获得桩土接触面参数时，可以通过桩周岩土体的物理参数来估算接触参数：

$$\begin{cases} \dfrac{\delta}{\delta'} \approx 0.5 \sim 0.8 \\ k_n = k_s = 10\max\left(\dfrac{K+4G/3}{\Delta z_{min}}\right) \end{cases} \tag{9-3}$$

式中，δ、δ' 分别为岩土体和接触面的塑性参数，包括内摩擦角及黏聚力；K、G 分别为岩体的体积模量与剪切模量；Δz_{min} 为接触面方向连接的单元最小尺寸。本节路基结构与围岩的接触面参数如表 9-4 所示。

表 9-4 接触面参数

法向刚度/GPa	切向刚度/GPa	内摩擦角/(°)	黏聚力/kPa
20	20	38	600

本节主要研究新型路基结构的整体工作性能，为了与 9.4 节开挖后路堑的时效性变形对比分析，数值模拟做了以下假设：

(1) 仅考虑岩体的流变特性，不考虑上部列车荷载及换填层自重。
(2) 不考虑承载板之间纵向预留的伸缩缝。
(3) 路堑段开挖完成后即进入运营阶段。
(4) 抗力桩底部嵌固在基岩中，约束桩底位移。

9.6.2 加固后路基时效变形分析

图 9-24 和图 9-25 为线路运营 1 年和 10 年时加固路基后深路堑的竖向位移云

图。通过比较，对路基进行加固会在一定程度上改变路基面以下一定范围及线路两侧 1～3 级边坡的竖向位移分布，但对距离开挖面较远的围岩来说，其位移分布并不会受到影响，与未进行加固时相同，路基面附近的位移等值线不再是圆弧，随着时间的增长，路基面附近围岩的变形仍在继续。经过监测，在运营 10 年后，在不加固路基的情况下，路基面的竖向位移为 39～43mm，在采取路基加固的情况下，路基面的竖向位移为 14～15mm，证明拱形路基结构能够在一定程度上减小线路路基面的上拱变形。

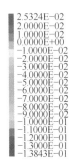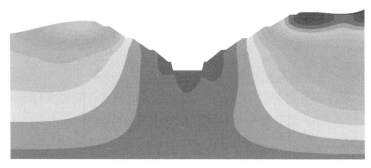

图 9-24　路基加固后第 1 年的竖向位移云图(单位：m)

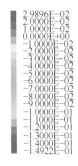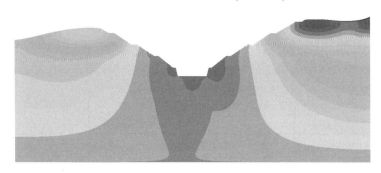

图 9-25　路基加固后第 10 年的竖向位移云图(单位：m)(见彩图)

　　本节主要研究新型路基结构对路基上拱变形的改良效果，因此较为关心的是路基的竖向位移。图 9-26 给出了计算模型中心里程处($x=30$m)路基中心及以下 35m 范围内的岩体变形。总体上，路基上拱变形依然随时间呈现先快速增长后缓慢增长趋势，在约 2 年后变形速率显著减小。与未采用弧形桩板结构加固的模型相比，10 年后路基顶面上拱变形减小了 65%，加固后路基表面及不同深度岩体的上拱变形均显著减小，并且 15m 以下岩体的上拱变形显著减小，不再对路基上拱造成影响。

　　对采取加固措施后的路基及未采取加固措施的路基时效变形曲线求微分，可以得到这两种情况下的变形速率曲线，如图 9-27 所示。采用新型弧形桩板结构加固后，路基表面及基底 35m 深度范围内岩体在运营 10 年内的变形速率均显著

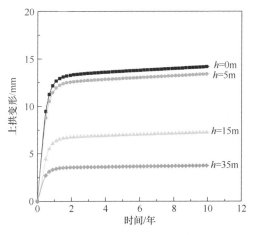

图 9-26　加固后基底不同深度时效变形特征

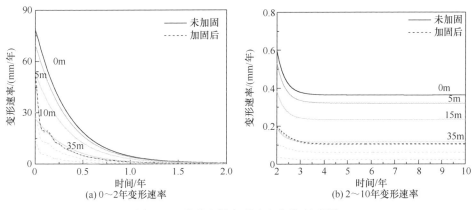

(a) 0~2 年变形速率　　　　　　　　(b) 2~10 年变形速率

图 9-27　路基上拱变形速率曲线(见彩图)

减小, 并且加固后路基变形速率在 0.5 年左右即显著减小, 3 年后约为 0.1mm/年, 比未加固情况下(约 0.4mm/年)显著减小, 基本不再对列车的安全运行造成影响。另外, 结合图 9-26 和图 9-27 发现, 加固后路基表面和基底 5m 处岩体的上拱变形及变形速率几乎无差异, 也就是说, 在此时间内, 基底 5m 内岩体几乎未产生上拱变形, 表明弧形桩板结构对 5m 内岩体的变形起到了有效的削减作用。这是由于一方面, 弧形板对一定深度范围内岩体的变形约束大, 有效控制了基底岩体上拱变形；另一方面, 两侧抗力桩有效阻隔了坡脚较大的水平应力传递, 减小了浅层岩体水平应力差, 蠕变变形也就显著减小。这也进一步证明, 新型弧形桩板结构不仅能够通过弧形板的强约束能力控制基底上拱变形, 同时抗力桩能够起到调节基底应力场的作用, 进一步从根本上改善岩体所处应力环境, 减小蠕变上拱的发生。

图 9-28 为加固前后路基在 1 年和 10 年后横向变形特征对比。可以看出：

(1) 虽然在采取隔离结构之后，运营期路基依然产生时效上拱变形，但是变形量已经显著减小。以路基中心线处为例，未加固情况下运营 1 年后上拱变形为 34.3mm，运营 10 年后上拱变形为 40.6mm，而采用新型弧形桩板结构后，分别减小为 12.4mm 和 14.2mm，减小了 63.8%和 65.0%。

(2) 路基横向上的平顺性显著提高。在未对路基进行任何加固的情况下，横向变形差异使得路基面随着时间的延长逐渐形成上凸拱形；采用新型弧形桩板结构加固后，由于弧形板对变形的约束及对上拱压力的传递作用，路基面中心区域的变形得到控制，横向变形差显著减小。例如，运营 10 年后，路基中心与左右边缘的相对高差在未加固时为 8～10mm，而加固之后仅为 4～5mm。

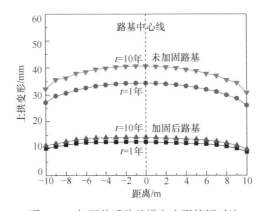

图 9-28　加固前后路基横向变形特征对比

图 9-29 为加固前后路基不同时刻纵向变形特征对比。可以看到，采用新型弧形桩板结构加固后路基顶面不同里程处竖向位移都显著减小，并且线路的纵向

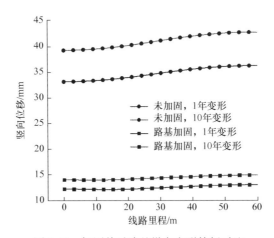

图 9-29　加固前后路基纵向变形特征对比

平顺性也显著提高。未加固情况下，路基面纵向最大高差约为 3.5mm，加固后则为 0.8mm，显然线路纵向平顺性得到明显改善。

综上所述，该新型弧形桩板结构对红层软岩全路堑段路基上拱变形的控制主要体现在三个方面：

(1) 对路基整体上拱变形的有效控制。在对路基加固之后，路基面以下岩体的时效变形和变形速率都显著降低，且时间越长，上拱变形控制效果越明显。因此，可以有效控制路基在运营期的超限上拱变形病害。

(2) 路基横向上，由于基底应力集中程度在横向上的差异带来的路基横断面上凸型上拱变形特征，采用弧形桩板结构加固后，横向变形差显著减小，有效提高了路基横向平顺性。

(3) 线路纵向上，原始地貌特征造成开挖后线路纵向上拱变形差异，采用弧形桩板结构加固后，线路纵向变形差显著减小，纵向平顺性显著提高。

因此，采用新型弧形桩板结构加固后，红层软岩深路堑路基不仅时效性上拱变形得到了明显的控制，同时路基空间变形差异也得到有效改善。

9.6.3　弧形桩板结构变形和内力分析

在软岩地基持续的上拱压力作用下，弧形桩板结构本身也将产生变形。本节将对考虑岩体流变特性情况下弧形桩板结构的内力及变形进行分析，为后续结构设计提供参考。

图 9-30 和图 9-31 为运营 1 年和 10 年后弧形桩板结构的变形模式示意图，采用放大 200 倍的方式可以直观看出结构的变形特征。

(1) 对于弧形板，竖向变形中间大，两侧逐渐减小，充分发挥了下凹弧形板良好的变形控制性能，两侧受到抗力桩的约束，无论竖向变形还是水平变形都很小。

(2) 对于抗力桩，桩体受岩体上拔力的作用，产生微小的竖向拉伸变形，最大值仅 5～6mm；水平向受弧形板传递的推力及边坡岩体抗力作用，整体上呈 S 形变形，桩身中部向路基内挤压，但变形值很小。

总体上，弧形板和抗力桩的变形特征与预期及第 8 章理论计算结果趋势吻合，发挥了结构传力的优点，有效控制了软岩路基时效性上拱变形。

图 9-32 和图 9-33 为运营 1 年和 10 年后弧形桩板结构主应力云图。运营 1 年后，结构部分区域为双向拉应力状态，如预留泄压孔位置弧形板产生竖向拉应力集中，是结构的薄弱部位。但是，运营 10 年后，由于应力调整，结构小主应力全部为压应力，不再出现双向拉应力区域。另外，由于桩板刚接位置截面几何尺寸变化，弧形板与抗力桩连接部位压应力集中明显，而桩身受基底岩体流变上拱变形作用影响，桩侧将受到较大的上拔力，造成桩身受较大拉应力作用。

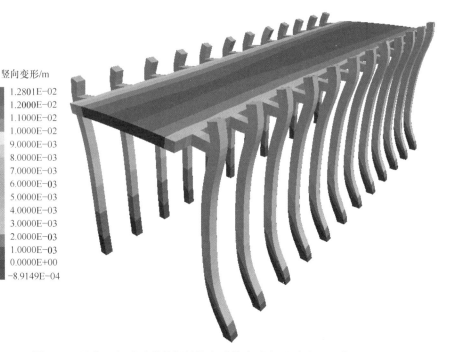

图 9-30   运营 1 年后弧形桩板结构变形模式示意图(放大 200 倍)(见彩图)

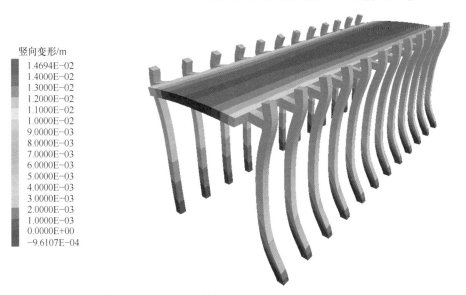

图 9-31   运营 10 年后弧形桩板结构变形模式示意图(放大 200 倍)(见彩图)

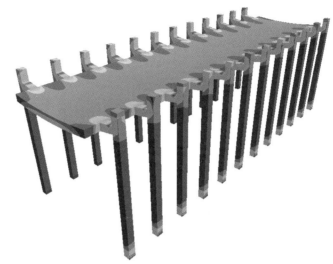

(a) 结构小主应力云图

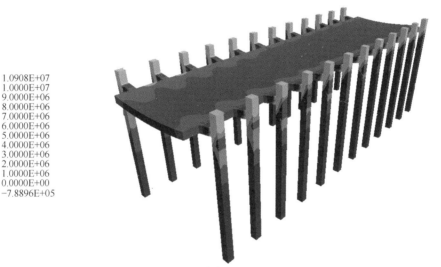

(b) 结构大主应力云图

图 9-32　运营 1 年后弧形桩板结构主应力云图(单位：Pa)(见彩图)

　　由于模型中桩板结构采用的是实体单元，无法直接获得结构的轴力、剪力及弯矩等内力值。因此，通过实体单元节点应力，采用 fish 语言编辑函数，进行二次开发来实现提取弧形承载板及两侧抗力桩的轴力、剪力、弯矩的目的。内力计算原理为

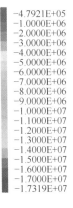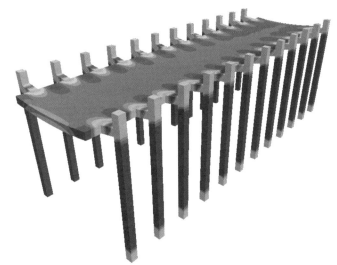

(a) 结构小主应力云图

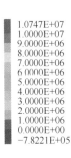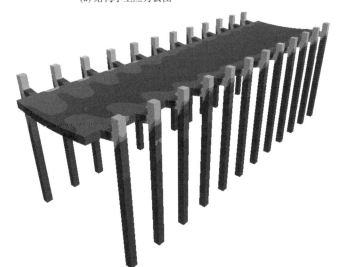

(b) 结构大主应力云图

图 9-33　运营 10 年后弧形桩板结构主应力云图(单位：Pa)(见彩图)

$$
\begin{cases}
N = \int_S \sigma_{ii}\mathrm{d}S \\
Q = \int_S \tau_{ij}\mathrm{d}S \\
M = \int_S \sigma_{ii}y\mathrm{d}S
\end{cases}
\tag{9-4}
$$

由于弧形板两侧预留有矩形槽泄压孔，弧形板与抗力桩连接部位和泄压孔中间部位横截面上板的内力有所差异，因此对两个截面分别计算内力(图 9-34)。

图 9-35 和图 9-36 分别为弧形板 A—A 和 B—B 截面内力。总体来看，弧形承载板中心位置处剪力为 0，而弯矩最大，定性上符合结构受力特征。但是，由于两侧约束条件不同，两类截面的内力分布略有差异。

(1) 对于弧形板与抗力桩刚性连接的 A—A 截面，在中间区域约 12m 宽度范围内，板内轴力、弯矩和剪力分布较均匀，而受泄压孔的影响，两侧区域都出现迅速增大的现象。这是由于邻近预留孔洞使得内力重分布，尤其是开孔区域轴力需向刚度更大的 A—A 截面位置转移，从而造成连接区域应力集中，这与图 9-33 所示连接部位应力集中现象吻合。

(2) 对于弧形板开孔位置 B—B 截面，板的横向宽度仅为 14m，并且两侧在横向上近似为自由边界，纵向上受邻近截面的约束。可以看到，板内轴力从路基中心线处的最大值逐渐向两侧减小，即轴力向纵向上约束更强的 A—A 截面位置传递，弯矩和剪力也有类似的变化规律。

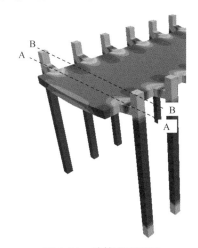

图 9-34　计算截面图示

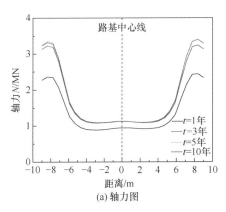

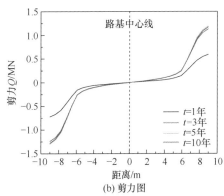

(a) 轴力图　　　　　　　　　　　　(b) 剪力图

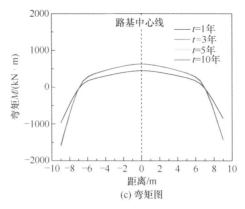

图 9-35　弧形板 A—A 截面内力图(见彩图)

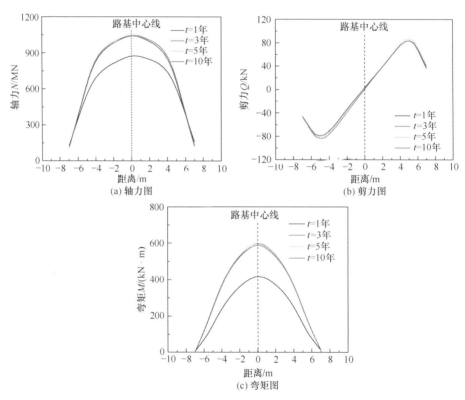

图 9-36　弧形板 B—B 截面内力图(见彩图)

　　由于弧形板两侧设置了泄压孔,减少了承载板的受力面积,在此区域附近,弧形板内力在纵向和横向上重新调整,并在约束更大的桩板连接区域产生应力集中。因此,泄压孔的设置一方面有利于基底岩体变形的转移,另一方面造成弧形板在桩板连接位置产生较大的应力集中,实际工程设计中,应加强桩板连接部位的强度。当然，由于此处采用的是基于连续介质的数值模拟方法，对泄压孔的应力转移模拟效果有待商榷，更加理想的情况应该是随着时间的推移，基底上拱压力朝着泄压孔所在的自由面转移，基底岩土体从中挤出并降低上拱压力。

图 9-37 为两侧抗力桩内力图。同样，随着岩体的流变作用及应力调整，两侧抗力桩的内力也随之改变。由于受到承载板传递的推力作用，抗力桩在连接位置出现剪力和弯矩突变，5m 以下桩身剪力和弯矩显著减小，主要以桩侧受上拔力为主。

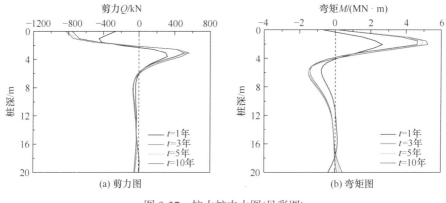

图 9-37　抗力桩内力图(见彩图)

9.7　弧形桩板结构几何参数影响分析

为探讨弧形桩板结构各关键几何尺寸对路基时效性上拱变形控制的影响，本节将分别改变弧形板厚度、矢跨比、泄压孔尺寸、桩长、桩径，采用单因素法分析各几何尺寸改变后路基变形控制效果的变化，为今后实际工程中结构设计提供参考。

以 9.6 节模型为基础参数，分别选取 3~5 组不同的板厚、矢跨比、泄压孔尺寸、桩长和桩径，数值试验分组如表 9-5 所示。例如，A2 组桩板结构是在 9.6 节模型基础上，仅将板厚改为 1.25m，其余几何和力学参数不变；类似地，E5 组桩板结构是在 9.6 节模型基础上，仅将桩径改为 2.0m，其余几何和力学参数不变。以此类推，建立 A1~A5、B1~B5、C1~C4、D1~D3、E1~E5 总共 22 组不同结构模型，开展对比分析。

表 9-5　单因素分析几何参数

编号	1	2	3	4	5
A(板厚/m)	1.0	1.25	1.5	1.75	2.0
B(矢跨比/m)	0/20	0.5/20	1/20	1.5/20	2/20

续表

编号	1	2	3	4	5
C(泄压孔尺寸/m)	0	4.0×2.0	4.0×3.0	4.0×4.0	—
D(桩长/m)	15	20	25	—	—
E(桩径/m)	1.0	1.25	1.5	1.75	2.0

为定量对比不同结构模型对路基时效性上拱变形的控制效果，引入变形控制效果参数α，其计算公式为

$$\alpha = \frac{h(a) - h'(a)}{h(a)} \times 100\% \tag{9-5}$$

式中，$h(a)$为未对路基进行加固时路基中心竖向变形；$h'(a)$为采用桩板结构加固路基后路基中心竖向变形。α越大代表控制效果越好。

图 9-38～图 9-42 为弧形桩板结构不同几何参数对路基时效性上拱变形控制效果对比。可以看出：

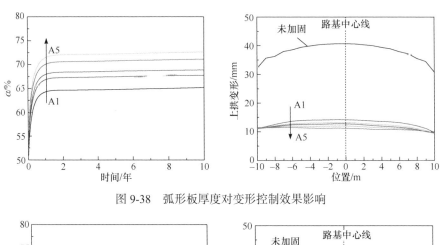

图 9-38　弧形板厚度对变形控制效果影响

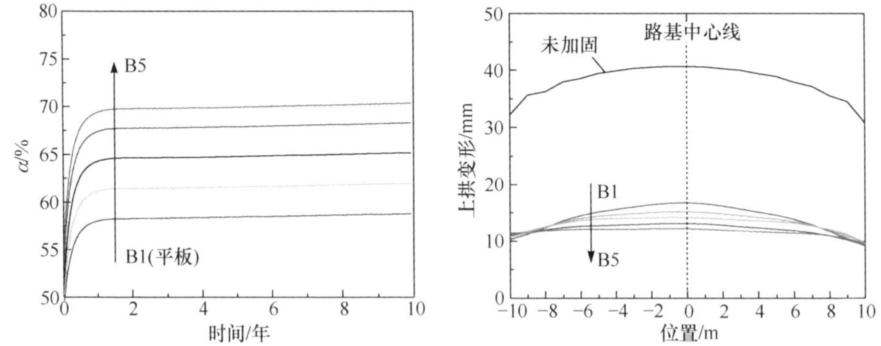

图 9-39　弧形板矢跨比对变形控制效果影响

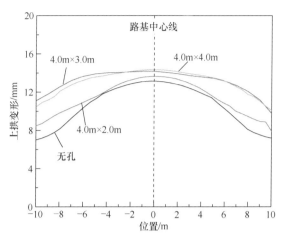

图 9-40　弧形板泄压孔尺寸对变形控制效果影响

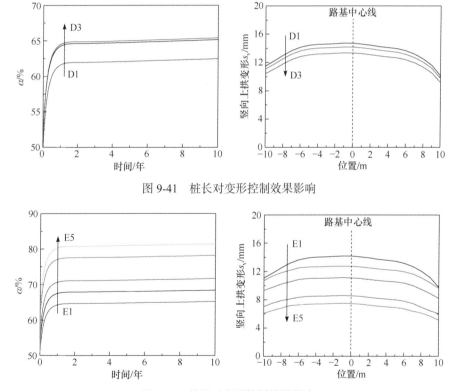

图 9-41　桩长对变形控制效果影响

图 9-42　桩径对变形控制效果影响

(1) 弧形板厚度方面，弧形板厚度越大，对路基时效性上拱变形控制效果越好。但是，厚度从 1.0m 增大到 2.0m，控制效果仅增大 7.5%，实际工程中通过增大弧形板厚度来提高控制效果的效率并不高。

(2) 弧形板矢跨比方面，随着矢跨比增大，路基时效性上拱变形控制效果递增，尤其是跨中变形显著减小，矢跨比从 0(平板)增大到 1/20，控制效果增大58.7%；矢跨比从 1/20 增大到 1/10，控制效果增大 11.7%，尤其是跨中上拱变形显著减小。因此，实际工程设计中，通过增大弧形板矢跨比可以显著提高路基横向平顺性。

(3) 弧形板两侧预留泄压孔尺寸方面，模型中为保证改变泄压孔尺寸不引起桩间距变化，仅改变泄压孔沿路基横向上的宽度。宽度从 2.0m 增加到 4.0m 后，对路基时效性上拱变形的控制效果反而减小。但是，从路基横向变形上来看，泄压孔增大后，路基横向变形差减小，即提高了路基的横向平顺性。这是由于对于相同的路基面，增大泄压孔的尺寸使得承载板受力面积减小，在相同基底上拱压力作用下将产生更大的竖向变形；但是，泄压孔的存在能够有效转移基底应力集中程度，起到部分转移变形的作用。因此，实际工程设计中，泄压孔尺寸的大小应根据具体情况确定，而不能一味增大或者减小。

(4) 抗力桩桩长方面，桩长从 15m 增大到 20m 后，对路基时效性上拱变形控制效果有所提高(提高 2.7%)，但是进一步增大到 25m 后对路基时效性上拱变形控制几乎不再影响，并且横向变形差并没有改变。也就是说，增大桩长在一定程度上可以提高对路基变形的控制效果，但存在临界深度，过大的长度对路基变形控制几乎没有影响。因此，在实际工程设计中，应充分考虑基底应力场的影响范围来确定桩长，过大的桩长将造成工程浪费。

(5) 抗力桩截面尺寸方面，增大抗力桩截面尺寸能够有效提高路基时效性上拱变形控制效果，方形桩边长从 1.0m 增大到 2.0m 后，对路基时效性上拱变形的控制效果增大了 15.5%，并且在路基横向变形上得到整体改善。增大抗力桩截面尺寸，一方面增大了桩侧面积，提高了抗拔能力；另一方面提高了对弧形板的约束能力，两者共同作用可以整体提高路基变形控制效果。因此，实际工程设计中，增大抗力桩截面尺寸是提高路基时效性变形控制效果的有效途径。

9.8　本 章 小 结

本章以成自高速铁路球溪站为依托，采用 FLAC3D 程序建立数值模型，开展了未加固路基和不同弧形桩板结构尺寸加固后路基的时效性变形特征分析，探讨了弧形桩板结构对红层软岩深挖路堑路基时效性上拱变形的控制效果。主要得到以下结论：

(1) 深路堑开挖后，由于岩体应力重分布，基底岩体一定深度范围内水平应力集中，而上覆压力减小，造成运营期内路基横向上呈上凸形变形，线路纵向变形受原始三维地貌特征和开挖深度综合影响，并且随时间增长，上拱变形先迅速增大，而后保持恒定速率缓慢上拱，变形在时间和空间上的变化都会严重威胁列车的安全运行。

(2) 采用弧形桩板结构对路基进行加固后，并不能改变基底岩体在应力作用下产生流变变形，但是可以通过弧形承载板将基底岩体由膨胀和流变作用产生的上拱压力转化为轴力向两侧抗力桩传递，并通过路堑边坡岩体提供抗力，有效控制路基的时效性变形。

(3) 与传统平板型承载板相比，弧形承载板由于其在传递基底压力上的优点，能够显著提高对路基时效性上拱变形的控制效果。同时，弧形板厚度、弧形板矢跨比、预留泄压孔尺寸、抗力桩桩长、抗力桩截面尺寸等都会在不同程度上影响结构对路基时效性上拱变形的控制效果。其中，增大抗力桩截面尺寸能够有效减小路基整体上拱变形，增大弧形板矢跨比可以有效提高路基横向平顺性。

第 10 章　红层软岩深路堑路基时效性上拱变形机理

软岩的时效性变形一直以来都是软岩工程面临的一个难题，以往在深部地下工程(如交通隧道、引水隧洞、矿山巷道等)中，由于埋深大、构造应力作用明显，软岩在较高应力作用下产生的大变形是与硬岩岩爆并列的两大工程灾害之一，受到广泛关注。但是，与深部地下工程不同，深路堑为开敞的地面开挖工程，基底岩体所处的应力场量值小，对于成岩时间较短、近水平产出的红层沉积地层，又几乎不受区域构造应力影响。相对而言，应力场更简单、量值小得多的软岩路基工程也就不会考虑流变作用对工程结构稳定性的影响。

长期以来，无论铁路路基还是公路路基工程，遇到红层软岩深挖路堑时关注的基本是两个问题：深路堑边坡的稳定性和膨胀性路基的变形控制。然而，以成渝客运专线内江北站为代表的红层深路堑工程出现了运营期路基持续、不收敛的上拱变形，并且多次取样都显示基底岩体并非典型的膨胀岩。因此，本章以成渝客运专线内江北站为依托，综合病害工点工程地质及水文地质环境和岩体的物理力学性能，剖析引起路基运营期时效性上拱变形的内在机理，建立理论模型，并提出有效的工程控制措施。

10.1　路基时效性上拱变形机理总结

西南红层，尤其是川中红层区域，构造应力影响甚微，多为低矮山丘地貌特征，雨水充沛、地下水丰富。高速铁路深路堑开挖后破坏了原有的平衡条件，应力场和地下水重分布，岩体物理力学性能改变，岩体趋于获得新的平衡状态，如图 5-20 所示，这一复杂的动态调整过程是一个尚未被厘清的"灰色系统"，它包含岩体的变形(胀缩变形和流变变形)以及随之调整的应力场的调整过程，由于岩体所处的复杂水-力环境，这个过程发展缓慢。这就给高速铁路路基运营维护带来了一个关键的难题：持续不收敛和超限上拱变形。

本书以上内容都是围绕这一问题，试图尽可能地解译"灰色系统"。

(1) 泥岩膨胀性角度。根据对内江北站及川中其余代表性区域红层砂岩和泥岩的多次取样，采用现行相关规范中推荐的膨胀岩试验方法开展的大量试验结果表明，多指标判定结果显示内江北站红层泥岩仅具有一定的膨胀性，尚未达到典型的膨胀岩标准。但是，内江北站红层泥岩含少量伊利石等膨胀性黏土矿物，本身具备膨胀岩的物质基础，大开挖卸荷后浅层泥岩卸荷裂隙发育，力学性能劣化明显，在外部环境(水环境、应力环境)改变作用下，易出现吸水(或者吸收空气水分)产生缓慢膨胀变形现象。为此，通过内江北站红层泥岩原岩试样开展的长期浸水膨胀变形试验，发现红层泥岩吸水膨胀变形具有显著的时间效应，其膨胀变形与浸水过程中试样吸水率和隐微裂隙发育程度密切相关。对于地基浅层岩体，开挖卸荷裂隙密度大，大气降雨入渗后易引起岩体膨胀变形，裂隙逐渐扩展并吸水，从而出现时效性膨胀变形现象。这是引起路基长期持续上拱变形的一个因素，但是仅地基浅层有限厚度的岩体会产生此类时效性膨胀变形，随着地基深度的增大，岩体卸荷裂隙显著减小，加上上覆压力的增大，限制了岩体的吸水膨胀变形；并且，内江北站红层泥岩本身膨胀性黏土矿物含量较少，浅层岩体即使充分吸水膨胀，其最大膨胀量也十分有限。

仅从膨胀性角度考虑，现行规范给出的膨胀土(岩)判定标准是基于地基分级变形量 15mm 的阈值确定的，采用该标准对铁路工程岩体膨胀性进行判定，势必默认为允许地基分级变形达到 15mm，这对普速铁路有砟轨道是适用的，但显然不适用于高速铁路无砟轨道工程。因此，针对高速铁路工程，有必要根据实际路基变形控制要求，并考虑线路服役期内的累积变形和岩体的时效性膨胀变形特点，重新确定膨胀变形阈值，并据此建立新的膨胀岩判定方法。

(2) 红层软岩的流变性是引起路基时效性上拱变形最重要的原因。岩石产生流变变形需要具备两个条件：长期持续的应力作用和岩石本身具备流变性能。理论上，所有软岩都具备流变性，甚至硬岩在足够大的应力作用下也会产生类似软岩的流变变形。但是，不同岩石的流变性能有所差异，包括产生流变的应力阈值及流变过程对温度、水等因素的敏感性。因此，针对内江北站深路堑路基时效性上拱变形，从岩石的流变性角度分析，就是要研究基底红层软岩的流变性能及引起岩体产生流变变形的应力条件。

应力条件方面，深路堑开挖引起坡体一定范围内岩体应力重分布的现象已经被大量学者通过理论分析和实测数据得到证实，坡体内存在应力松弛区、应力升高区和原岩应力区[65, 159]，坡脚应力集中更是边坡开挖稳定性和防护设计重点关注的。对内江北站路堑边坡坡顶及坡脚的钻孔地应力测试数据揭示(图 5-3)，地基岩体一定深度范围内水平应力显著增大，甚至水平应力与竖向应力比达到 5.0，应力差也达到 2.36MPa，并且水平最大主应力方向几乎与线路走向垂直。将开挖后边坡应力场及坡脚地基应力场综合分析，如图 10-1 所示，从坡体表面水平向坡体内存在卸荷应力松弛区和应力升高区，卸荷应力松弛区将可能产生卸荷拉裂变形，而应力升高区内岩体的时效性变形是形成潜在滑动面的主要原因。近水平层状红层软岩开挖后边坡大多稳定性较好，但是应力升高区岩体的时效性变形依然会对坡脚形成挤压作用，致使坡脚附近形成应力集中区和应力升高区。内江北站坡顶和坡脚地应力测试成果(图5-3)也证明了这一特征:基底一定深度范围内岩体最大水平主应力随深度增大呈右凸形(图10-1),最后趋于原岩应力。因此,可以将深路堑地基岩体应力场随深度依次划分为应力集中区、应力升高区和原岩应力区。最大主应力从浅表层的水平应力集中逐渐增大,再逐渐减小到原始自重应力;最小主应力则从浅表层的零应力逐渐增大至原岩应力。在此过程中,主应力方向也随之旋转,最大主应力从浅表层的水平向逐渐旋转到原岩应力区的竖直向。并且,应力集中区和应力升高区岩体的大小主应力差值较大,结合主应力方向可以发现,此时水平应力σ_H与竖向应力σ_V分量差值大于0,这就为岩体在竖向上产生膨胀变形提供了应力条件。同时可以看到,水平应力分量会随着坡体变形及应力调整而变化,即水平应力是与时间相关的函数。因此,基底应力集中区和应力升高区岩体具备产生竖向膨胀流变变形的应力条件。

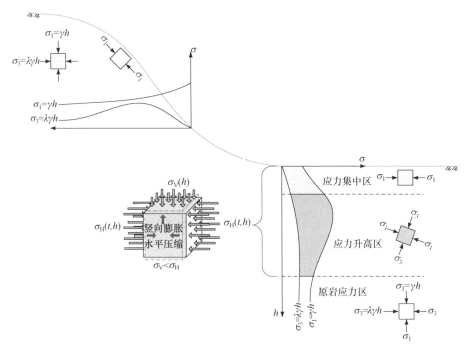

图10-1　深路堑边坡应力场调整机理示意图

　　红层软岩流变性能方面。已有研究表明,即使是硬岩,在足够大的应力作用下也会产生流变作用。红层泥岩和砂岩作为典型的软岩,其流变性是肯定的,关键在于产生流变作用的应力阈值在工程中是否有可能达到,以及产生的流变变形是否足以对线路运营造成影响。为此,通过采集并制备内江北站上拱病害点的典型红层泥岩和砂岩标准岩样,结合深路堑开挖后基底较低应力环境(与地下工程相比的低应力)和水的影响,完成了不同条件下大量水-力耦合蠕变试验。试验结果显示，红层泥岩在极低的应力状态下($\Delta\sigma$=150kPa)即出现显著的蠕变变形，并且浸水环境下耦合泥岩时效性吸水膨胀变形，以及岩石含水率的增大，都会使泥岩变形的时效性特征更加显著；相比而言，砂岩在低应力下的蠕变特征不那么明显，变形更小，蠕变稳定时长更短。从而，证明了红层软岩，尤其是泥岩极低流变应力阈值的性能，并且除应力大小外，流变特性受水的影响显著，为此，基于试验数据建立了红层泥岩的非线性流变本构模型。

综合内江北站深挖路堑基底一定深度范围内水平应力差增大以及基底砂泥岩在水-力耦合下显著的非线性流变性能，充分证明基底岩体流变作用是引起路基长期持续上拱变形的主要原因。

(3) 深挖路堑路基时效性上拱变形理论模型。基于上述变形机理的分析，引起路基时效性变形的主要原因是基底岩体长期的蠕变变形，其次是浅表层岩体的时效性吸水膨胀。基于此，提出如图 10-2 所示的路基变形机理模型。首先，以岩体产生流变的应力差阈值$\Delta\sigma_{cr}$为依据获得临界深度 h_{cr}，该深度主要受深路堑开挖后基底应力升高区的控制，并且由于最大水平应力σ_H是随时间t和深度h变化的函数，临界深度 h_{cr} 的最大值也将随着岩体应力场调整而逐渐减小，h_{cr} 的最小值则主要由基底岩体受开挖卸荷扰动深度控制，在此深度范围内，岩体产生时效性上拱变形。然后，为准确计算地基岩体的变形量值，根据变形机理不同，将地基岩体沿深度划分为 4 层，分别为 C1 大气影响层、C2 水汽-力耦合变形层、C3 水-力耦合变形层和 C4 水-力耦合封闭层。其中，大气影响层主要考虑红层泥岩开挖卸荷后易风化、崩解、吸水膨胀的特性，层厚相对较小、变形发展比蠕变更快；水汽-力耦合变形层是在较大的水平应力差作用下，红层泥岩受环境湿度影响产生的蠕变变形，层厚受地下水位和开挖扰动程度控制，变形的时效性最显著；水-力耦合变形层为地下水位以下、临界深度以上范围，层内岩体处于浸水状态，受较大的水平应力差作用产生竖向蠕变变形。基于地基分层变形机理，建立了路基时效性上拱变形的理论模型：

$$S_v = K_1 h_{C1}\left(1 - e^{-\eta t}\right) + \int_{h_{C1}}^{h_{C2}} \varepsilon_{v2}(z,t)\mathrm{d}z + \int_{h_{C2}}^{h_{C3}} \varepsilon_{v3}(z,t)\mathrm{d}z + \int_{h_{C3}}^{h_{C4}} \varepsilon_{v4}(z,t)\mathrm{d}z$$

为验证模型的合理性，利用内江北站基础资料，通过上式分析路基运营期的时效性变形特征及其发展趋势，结果与实测数据吻合，并且发现由岩体蠕变产生的上拱变形约达到总变形的 70%，而吸水膨胀变形仅占 30%。同时，采用 FLAC3D 考虑红层砂泥岩的黏弹塑性变形特征开展的一系列数值模拟分析同样获得了类似的变形特征。表明基于路基时效性变形机理提出的地基分层变形模型是合理的，建立的理论模型能够有效获得路基运营期变形发展趋势，为后期运营维护提供有力支撑。

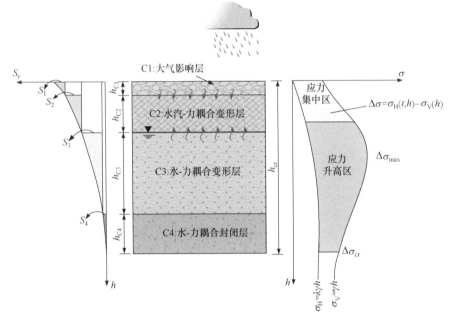

图 10-2　路基变形机理示意图

　　至此，基于成渝客运专线内江北站上拱病害工点大量的现场资料及系统的室内外试验数据，初步揭示了红层软岩地区高速铁路深挖路堑路基时效性上拱变形的内在机理：开挖卸荷引起工程区应力分异，基底岩体产生以岩体蠕变上拱变形为主、部分浅层岩体时效性吸水膨胀变形，两类变形随时间发展规律不同，造成路基在运营期出现缓慢、不收敛的上拱变形。

10.2　高速铁路深挖路堑路基上拱病害风险分析初探

　　开展路基时效性上拱变形机理研究的最终目的在于为病害工点的有效治理提供理论依据，并且指导今后类似工程的勘察、设计、施工和运营维护。红层在我国分布广泛，尤其是西南地区，目前在建的成自高速铁路、成达万高速铁路以及我国目前设计时速最快的成渝中线高速铁路(400km/h)，都将穿越四川盆地红层软岩地层。那么，大量的深挖路堑工程是否会出现类似于成渝客运专线内江北站运营期持续上拱变形病害呢？如何在建设过程中有效规避这一风险？这是工程建设者目前最关注的问题。因此，对红层软岩地区高速铁路深挖路堑开展上拱病害风险分析十分必要，并且由于上拱病害的时效性特征，风险分析应该贯穿整个建设和运营周期，是一个系统性的工程。

　　其实，对于红层软岩路基时效性变形的研究，无论理论模型还是数值方法，对路基后续变形趋势的预测都是基于对地基岩体膨胀性和流变性清楚认识的基础上。理想情况下，只要有准确的岩石膨胀和流变力学参数，无论采用建立的理论模型还是数值方法，都可以准确预测路基后续的变形趋势及上拱变形峰值。但是，显然目前的技术尚无法获得如此准确的岩石力学性能参数，尤其是流变力学参数的不确定性更大。室内原状岩样的物理力学性能试验可以在一定程度上反映岩石的相关力学性能，但是获得的试验参数尚无法直接用于工程中毫米级地基变形分析。为此，采用实际应力及路基变形的监测数据，开展理论或者数值方法的参数反演，通过反演获得的参数再进行变形趋势预测，这是相对合理的途径。基于此，实际采集的数据越准确、数据量越丰富，预测结果也就越准确。因此，对于实际红层软岩地区高速铁路深挖路堑工程，路基运营期上拱变形的风险分析应该分为两个部分(图 10-3)。

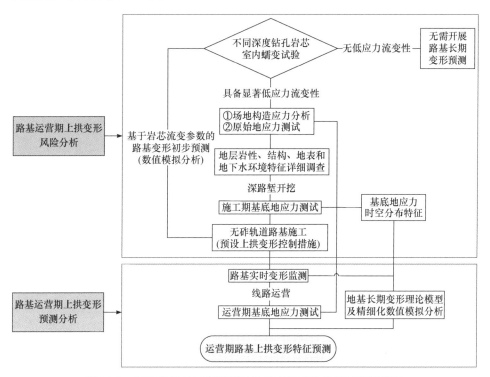

图 10-3　红层软岩地区深路堑时效性变形风险分析及预测流程

第一部分：在勘察设计阶段，开展的是路基运营期长期上拱变形风险分析，通过现场工程地质及水文地质环境、地层岩性及结构特征等的分析，开展钻孔岩芯的室内水-力耦合蠕变试验，初步分析路基上拱变形风险。对于低应力状态下就具备显著流变性的岩石，且场地应力及水环境特征符合路基产生时效性变形的工点，需进一步结合施工期必要的钻孔岩芯室内蠕变试验、地应力测试、理论分析、数值模拟等确定地基长期上拱变形风险等级，针对性地预设置必要的上拱变形控制工程措施。因此，今后有必要开展基于勘察设计阶段的路基长期上拱变形风险识别及分级方法的研究，建立定量的风险分级模型。

第二部分：在线路运营阶段，对于存在上拱风险的路基段，开展持续的路基变形监测及地应力场监测，收集更详细的基础数据，不断完善理论模型及开展精细化的数值模拟分析，综合采用正演和反演手段获得更加可靠的岩土体物理力学参数及模型，开展路基长期上拱变形特征分析及趋势预测，为线路运营维护提供理论支撑。

现行的高速铁路建设相关规范中，都没有考虑变形的时效性问题，并且岩土体物理力学性能参数的极端不确定性、工程岩体环境的复杂性，又使得对路基开展毫米级变形计算变得更难实现。因此一直以来，基于强度的设计方法都是采用提高工程结构的刚度来约束变形，并进行变形的验算。但是，对于高速铁路工程，毫米级的变形控制要求迫使工程设计不得不考虑随时间累积的微变形，开展基于变形控制的工程设计。特别是随着我国高速铁路从大规模建设逐步进入大规模运营维护阶段后，与时间相关的变形将成为后高速铁路时代的一个关键问题。

10.3　高速铁路无砟轨道上拱变形调节结构

鉴于软岩力学性能的复杂性，并且高速铁路作为百年工程，其运营时间长，目前还无法准确判定路基上拱岩层深度及预测运营期上拱变形。通过传统的换填和桩板结构实现长期有效地控制路基上拱变形，工程量将十分巨大且可靠性较差。本书提出的弧形桩板结构是基于对路基上拱变形机理初步认识的基础上，改进传统桩板结构以提高抵抗基底岩体上拱变形的一种措施。然而，在勘察设计阶段，若对判定为可能存在上拱变形风险的所有路基都采取该结构进行加固，势必极大提高工程造价，并且可能造成过大的浪费。路基运营期持续上拱变形会成为病害的一个重要原因是无砟轨道对上拱变形的调节能力十分有限，超限上拱后无法有效降低高程保证线路的平顺性。那么可以换一种思路，不强行控制基底岩体的上拱变形，而是通过改变无砟轨道结构来提高轨道高程的调节空间，如此仅需加强运营阶段路基变形监测，及时调整线路高程，保证线路平顺性。

因此，对现有无砟轨道结构进行适当的改进以提高其变形调节能力，如图 10-4 所示，该新型无砟轨道依然由底座、轨道板和钢轨三大部分构成，钢轨设于轨道板上，不同的是，轨道板和底座之间设置空隙，空隙中填充垫块。每个轨道板和底座上设置适配的竖向通道，通道中设置传动杆。起到传动作用的左右旋螺栓构造如图 10-5 所示，螺栓上设有左旋螺纹段和右旋螺纹段，左旋螺纹段连接左旋螺母，右旋螺纹段连接右旋螺母。左旋螺母连接于底座，右旋螺母连接于对应的轨道板，螺栓上还设有调节螺母，调节螺母位于左旋螺母和右旋螺母之间，驱动调节螺母能够使左旋螺母和右旋螺母相对靠近或相对远离。轨道板和底座板构造如图 10-6 和图 10-7 所示，每个轨道板和底座板除设置螺栓部件外，还对应设置楔形卡槽，当轨道高程调节到位后，用钢制楔形卡塞将卡槽封堵。

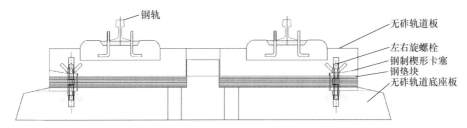

图 10-4　新型无砟轨道结构示意图

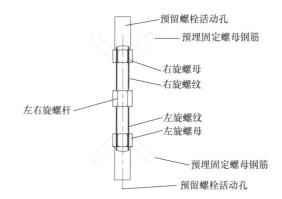

图 10-5　左右旋螺栓构造示意图

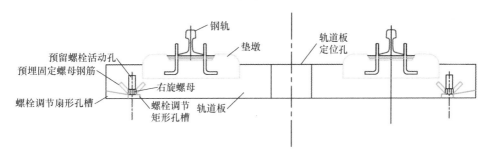

图 10-6　轨道板结构示意图

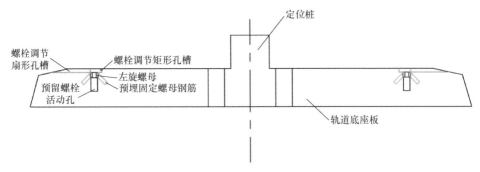

图 10-7　底座板结构示意图

通过驱动调节螺母使螺栓上的左旋螺母和右旋螺母相对靠近或相对远离,从而实现轨道板和底座之间的间距增大或减小。调节完毕后,通过卡块上的卡槽与调节螺母卡接。由于卡块受到凹槽的限位,能够有效防止调节螺母在列车循环振动荷载作用下产生松动,轨道板和底座之间的空隙通过设置垫块来支撑,垫块作为轨道板的支座,有效减小了螺母的集中受力,分散了上部列车荷载于底座板。左旋螺母和右旋螺母间距调节的范围根据左旋螺纹段和右旋螺纹段的长度、左旋螺母和右旋螺母的初始间距以及螺栓的两端与连接位置的初始间隙距离来确定,这些参数根据具体工程对变形调节量大小的需求进行设计,因此能够突破现有技术的调节范围限值,有效适应基底岩体大量值、持续性的上拱或者沉降变形,并且调节精度高、灵活,特别适用于上下坡线路、弯道线路的精度控制,有效减少铁路限速运行工点,保障列车安全运行,避免超限变形造成的停运返修,节省运营维护成本。

当然,本节仅是提出一种新的思路和初步构想,由于无砟轨道本身是一个极其复杂的系统结构,该新型结构功能的实现还需要开展更多的研究,以满足列车安全、稳定运行及结构本身的可靠性。

10.4　讨　　论

通过现场调研、地质勘察、上拱变形规律分析及一系列的室内外试验,综合采用室内外试验、理论分析和数值模拟手段,本书初步揭示了引起成渝客运专线内江北站红层软岩深挖路堑路基持续上拱变形的内在机理,提出了软岩地基分层变形模型,并建立了相应的理论计算模型及实际应用方法,结合理论模型及数值模拟方法,对路基可能的竖向变形趋势进行预测分析。

红层软岩工程是一个系统的工程问题,长期以来都备受关注。当然,红层岩体从基本物理力学特性到工程特性,涉及大量系统复杂的科学问题,近年来也有大量的科研工作者、工程师等通过不同手段获得了大量有益的研究成果，并解决了大量的工程问题。随着工程建设向纵深发展，遇到的与红层相关的工程问题也不断出现，并且更加复杂，高速铁路红层软岩路基时效性变形就是其中一个新的问题。本书一方面，初步揭示了路基时效性变形的内在原因及其特征；另一方面，开展的红层软岩物理力学性能试验结果及基于流变的地基变形理论和数值分析方法，可以为今后进一步深入开展软岩深路堑、隧道、建筑地基等相关工程的长期稳定性评价提供参考。最后，为相应工程病害预防和控制措施的制定和设计施工提供理论支撑。

对高速铁路红层软岩路基长期变形这一复杂工程实际问题，还应从不同角度继续开展更加系统的研究工作，包括收集更多的相关工程资料、变形监测数据，总结特征规律，建立工程信息数据库；开展软岩路基时效性变形的室内模型试验及现场试验验证，进一步完善地基分层、分时变形机理模型；完善红层软岩非线性损伤蠕变本构模型，并基于此建立更加准确的地基长期变形理论模型；建立风险分析模型、提出有效的工程措施及其设计方法等。最终，建立系统的高速铁路红层软岩深路堑路基时效性变形病害风险防控体系。

参 考 文 献

[1] Yan L, Peng H, Zhang S, et al. The spatial patterns of red beds and Danxia landforms: Implication for the formation factors-China[R]. Scientific Reports, 2019.

[2] 程强, 寇小兵, 黄绍槟, 等. 中国红层的分布及地质环境特征[J]. 工程地质学报, 2004, 12(1): 34-40.

[3] 郭永春, 谢强, 文江泉. 我国红层分布特征及主要工程地质问题[J]. 水文地质工程地质, 2007, 34(6): 67-71.

[4] 潘志新, 彭华. 国内外红层分布及其地貌发育的对比研究[J]. 地理科学, 2015, 35(12): 1575-1584.

[5] 张玉芳. 西南红层软岩地区铁路滑坡形成机理分析及治理措施[J]. 铁道建筑, 2020, 60(4): 150-154.

[6] 蒋关鲁, 房立凤, 王智猛, 等. 红层泥岩路基填料动强度和累积变形特性试验研究[J]. 岩土工程学报, 2010, 32(1): 124-129.

[7] 孔祥辉. 高速铁路红层泥岩路基动态响应及动力变形特性的综合研究[D]. 成都: 西南交通大学, 2013.

[8] 王智猛, 蒋关鲁, 魏永幸, 等. 达成线红层泥岩路基循环加载试验研究[J]. 岩土工程学报, 2008, (12): 1888-1893.

[9] 魏永幸. 利用红层泥岩填筑高速铁路路基技术的试验研究[J]. 铁道工程学报, 2009, (12): 39-43.

[10] Jian W, Wang Z, Yin K. Mechanism of the Anlesi landslide in the Three Gorges Reservoir, China[J]. Engineering Geology, 2009, 108(1-2): 86-95.

[11] Zhang S, Xu Q, Hu Z. Effects of rainwater softening on red mudstone of deep-seated landslide, Southwest China[J]. Engineering Geology, 2016, 204: 1-13.

[12] Zhang S, Xu Q, Zhang Q. Failure characteristics of gently inclined shallow landslides in Nanjiang, Southwest of China[J]. Engineering Geology, 2017, 217: 1-11.

[13] 柴波, 殷坤龙, 简文星, 等. 红层水岩作用特征及库岸失稳过程分析[J]. 中南大学学报(自然科学版), 2009, 40(4): 1092-1098.

[14] 陈从新, 卢海峰, 袁从华, 等. 红层软岩变形特性试验研究[J]. 岩石力学与工程学报, 2010, 29(2): 261-270.

[15] 成昆铁路技术总结委员会. 成昆铁路第二册(线路、工程地质及路基)[M]. 北京: 人民铁道出版社, 1980.

[16] 叶世斌. 川渝地区红层软岩路堑边坡变形机理及对策[J]. 高速铁路技术, 2015, 6(5): 67-72.

[17] 国家铁路局. 高速铁路设计规范(TB 10621—2014)[S]. 北京: 中国铁道出版社, 2015.

[18] 许强, 唐然. 降雨诱发红层滑坡研究: 以四川盆地为例[M]. 北京: 科学出版社, 2020.

[19] 吴国雄, 张斌, 杨应信, 等. 西部红层软岩地质特性及其对路基结构稳定性的影响[J]. 重

庆交通学院学报, 2004, 23(6): 53-58.

[20] 李蕊, 于孝民, 王振涛. 川东红层缓倾角地层中降雨引起滑带土饱和对滑坡的稳定性影响[J]. 土工基础, 2012, 26(4): 94-97.

[21] 张明, 胡瑞林, 殷跃平, 等. 川东缓倾红层中降雨诱发型滑坡机制研究[J]. 岩石力学与工程学报, 2014, 33(S2): 3783-3790.

[22] 孙乔宝, 李文龙, 刘宗选, 等. 红层软岩的岩体结构及边坡变形特征探讨[J]. 公路交通科技, 2005, 22(5): 47-51.

[23] 赵明华, 刘晓明, 苏永华. 含崩解软岩红层材料路用工程特性试验研究[J]. 岩土工程学报, 2005, 27(6): 667-671.

[24] 宋磊. 红层软岩遇水软化的微细观机理研究[D]. 成都: 西南交通大学, 2014.

[25] 季明, 高峰, 高亚楠, 等. 灰质泥岩遇水膨胀的时间效应研究[J]. 中国矿业大学学报, 2010, 39(4): 511-515.

[26] 胡文静, 丁瑜, 夏振尧, 等. 重庆地区红层泥岩侧限膨胀性能试验研究[J]. 防灾减灾工程学报, 2015, 5(35): 607-611.

[27] 朱珍德, 邢福东, 刘汉龙, 等. 南京红山窑第三系红砂岩膨胀变形性质试验研究[J]. 岩土力学, 2004, 25(7): 1041-1044.

[28] Doostmohammadi R, Moosavi M, Mutschler T, et al. Influence of cyclic wetting and drying on swelling behavior of mudstone in south west of Iran[J]. Environmental Geology, 2009, 58(5): 999-1009.

[29] 马丽娜. 高速铁路路基低黏土矿物泥岩膨胀机理及影响研究[D]. 兰州: 兰州交通大学, 2016.

[30] 王智猛. 红层泥岩及其改良土填筑高速铁路路基适应性及工程技术研究[D]. 成都: 西南交通大学, 2009.

[31] 陈宗基, 康文法. 在岩石破坏和地震之前与时间有关的扩容[J]. 岩石力学与工程学报, 1983, 2(1): 11-21.

[32] 齐伟, 贾志远, 肖裕行. 软岩扩容及物化膨胀联合作用的研究[J]. 水文地质工程地质, 1994, (6): 1-3.

[33] 陈学章, 何江达, 肖明砾, 等. 三轴卸荷条件下大理岩扩容与能量特征分析[J]. 岩土工程学报, 2014, (6): 1106-1112.

[34] 黄伟, 沈明荣, 张清照. 高围压下岩石卸荷的扩容性质及其本构模型研究[J]. 岩石力学与工程学报, 2010, 29(S2): 3475-3481.

[35] 杨永康, 季春旭, 康天合, 等. 大厚度泥岩顶板煤巷破坏机制及控制对策研究[J]. 岩石力学与工程学报, 2011, 30(1): 58-67.

[36] 胡玉银, 李铁汉. 高应力下软岩变形机制及防治对策探讨[J]. 中国地质灾害与防治学报, 1995, (4): 81-84.

[37] 孙钧. 岩石流变力学及其工程应用研究的若干进展[J]. 岩石力学与工程学报, 2007, 26(6): 1081-1106.

[38] 李良权, 王伟. 粉砂质泥岩流变力学参数的试验研究[J]. 三峡大学学报(自然科学版), 2009, 31(6): 45-49.

[39] 马冲, 胡斌, 詹红兵, 等. 渗透压与围压对粉砂质泥岩流变特性影响研究[J]. 长江科学院

院报, 2017, 34(5): 92-98.

[40] 黄兴, 刘泉声, 康永水, 等. 砂质泥岩三轴卸荷蠕变试验研究[J]. 岩石力学与工程学报, 2016, (S1): 2653-2662.

[41] 原先凡, 邓华锋, 李建林. 砂质泥岩卸荷流变本构模型研究[J]. 岩土工程学报, 2015, 37(9): 1733-1739.

[42] 邓荣贵, 周德培, 张倬元, 等. 一种新的岩石流变模型[J]. 岩石力学与工程学报, 2001, 20(6): 780-784.

[43] 陈沅江, 潘长良, 曹平, 等. 软岩流变的一种新力学模型[J]. 岩土力学, 2003, 24(2): 209-214.

[44] 杨淑碧, 徐进, 董孝璧. 红层地区砂泥岩互层状斜坡岩体流变特性研究[J]. 地质灾害与环境保护, 1996, (2): 12-24.

[45] 朱定华, 陈国兴. 南京红层软岩流变特性试验研究[J]. 南京工业大学学报(自然科学版), 2002, 24(5): 77-79.

[46] 巨能攀, 黄海峰, 郑达, 等. 考虑含水率的红层泥岩蠕变特性及改进伯格斯模型[J]. 岩土力学, 2016, 37(S2): 67-74.

[47] 谌文武, 原鹏博, 刘小伟. 分级加载条件下红层软岩蠕变特性试验研究[J]. 岩石力学与工程学报, 2009, 28(z1): 3076-3081.

[48] 刘小伟, 谌文武, 张帆宇, 等. 新近系红层软岩流变特性试验研究[J]. 中国沙漠, 2012, 32(5): 1268-1274.

[49] 王志俭, 殷坤龙, 简文星, 等. 三峡库区万州红层砂岩流变特性试验研究[J]. 岩石力学与工程学报, 2008, 27(4): 840-847.

[50] Huang P, Zhang J, Spearing A J S S, et al. Experimental study of the creep properties of coal considering initial damage[J]. International Journal of Rock Mechanics and Mining Sciences, 2021, 139: 104629.

[51] Lu Y, Wang L. Effect of water and temperature on short-term and creep mechanical behaviors of coal measures mudstone[J]. Environmental Earth Sciences, 2017, 76(17): 1-15.

[52] Yu C, Tang S, Tang C, et al. The effect of water on the creep behavior of red sandstone[J]. Engineering Geology, 2019, 253: 64-74.

[53] 陈卫忠, 王者超, 伍国军, 等. 盐岩非线性蠕变损伤本构模型及其工程应用[J]. 岩石力学与工程学报, 2007, 26(3): 467-472.

[54] 王者超. 盐岩非线性蠕变损伤本构模型研究[D]. 武汉: 中国科学院武汉岩土力学研究所, 2006.

[55] 高文华, 陈秋南, 黄自永, 等. 考虑流变参数弱化综合影响的软岩蠕变损伤本构模型及其参数智能辨识[J]. 土木工程学报, 2012, 45(2): 104-110.

[56] 祁舒燕. 考虑损伤的软岩流变模型及其工程应用研究[D]. 武汉: 武汉大学, 2018.

[57] 何晓樟. 考虑损伤的西原流变模型及其工程应用研究[D]. 重庆: 重庆大学, 2019.

[58] 刘镇, 周翠英, 陆仪启, 等. 软岩水-力耦合的流变损伤多尺度力学试验系统的研制[J]. 岩土力学, 2018, 39(8): 3077-3086.

[59] 周翠英, 梁宁, 刘镇. 红层软岩遇水作用的孔隙结构多重分形特征[J]. 工程地质学报, 2020, 28(1): 1-9.

[60] 周翠英, 苏定立, 刘镇. 软岩渗流-化学-损伤软化过程中能量耗散机制[J]. 工程地质学报, 2019, 27(3): 477-486.

[61] 周翠英, 苏定立, 邱晓莉, 等. 红层裂纹软岩在水-应力耦合作用下的变形破坏试验[J]. 中山大学学报(自然科学版), 2019, 58(6): 35-44.

[62] 周翠英, 谭祥韶, 邓毅梅, 等. 特殊软岩软化的微观机制研究[J]. 岩石力学与工程学报, 2005, 24(3): 394-400.

[63] 戴张俊, 郭建华, 周哲, 等. 川中红层高铁路基长时上拱变形反演与预测[J]. 岩石力学与工程学报, 2020, 39(S2): 3538-3548.

[64] 朱俊杰. 滇中红层软岩水-岩作用机理及时效性变形特性研究[D]. 成都: 成都理工大学, 2019.

[65] 黄润秋, 林峰, 陈德基, 等. 岩质高边坡卸荷带形成及其工程性状研究[J]. 工程地质学报, 2001, 9(3): 227-232.

[66] 肖世国, 周德培. 开挖边坡松弛区的确定与数值分析方法[J]. 西南交通大学学报, 2003, 38(3): 318-322.

[67] 董方庭. 巷道围岩松动圈支护理论及应用技术[M]. 北京: 煤炭工业出版社, 2001.

[68] 董方庭, 宋宏伟, 郭志宏, 等. 巷道围岩松动圈支护理论[J]. 煤炭学报, 1994, (1): 21-32.

[69] 丁秀丽, 徐平, 夏熙伦. 三峡船闸高边坡岩体开挖卸荷变形及流变分析[J]. 长江科学院院报, 1995, 12(4): 37-43.

[70] 哈秋舲. 三峡工程永久船闸陡高边坡各向异性卸荷岩体力学研究[J]. 岩石力学与工程学报, 2001, 20(5): 603-618.

[71] 盛谦. 深挖岩质边坡开挖扰动区与工程岩体力学性状研究[J]. 岩石力学与工程学报, 2003, 22(10): 1761.

[72] 张强勇, 朱维申, 陈卫忠. 三峡船闸高边坡开挖卸荷弹塑性损伤分析[J]. 水利学报, 1998, (8): 19-22.

[73] 邓建辉, 李焯芬, 葛修润. 岩石边坡松动区与位移反分析[J]. 岩石力学与工程学报, 2001, 20(2): 171-174.

[74] Deng J H, Lee C F, Ge X R. Characterization of the disturbed zone in a large rock excavation for the Three Gorges Project[J]. Canadian Geotechnical Journal, 2001, 38(1): 95-106.

[75] 王吉亮, 许琦, 黄孝泉, 等. 乌东德水电站拱坝坝基岩体松弛特征研究[J]. 资源环境与工程, 2017, 31(4): 364-370.

[76] Sheng Q, Yue Z Q, Lee C F, et al. Estimating the excavation disturbed zone in the permanent shiplock slopes of the Three Gorges Project, China[J]. International Journal of Rock Mechanics and Mining Sciences, 2002, 39(2): 165-184.

[77] 肖世国. 岩石高边坡开挖松弛区及加固支挡结构研究[D]. 成都: 西南交通大学, 2003.

[78] 王浩. 一种确定挖方边坡开挖松弛区的数值分析方法[J]. 石河子大学学报(自然科学版), 2011, 29(5): 623-628.

[79] 冯学敏, 陈胜宏, 李文纲. 岩石高边坡开挖卸荷松弛准则研究与工程应用[J]. 岩土力学, 2009, 30(S2): 452-456.

[80] 冯君, 周德培, 李安洪. 顺层岩质边坡开挖松弛区试验研究[J]. 岩石力学与工程学报, 2005, 24(5): 840-845.

[81] 巨广宏. 高拱坝建基岩体开挖松弛工程地质特性研究[D]. 成都: 成都理工大学, 2011.

[82] 林锋, 黄润秋, 蔡国军. 小湾水电站低高程坝基开挖卸荷松弛机理试验研究[J]. 工程地质学报, 2009, 17(5): 606-611.

[83] 伍法权, 刘彤, 汤献良, 等. 坝基岩体开挖卸荷与分带研究——以小湾水电站坝基岩体开挖为例[J]. 岩石力学与工程学报, 2009, 28(6): 1091-1098.

[84] 赵勇, 许模, 覃礼貌, 等. 中等地应力地区建基岩体卸荷松弛特征研究[J]. 四川大学学报(工程科学版), 2014, 46(3): 7-14.

[85] 李廷勇, 王建力. 中国的红层及发育的地貌类型[J]. 四川师范大学学报(自然科学版), 2002, 25(4): 427-431.

[86] 师杨杨. 高速铁路路基沉降病害整治技术研究[D]. 石家庄: 石家庄铁道大学, 2016.

[87] 王冲, 王起才, 张戎令, 等. 无砟轨道高速铁路路基上拱病害成因分析[J]. 科学技术与工程, 2017, 17(12): 252-256.

[88] 张国胜, 刘更新, 贾华强. 郑西高铁 K921 段无砟轨道上拱整治方案研究[J]. 中国铁路, 2013, (7): 52-54.

[89] 程康, 杨有海, 马治国, 等. 兰新高铁玉门段路基泥岩膨胀病害治理研究[J]. 兰州工业学院学报, 2017, 24(3): 50-53.

[90] 王剑. 兰新高速铁路路基上拱原因分析及整治措施[J]. 路基工程, 2015, (1): 205-209.

[91] 唐然. 内外动力作用对四川盆地红层近水平岩层滑坡形成与演化的影响研究[D]. 成都: 成都理工大学, 2018.

[92] 陈倩. 四川红层地下水水化学特征及水资源开发工程适宜性研究[D]. 成都: 成都理工大学, 2011.

[93] 柴肇元. 泥岩物性与改性[M]. 北京: 科学出版社, 2017.

[94] 胡安华, 蒋关鲁, 王智猛, 等. 高速铁路路基红层泥岩填料力学特性试验研究[J]. 铁道工程学报, 2008, 25(2): 21-25.

[95] 殷跃平, 胡瑞林. 三峡库区巴东组(T_2b)紫红色泥岩工程地质特征研究[J]. 工程地质学报, 2004, 12(2): 124-135.

[96] ISRM. Characterisation of Swelling Rock[M]. Oxford: Pergamon Press, 1983.

[97] Zhang C L, Wieczorek K, Xie M L. Swelling experiments on mudstones[J]. Journal of Rock Mechanics and Geotechnical Engineering, 2010, 2(1): 44-51.

[98] 王贤能, 韩会增, 文江泉. 膨胀岩边坡工程中膨胀与流变的耦合效应[J]. 地质灾害与环境保护, 1997, (4): 33-39.

[99] 王萍, 屈展, 刘易非, 等. 泥页岩水化膨胀的非线性蠕变模型[J]. 西北大学学报(自然科学版), 2015, 45(1): 117-122.

[100] 刘晓丽, 王思敬, 王恩志, 等. 含时间效应的膨胀岩膨胀本构关系[J]. 水利学报, 2006, (2): 195-199.

[101] 王冲, 王起才, 张戎令, 等. 基于主成份分析法的高速铁路膨胀土判别研究[J]. 铁道科学与工程学报, 2017, 14(8): 1571-1578.

[102] 工程地质手册编委会. 工程地质手册[M]. 北京: 中国建筑工业出版社, 2018.

[103] 国家铁路局. 铁路工程地质勘察规范(TB 10012—2019)[S]. 北京: 中国铁道出版社, 2019.

[104] 朱训国, 杨庆. 膨胀岩的判别与分类标准[J]. 岩土力学, 2009, 30(S2): 174-177.

[105] 中华人民共和国建设部. 岩土工程勘察规范(2009 年版)(GB 50021—2001)[S]. 北京: 中国建筑工业出版社, 2004.

[106] 中华人民共和国铁道部. 铁路工程特殊岩土勘察规程(TB 10038—2012)[S]. 北京: 中国铁道出版社, 2012.

[107] 国家铁路局. 铁路工程岩土分类标准(TB 10077—2019)[S]. 北京: 中国铁道出版社, 2001.

[108] 中华人民共和国住房和城乡建设部. 膨胀土地区建筑技术规范(GB 50112—2013)[S]. 北京: 中国建筑工业出版社, 2013.

[109] 中国科学院武汉岩土力学研究所. 成渝客专内江北站路基上拱成因及其发展规律分析成果报告[R]. 2018.

[110] 季明, 高峰, 高亚楠, 等. 灰质泥岩遇水膨胀的时间效应研究[J]. 中国矿业大学学报, 2010, 39(4): 511-515.

[111] Madsen F T. International society for rock mechanics commission on swelling rocks and commission on testing methods-suggested methods for laboratory testing of swelling rocks[J]. International Journal of Rock Mechanics and Mining Sciences, 1993, 36(3): 291-306.

[112] 崔晓宁, 王起才, 张戎令, 等. 无砟轨道膨胀土地基的吸水特性试验研究[J]. 铁道建筑, 2017, 57(12): 82-84.

[113] 刘静德, 李青云, 龚壁卫. 南水北调中线膨胀岩膨胀特性研究[J]. 岩土工程学报, 2011, 33(5): 826-830.

[114] 温春莲, 陈新万. 初始含水率、容重及载荷对膨胀岩特性影响的试验研究[J]. 岩石力学与工程学报, 1992, (3): 304-311.

[115] 张巍, 尚彦军, 曲永新, 等. 泥质膨胀岩崩解物粒径分布与膨胀性关系试验研究[J]. 岩土力学, 2013, 34(1): 66-72.

[116] 张善凯, 冷先伦, 盛谦, 等. 卢氏膨胀岩在干湿循环作用下的胀缩特性研究[J]. 岩土力学, 2019, 40(11): 4279-4288.

[117] 马丽娜, 严松宏, 王起才, 等. 客运专线无碴轨道泥岩地基原位浸水膨胀变形试验[J]. 岩石力学与工程学报, 2015, (8): 1684-1691.

[118] Griggs D T. Creep of rocks[J]. Journal of Geology, 1939, 47(3): 225-251.

[119] Zhang Y, Xu W, Gu J, et al. Triaxial creep tests of weak sandstone from fracture zone of high dam foundation[J]. Journal of Central South University, 2013, 20(9): 2528-2536.

[120] 胡波, 王宗林, 梁冰, 等. 岩石蠕变特性试验研究[J]. 实验力学, 2015, 30(4): 438-446.

[121] 王闫超. 巴东组泥岩蠕变力学特性及边坡变形与支护的时效性研究[D]. 武汉: 中国地质大学, 2018.

[122] 徐慧宁, 庞希斌, 徐进, 等. 粉砂质泥岩的三轴蠕变试验研究[J]. 四川大学学报(工程科学版), 2012, 44(1): 69-74.

[123] 闫云明, 李恒乐, 郭士礼. 紫红色泥岩三轴蠕变力学特性试验研究[J]. 长江科学院院报, 2017, 34(6): 88-92.

[124] 吴迪. 软岩洞室施工期流变特性分析[D]. 成都: 西南交通大学, 2018.

[125] Tang S B, Yu C Y, Heap M J, et al. The influence of water saturation on the short-and long-term mechanical behavior of red sandstone[J]. Rock Mechanics and Rock Engineering, 2018, 51(9): 2669-2687.

[126] Huang X, Liu J, Yang C, et al. Experimental investigation of Daqing Oilfield mudstone's creep characteristic under different water contents[J]. Journal of Central South University of Technology, 2008, 15(1): 471-474.

[127] 许宏发. 软岩强度和弹模的时间效应研究[J]. 岩石力学与工程学报, 1997, 16(3): 47-52.

[128] 朱合华, 叶斌. 饱水状态下隧道围岩蠕变力学性质的试验研究[J]. 岩石力学与工程学报, 2002, 21(12): 1791-1796.

[129] Lipponen A, Manninen S, Niini H, et al. Effect of water and geological factors on the long-term stability of fracture zones in the Päijänne Tunnel, Finland: A case study[J]. International Journal of Rock Mechanics and Mining Sciences, 2004, 42(1): 3-12.

[130] 刘建, 李鹏, 乔丽苹, 等. 砂岩蠕变特性的水物理化学作用效应试验研究[J]. 岩石力学与工程学报, 2008, 27(12): 2540-2550.

[131] 张强勇, 杨文东, 张建国, 等. 变参数蠕变损伤本构模型及其工程应用[J]. 岩石力学与工程学报, 2009, 28(4): 732-739.

[132] 龚选平. 泥质粉砂岩含水率对其蠕变特性影响的研究[D]. 西安: 西安科技大学, 2006.

[133] 缪协兴, 陈至达. 岩石材料的一种蠕变损伤方程[J]. 固体力学学报, 1995, 16(4): 343-346.

[134] 丁志坤, 吕爱钟. 岩石粘弹性非定常蠕变方程的参数辨识[J]. 岩土力学, 2004, 25(S1): 37-40.

[135] 范庆忠, 高延法. 软岩蠕变特性及非线性模型研究[J]. 岩石力学与工程学报, 2007, 26(2): 391-396.

[136] 杨珂, 韩超, 刘校麟. 分级加卸载下砂岩蠕变试验及模型研究[J]. 长江科学院院报, 2021, 38(3): 97-102.

[137] 徐达. 红层岩石蠕变特性及其非线性本构模型研究[D]. 成都: 西南交通大学, 2016.

[138] 陈倩. 四川红层地下水水化学特征及水资源开发工程适宜性研究[D]. 成都: 成都理工大学, 2011.

[139] 樊建利, 李天斌. 四川省内江市东兴区地质灾害发育特征及控制因素分析[J]. 中国地质灾害与防治学报, 2007, 18(4): 24-28.

[140] 焦春茂. 岩体工程黏性流动变形预测的无边界条件方法研究[J]. 科学技术与工程, 2011, 11(30): 7458-7461.

[141] 焦春茂, 赵春风, 吕爱钟, 等. 一种岩体工程黏性流动变形预测的新方法[J]. 岩石力学与工程学报, 2008, 27(S2): 3598-3603.

[142] 王鹏程, 尧俊凯, 陈锋, 等. 无砟轨道路基上拱原因试验研究[J]. 铁道建筑, 2018, 58(1): 43-46.

[143] Dai Z, Guo J, Yu F, et al. Long-term uplift of high-speed railway subgrade caused by swelling effect of red-bed mudstone: case study in Southwest China[J]. Bulletin of Engineering Geology and the Environment, 2021, 80(6): 4855-4869.

[144] 杨吉新, 马旭超, 刘前瑞. 关于成渝高铁路基上拱问题的探讨[J]. 铁道建筑, 2016, (8): 112-115.

[145] 吴沛沛. 基于流变的高速铁路深挖路堑长期上拱变形数值分析[J]. 路基工程. 2019, (1): 135-139.

[146] 冯强. 四川红层泥岩的分布及其路用性能研究[D]. 成都: 西南交通大学, 2011.

[147] 杨宗才, 张俊云, 周德培. 红层泥岩边坡快速风化特性研究[J]. 岩石力学与工程学报, 2006, 25(2): 275-283.

[148] 钟志彬, 李安洪, 邓荣贵, 等. 川中红层泥岩时效膨胀变形特性试验研究[J]. 岩石力学与工程学报, 2019, 38(1): 76-86.

[149] 崔晓宁, 王起才, 张戎令, 等. 基于无砟轨道膨胀路基的膨胀土分类分级试验研究[J]. 科学技术与工程, 2017, 17(12): 248-251.

[150] 詹永祥, 蒋关鲁, 胡安华, 等. 遂渝线无砟轨道桩板结构路基动力响应现场试验研究[J]. 岩土力学, 2009, 30(3): 832-835.

[151] 詹永祥, 蒋关鲁, 牛国辉, 等. 高速铁路无砟轨道桩板结构路基模型试验研究[J]. 西南交通大学学报, 2007, 42(4): 400-403.

[152] 戴自航. 抗滑桩滑坡推力和桩前滑体抗力分布规律的研究[J]. 岩石力学与工程学报, 2002, 21(4): 517-521.

[153] 黄润秋. 岩石高边坡发育的动力过程及其稳定性控制[J]. 岩石力学与工程学报, 2008, 27(8): 1525-1544.

[154] 郭俊彦. 某高速铁路红层软岩地层深路堑基底变形规律数值模拟研究[D]. 兰州: 兰州交通大学, 2020.

[155] 纪宇, 梁庆国, 郭俊彦, 等. 红层软岩地区高速铁路深路堑基底变形规律研究[J]. 铁道科学与工程学报, 2021, 18(3): 572-580.

[156] 陈卫兵. 考虑岩土材料流变特性的强度折减法研究[D]. 武汉: 中国科学院武汉岩土力学研究所, 2008.

[157] 陈卫兵, 郑颖人, 冯夏庭, 等. 考虑岩土体流变特性的强度折减法研究[J]. 岩土力学, 2008, 29(1): 101-105.

[158] 陈育民, 徐鼎平. FLAC/FLAC3D 基础与工程实例[M]. 北京: 中国水利水电出版社, 2013.

[159] 祁生文, 伍法权. 高地应力地区河谷应力场特征[J]. 岩土力学, 2011, 32(5): 1460-1464.

彩 图

图 3-1　内江北站基底泥岩和砂岩

图 3-2　紫红色泥岩单轴压缩试样

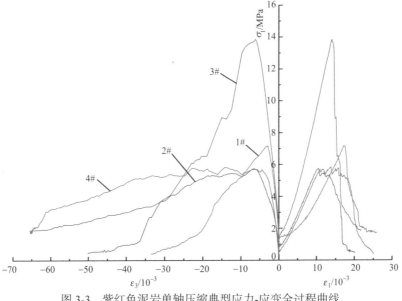

图 3-3　紫红色泥岩单轴压缩典型应力-应变全过程曲线

图 3-4　灰绿色砂岩单轴压缩试样

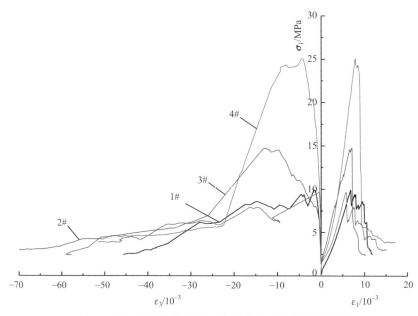

图 3-5　灰绿色砂岩单轴压缩典型应力-应变全过程曲线

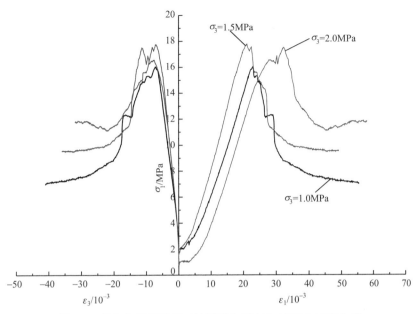

图 3-6　紫红色泥岩常规三轴压缩典型应力-应变全过程曲线

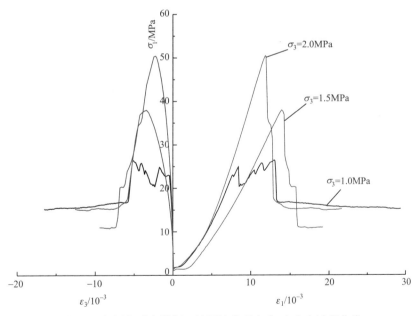

图 3-7　灰绿色砂岩常规三轴压缩典型应力-应变全过程曲线

単軸破裂 常規三軸破裂 単軸破裂 常規三軸破裂

(a) 泥岩破坏状态 (b) 砂岩破坏状态

图 3-8 不同应力状态下试样破裂状态

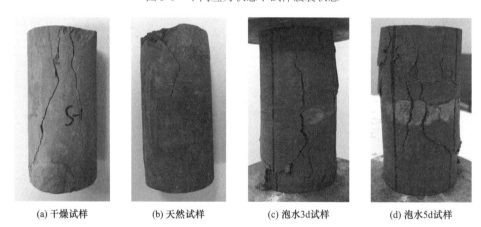

(a) 干燥试样 (b) 天然试样 (c) 泡水3d试样 (d) 泡水5d试样

图 3-13 不同含水率红层泥岩单轴压缩典型破坏形态

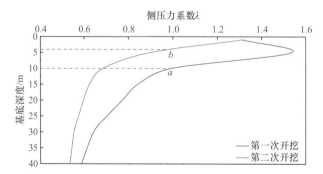

图 6-8 两次开挖后基底侧压力系数随基底深度变化曲线

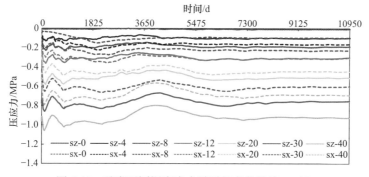
图 6-12　基底不同深度应力随时间变化规律(30 年)

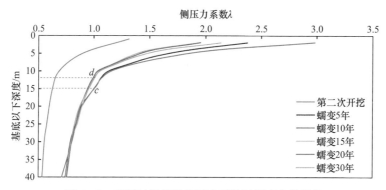
图 6-13　不同时刻基底侧压力系数随深度变化规律

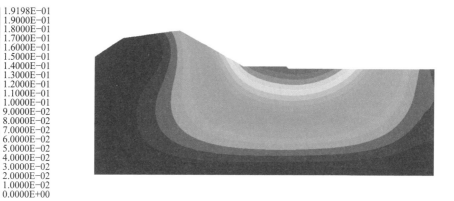
图 7-2　整体变形云图(纯泥岩层)(单位：m)

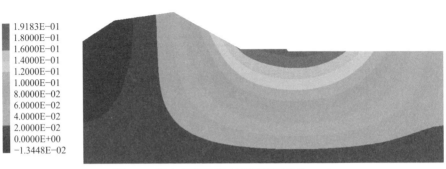

1.9183E-01
1.8000E-01
1.6000E-01
1.4000E-01
1.2000E-01
1.0000E-01
8.0000E-02
6.0000E-02
4.0000E-02
2.0000E-02
0.0000E+00
-1.3448E-02

图 7-3　竖向变形云图(纯泥岩层)(单位：m)

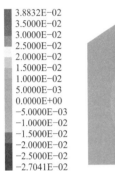

3.8832E-02
3.5000E-02
3.0000E-02
2.5000E-02
2.0000E-02
1.5000E-02
1.0000E-02
5.0000E-03
0.0000E+00
-5.0000E-03
-1.0000E-02
-1.5000E-02
-2.0000E-02
-2.5000E-02
-2.7041E-02

图 7-4　水平变形云图(纯泥岩层)(单位：m)

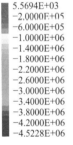
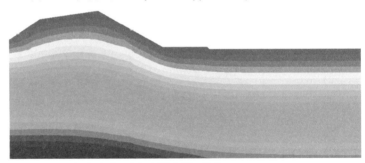

5.5694E+03
-2.0000E+05
-6.0000E+05
-1.0000E+06
-1.4000E+06
-1.8000E+06
-2.2000E+06
-2.6000E+06
-3.0000E+06
-3.4000E+06
-3.8000E+06
-4.2000E+06
-4.5228E+06

图 7-5　竖向应力云图(纯泥岩层)(单位：Pa)

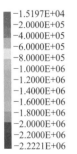
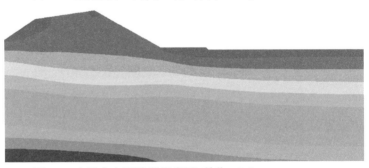

-1.5197E+04
-2.0000E+05
-4.0000E+05
-6.0000E+05
-8.0000E+05
-1.0000E+06
-1.2000E+06
-1.4000E+06
-1.6000E+06
-1.8000E+06
-2.0000E+06
-2.2000E+06
-2.2221E+06

图 7-6　水平应力云图(纯泥岩层)(单位：Pa)

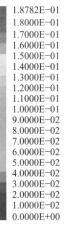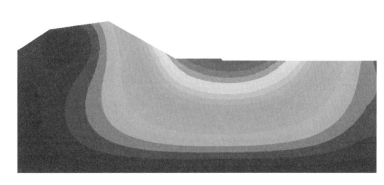

图 7-7　整体变形云图(水平砂岩夹层)(单位：m)

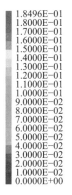

图 7-8　整体变形矢量图(水平砂岩夹层)(单位：m)

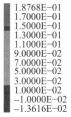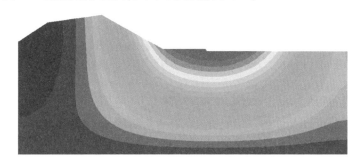

图 7-9　竖向变形云图(水平砂岩夹层)(单位：m)

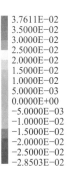
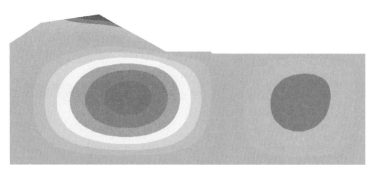

3.7611E−02
3.5000E−02
3.0000E−02
2.5000E−02
2.0000E−02
1.5000E−02
1.0000E−02
5.0000E−03
0.0000E+00
−5.0000E−03
−1.0000E−02
−1.5000E−02
−2.0000E−02
−2.5000E−02
−2.8503E−02

图 7-10　水平变形云图(水平砂岩夹层)(单位：m)

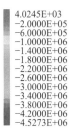
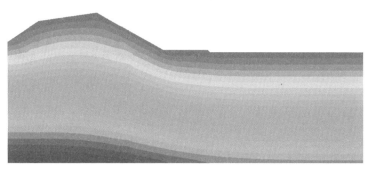

4.0245E+03
−2.0000E+05
−6.0000E+05
−1.0000E+06
−1.4000E+06
−1.8000E+06
−2.2000E+06
−2.6000E+06
−3.0000E+06
−3.4000E+06
−3.8000E+06
−4.2000E+06
−4.5273E+06

图 7-11　竖向应力云图(水平砂岩夹层)(单位：Pa)

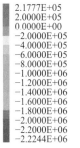

2.1777E+05
2.0000E+05
0.0000E+00
−2.0000E+05
−4.0000E+05
−6.0000E+05
−8.0000E+05
−1.0000E+06
−1.2000E+06
−1.4000E+06
−1.6000E+06
−1.8000E+06
−2.0000E+06
−2.2000E+06
−2.2244E+06

图 7-12　水平应力云图(水平砂岩夹层)(单位：Pa)

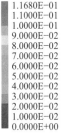
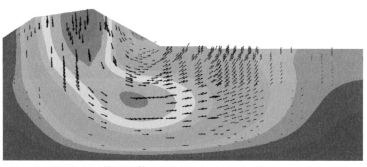

1.1680E−01
1.1000E−01
1.0000E−01
9.0000E−02
8.0000E−02
7.0000E−02
6.0000E−02
5.0000E−02
4.0000E−02
3.0000E−02
2.0000E−02
1.0000E−02
0.0000E+00

图 7-14　水平砂岩夹层模型整体变形云图(蠕变 5 年)(单位：m)

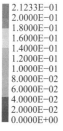
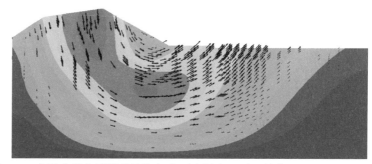

2.1233E-01
2.0000E-01
1.8000E-01
1.6000E-01
1.4000E-01
1.2000E-01
1.0000E-01
8.0000E-02
6.0000E-02
4.0000E-02
2.0000E-02
0.0000E+00

图 7-15　水平砂岩夹层模型整体变形云图(蠕变 10 年)(单位：m)

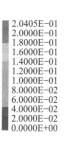
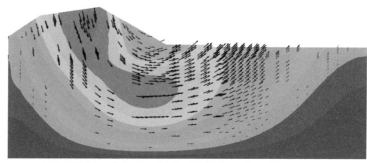

2.0405E-01
2.0000E-01
1.8000E-01
1.6000E-01
1.4000E-01
1.2000E-01
1.0000E-01
8.0000E-02
6.0000E-02
4.0000E-02
2.0000E-02
0.0000E+00

图 7-16　水平砂岩夹层模型整体变形云图(蠕变 20 年)(单位：m)

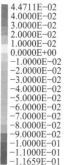
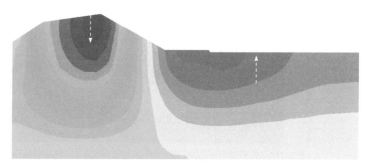

4.4711E-02
4.0000E-02
3.0000E-02
2.0000E-02
1.0000E-02
0.0000E+00
-1.0000E-02
-2.0000E-02
-3.0000E-02
-4.0000E-02
-5.0000E-02
-6.0000E-02
-7.0000E-02
-8.0000E-02
-9.0000E-02
-1.0000E-01
-1.1000E-01
-1.1659E-01

图 7-17　水平砂岩夹层模型竖向变形云图(蠕变 5 年)(单位：m)

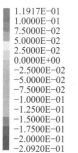
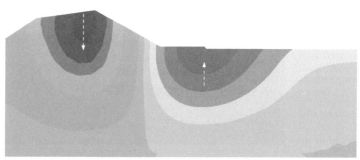

1.1917E-01
1.0000E-01
7.5000E-02
5.0000E-02
2.5000E-02
0.0000E+00
-2.5000E-02
-5.0000E-02
-7.5000E-02
-1.0000E-01
-1.2500E-01
-1.5000E-01
-1.7500E-01
-2.0000E-01
-2.0920E-01

图 7-18　水平砂岩夹层模型竖向变形云图(蠕变 10 年)(单位：m)

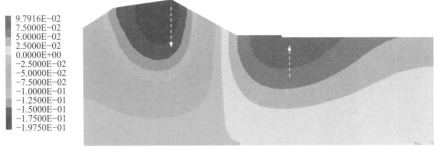

图 7-19　水平砂岩夹层模型竖向变形云图(蠕变 20 年)(单位：m)

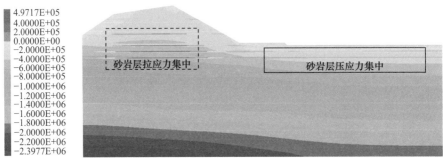

图 7-20　水平砂岩夹层模型水平应力云图(蠕变 5 年)(单位：Pa)

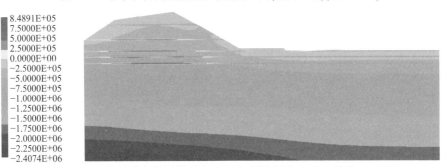

图 7-21　水平砂岩夹层模型水平应力云图(蠕变 10 年)(单位：Pa)

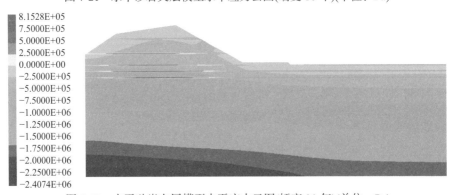

图 7-22　水平砂岩夹层模型水平应力云图(蠕变 20 年)(单位：Pa)

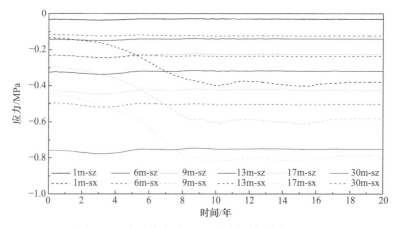

图 7-23　含砂岩夹层地基应力随时间的变化规律

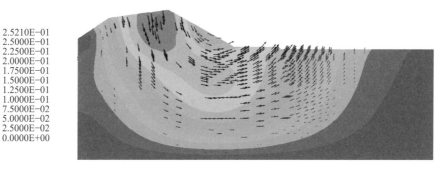

图 7-25　纯泥岩层模型整体变形云图(流变 5 年)(单位：m)

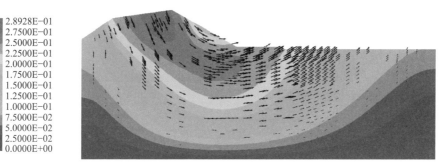

图 7-26　纯泥岩层模型整体变形云图(流变 10 年)(单位：m)

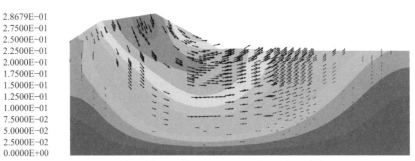

図 7-27　纯泥岩层模型整体变形云图(流变 20 年)(单位：m)

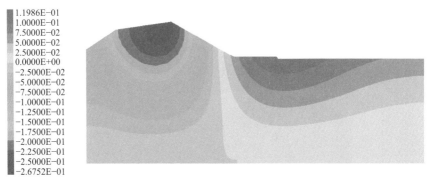

图 7-28　纯泥岩层模型竖向变形云图(流变 20 年)(单位：m)

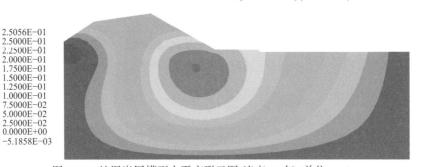

图 7-29　纯泥岩层模型水平变形云图(流变 20 年)(单位：m)

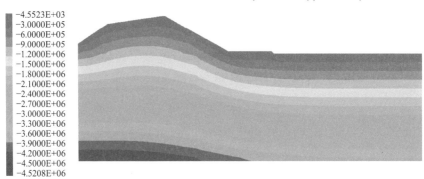

图 7-30　纯泥岩层模型竖向应力云图(流变 20 年)(单位：Pa)

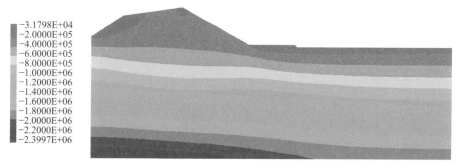

图 7-31　纯泥岩层模型水平应力云图(流变 20 年)(单位：Pa)

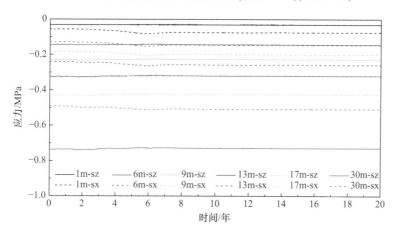

图 7-32　纯泥岩层基底应力随时间的变化规律

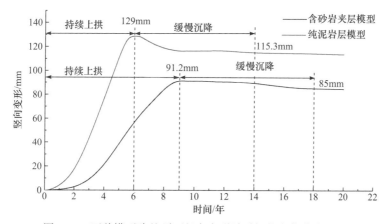

图 7-33　两种模型路基顶面竖向变形随时间的变化曲线对比

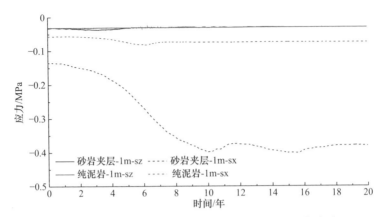

图 7-34　基底 1m(砂岩层位)深度应力随时间的变化曲线对比

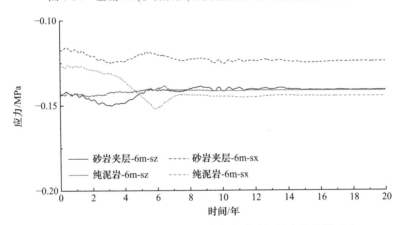

图 7-35　基底 6m(泥岩层位)深度应力随时间的变化曲线对比

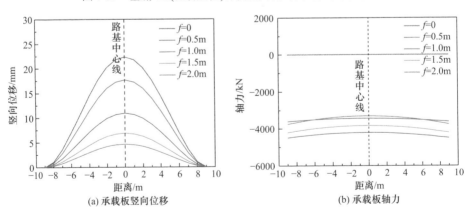

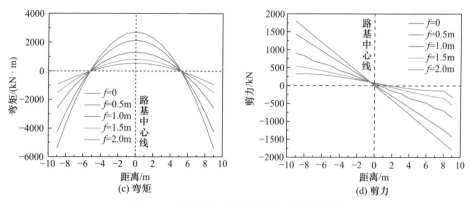

图 8-11　承载板竖向位移及内力计算结果

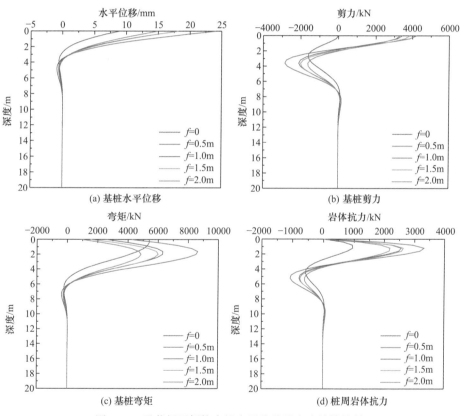

图 8-12　承载板两侧抗力桩水平位移及内力计算结果

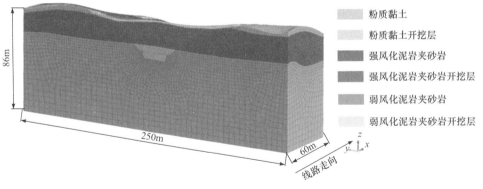

图 9-3　模型网格

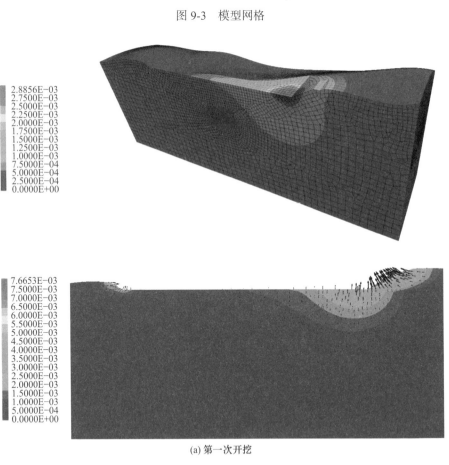

(a) 第一次开挖

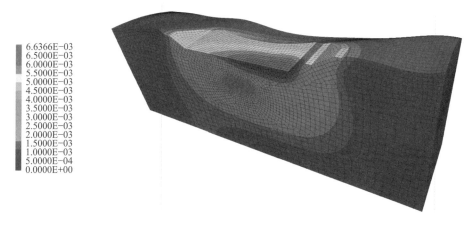

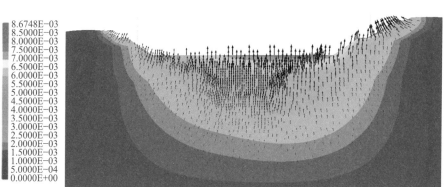

(b) 第二次开挖

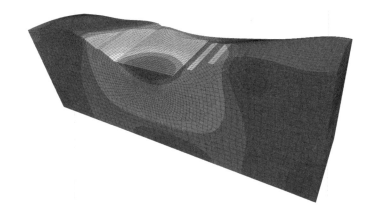

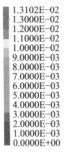
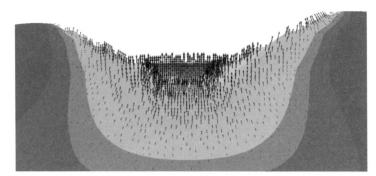

(c) 第三次开挖

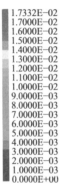
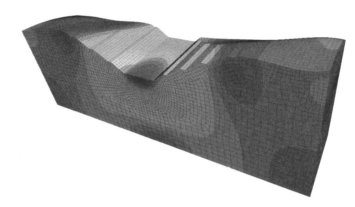

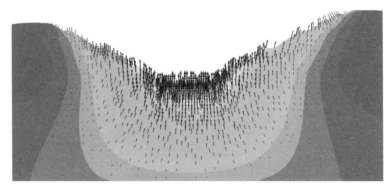

(d) 第四次开挖

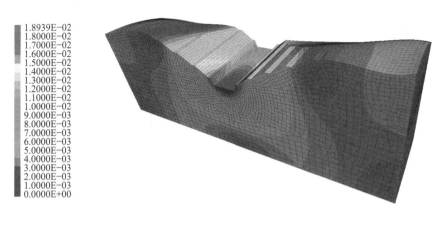

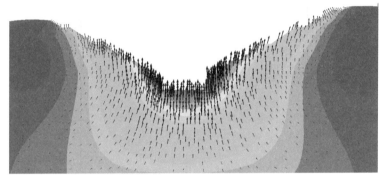

(e) 第五次开挖

图 9-4　开挖过程中边坡位移云图及矢量图(单位：m)

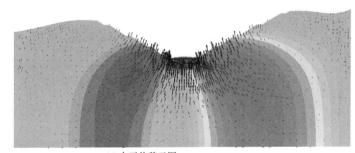

(a) 水平位移云图

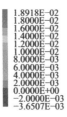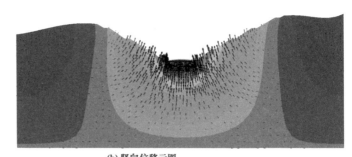

(b) 竖向位移云图

图 9-5 开挖后路堑段位移云图(单位：m)

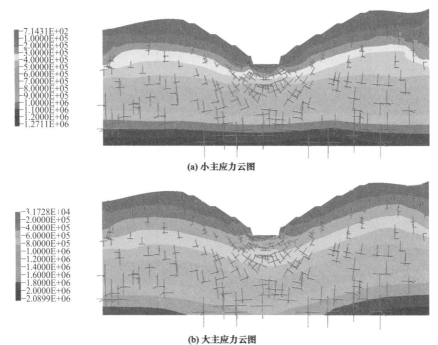

(a) 小主应力云图

(b) 大主应力云图

图 9-6 开挖后路堑段主应力云图(单位：Pa)

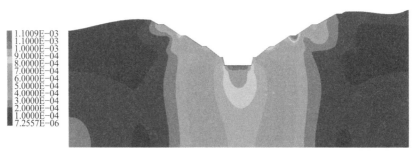

图 9-9 开挖完成后最大剪应变增量云图

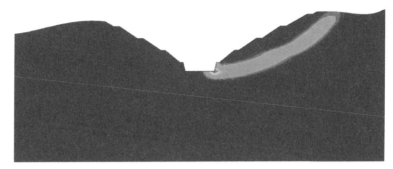

6.2401E-01
6.0000E-01
5.5000E-01
5.0000E-01
4.5000E-01
4.0000E-01
3.5000E-01
3.0000E-01
2.5000E-01
2.0000E-01
1.5000E-01
1.0000E-01
5.0000E-02
1.8360E-05

图 9-10　最大折减系数对应的剪应变增量云图

竖向位移增量/m

3.6147E-02
3.0000E-02
2.0000E-02
1.0000E-02
0.0000E+00
-1.0000E-02
-2.0000E-02
-3.0000E-02
-4.0000E-02
-5.0000E-02
-6.0000E-02
-7.0000E-02
-8.0000E-02
-9.0000E-02
-1.0000E-01
-1.1000E-01
-1.2000E-01
-1.3000E-01
-1.4000E-01
-1.4913E-01

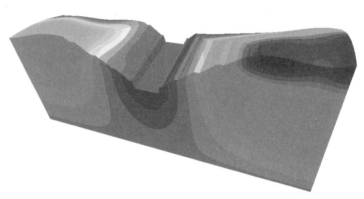

水平位移增量/m

9.6435E-02
9.0000E-02
8.0000E-02
7.0000E-02
6.0000E-02
5.0000E-02
4.0000E-02
3.0000E-02
2.0000E-02
1.0000E-02
0.0000E+00
-1.0000E-02
-2.0000E-02
-3.0000E-02
-4.0000E-02
-5.0000E-02
-5.5320E-02

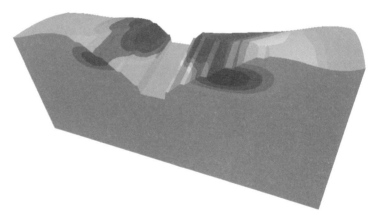

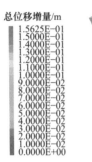

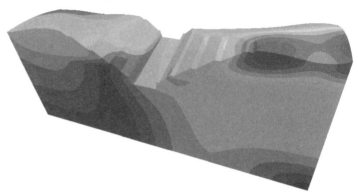

(a) 0~1年

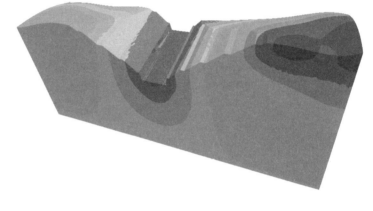

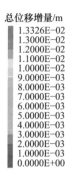

总位移增量/m

1.3326E-02
1.3000E-02
1.2000E-02
1.1000E-02
1.0000E-02
9.0000E-03
8.0000E-03
7.0000E-03
6.0000E-03
5.0000E-03
4.0000E-03
3.0000E-03
2.0000E-03
1.0000E-03
0.0000E+00

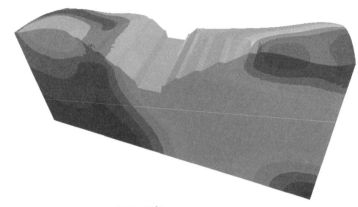

(b) 1～10年

图 9-12　不同流变阶段位移增量云图

大主应力增量/Pa

-1.4536E+04
-2.0000E+05
-4.0000E+05
-6.0000E+05
-8.0000E+05
-1.0000E+06
-1.2000E+06
-1.4000E+06
-1.6000E+06
-1.8000E+06
-2.0000E+06
-2.1147E+06

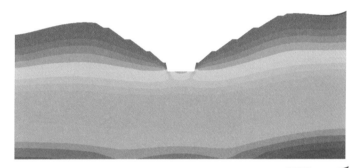

小主应力增量/Pa

-1.8601E+00
-1.0000E+05
-2.0000E+05
-3.0000E+05
-4.0000E+05
-5.0000E+05
-6.0000E+05
-7.0000E+05
-8.0000E+05
-9.0000E+05
-1.0000E+06
-1.1000E+06
-1.2000E+06
-1.3000E+06
-1.4000E+06
-1.5000E+06
-1.6000E+06
-1.7000E+06
-1.7589E+06

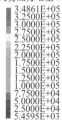

最大剪应力增量/Pa

3.4861E+05
3.2500E+05
3.0000E+05
2.7500E+05
2.5000E+05
2.2500E+05
2.0000E+05
1.7500E+05
1.5000E+05
1.2500E+05
1.0000E+05
7.7500E+04
5.0000E+04
2.5000E+04
5.4595E+03

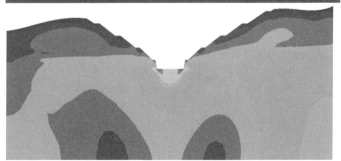

(a) 第1年

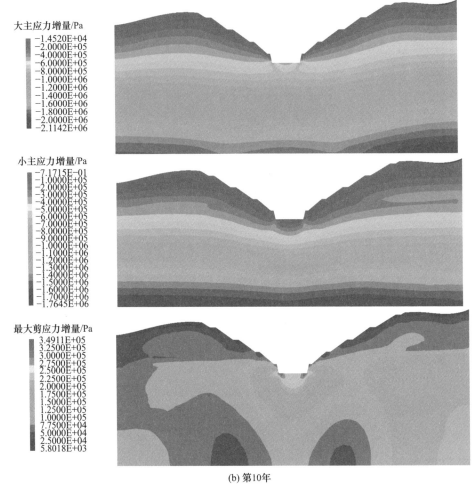

大主应力增量/Pa
- −1.4520E+04
- −2.0000E+05
- −4.0000E+05
- −6.0000E+05
- −8.0000E+05
- −1.0000E+06
- −1.2000E+06
- −1.4000E+06
- −1.6000E+06
- −1.8000E+06
- −2.0000E+06
- −2.1142E+06

小主应力增量/Pa
- −7.1715E−01
- −1.0000E+05
- −2.0000E+05
- −3.0000E+05
- −4.0000E+05
- −5.0000E+05
- −6.0000E+05
- −7.0000E+05
- −8.0000E+05
- −9.0000E+05
- −1.0000E+06
- −1.1000E+06
- −1.2000E+06
- −1.3000E+06
- −1.4000E+06
- −1.5000E+06
- −1.6000E+06
- −1.7000E+06
- −1.7645E+06

最大剪应力增量/Pa
- 3.4911E+05
- 3.2500E+05
- 3.0000E+05
- 2.7500E+05
- 2.5000E+05
- 2.2500E+05
- 2.0000E+05
- 1.7500E+05
- 1.5000E+05
- 1.2500E+05
- 1.0000E+05
- 7.7500E+04
- 5.0000E+04
- 2.5000E+04
- 5.8018E+03

(b) 第10年

图 9-13　不同流变阶段模型应力增量云图

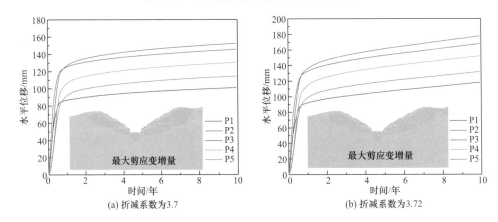

(a) 折减系数为3.7

(b) 折减系数为3.72

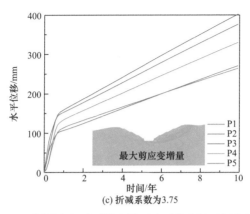

(c) 折减系数为3.75

图 9-15 不同强度折减下潜在滑面水平位移随时间发展特征

图 9-25 路基加固后第 10 年的竖向位移云图(单位：m)

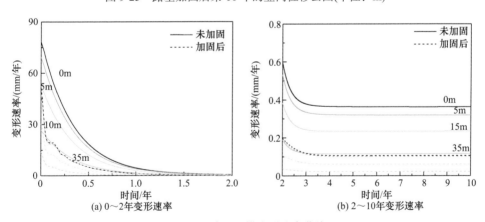

(a) 0~2年变形速率   (b) 2~10年变形速率

图 9-27 路基上拱变形速率曲线

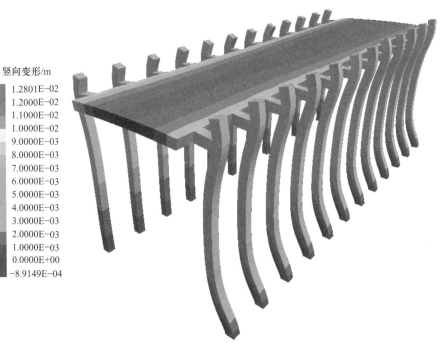

竖向变形/m

1.2801E-02
1.2000E-02
1.1000E-02
1.0000E-02
9.0000E-03
8.0000E-03
7.0000E-03
6.0000E-03
5.0000E-03
4.0000E-03
3.0000E-03
2.0000E-03
1.0000E-03
0.0000E+00
-8.9149E-04

图 9-30　运营 1 年后弧形桩板结构变形模式示意图(放大 200 倍)

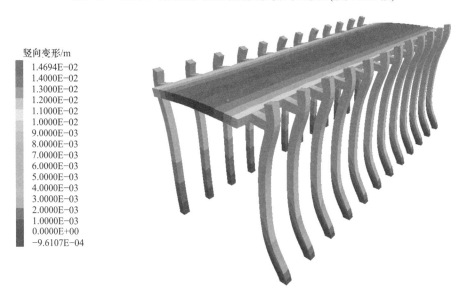

竖向变形/m

1.4694E-02
1.4000E-02
1.3000E-02
1.2000E-02
1.1000E-02
1.0000E-02
9.0000E-03
8.0000E-03
7.0000E-03
6.0000E-03
5.0000E-03
4.0000E-03
3.0000E-03
2.0000E-03
1.0000E-03
0.0000E+00
-9.6107E-04

图 9-31　运营 10 年后弧形桩板结构变形模式示意图(放大 200 倍)

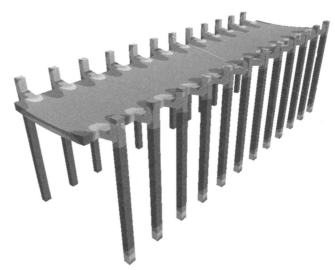

1.6694E+06
0.0000E+00
−2.0000E+06
−4.0000E+06
−6.0000E+06
−8.0000E+06
−1.0000E+07
−1.2000E+07
−1.4000E+07
−1.6000E+07
−1.8000E+07
−2.0000E+07
−2.2000E+07
−2.3213E+07

(a) 结构小主应力云图

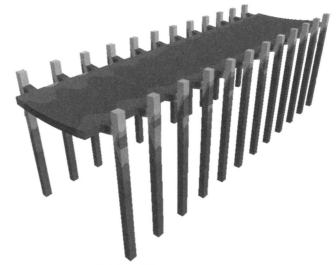

1.0908E+07
1.0000E+07
9.0000E+06
8.0000E+06
7.0000E+06
6.0000E+06
5.0000E+06
4.0000E+06
3.0000E+06
2.0000E+06
1.0000E+06
0.0000E+00
−7.8896E+05

(b) 结构大主应力云图

图 9-32 运营 1 年后弧形桩板结构主应力云图(单位：Pa)

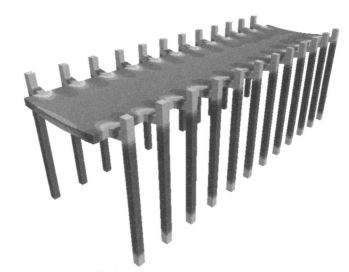

-4.7921E+05
-1.0000E+06
-2.0000E+06
-3.0000E+06
-4.0000E+06
-5.0000E+06
-6.0000E+06
-7.0000E+06
-8.0000E+06
-9.0000E+06
-1.0000E+07
-1.1000E+07
-1.2000E+07
-1.3000E+07
-1.4000E+07
-1.5000E+07
-1.6000E+07
-1.7000E+07
-1.7319E+07

(a) 结构小主应力云图

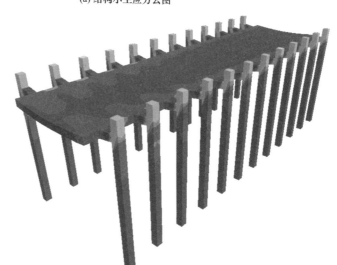

1.0747E+07
1.0000E+07
9.0000E+06
8.0000E+06
7.0000E+06
6.0000E+06
5.0000E+06
4.0000E+06
3.0000E+06
2.0000E+06
1.0000E+06
0.0000E+00
-7.8221E+05

(b) 结构大主应力云图

图 9-33 运营 10 年后弧形桩板结构主应力云图(单位：Pa)

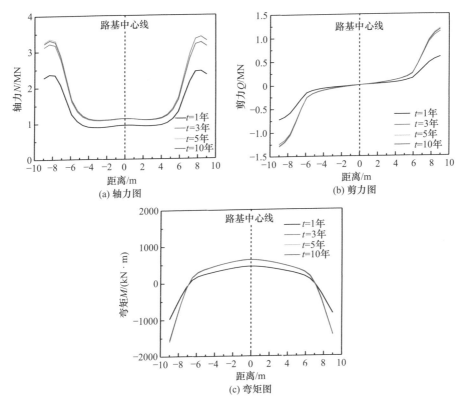

图 9-35　弧形板 A—A 截面内力图

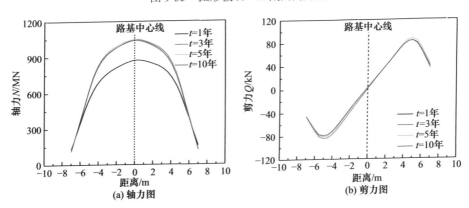

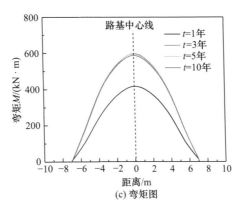

(c) 弯矩图

图 9-36 弧形板 B—B 截面内力图

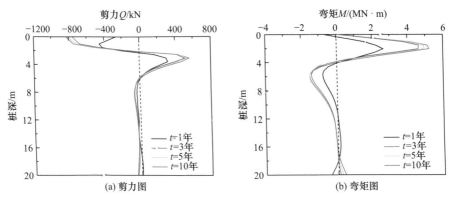

(a) 剪力图

(b) 弯矩图

图 9-37 抗力桩内力图